15/08/2017

- 4 SEP 2017

- 4 NOV 2017

WWT 1217

D1579796

cional

# Alberto Vázquez-Figueroa

## El último tuareg

mr · ediciones

© Desaladoras AVF, S. L., 2014
© Editorial Planeta, S. A., 2014, 2015
   Ediciones Martínez Roca es un sello editorial de Editorial Planeta, S. A.
   Avinguda Diagonal, 662, 6.ª planta. 08034 Barcelona (España)
   www.mrediciones.com
   www.planetadelibros.com

Diseño de la cubierta: Departamento de Arte y Diseño, Área Editorial Grupo Planeta
Ilustración de la cubierta: © Teo Tarras
Fotografía del autor: © Silvia Vázquez-Figueroa
Primera edición en Colección Booket: marzo de 2015

Depósito legal: B. 1.845-2015
ISBN: 978-84-270-4165-3
Impresión y encuadernación: Liberdúplex, S. L.
*Printed in Spain* - Impreso en España

# Biografía

Alberto Vázquez-Figueroa nació en 1936, el año en que empezó la guerra civil española. El principio de su vida está marcado por esa circunstancia histórica, pues su padre, sus tíos y su abuelo fueron encarcelados o deportados. A esta tragedia se une otra personal: en 1949 fallece su madre, y él, con trece años, es enviado con sus tíos al Sáhara, donde pasará el resto de su infancia y adolescencia. La vida en el desierto, sus habitantes y su dureza le marcan en todos los sentidos. En 1954 vuelve a Santa Cruz de Tenerife, donde completa el bachillerato, y decide estudiar periodismo en Madrid. Paralelamente a sus estudios logra una plaza como profesor de submarinismo en el buque escuela Cruz del Sur, lo que le ocupará durante dos temporadas: 1957-1958. En enero de 1958 dirige el equipo de buceadores que rescata los cadáveres del fondo del lago de Sanabria, adonde fueron arrastrados por la rotura de una presa. Al acabar la carrera viaja a África Central, de donde vuelve con grandes reportajes que publica en el prestigioso semanario *Destino*. Tras varios años como corresponsal viajero de la citada revista, empieza a trabajar como enviado especial para *La Vanguardia* y para Televisión Española, cubriendo los conflictos bélicos más importantes de la época. Poco a poco consigue compaginar sus grandes pasiones y hacer de ellas su modo de vida: la literatura, la aventura, los viajes… Al principio publica libros sobre los lugares lejanos y en cierto modo exóticos que conoce como periodista (*África encadenada*, *La ruta de Orellana*, *Galápagos*…), pero después empezará a publicar también novelas (*Manaos*, *Tierra virgen*, *Quién mató al embajador*…). El éxito le llega con *Ébano* y, sobre todo, con *Tuareg*. Muchas de sus novelas son adaptadas al cine, industria con la que empieza una larga relación, ya que ha sido director, guionista y productor. Entre sus obras más destacadas también pueden citarse *Sicario*, *El perro*, *El señor de las tinieblas*, *Coltán* y las sagas *Océano* y *Cienfuegos*. En 2010 se alzó con el prestigioso Premio Alfonso X el Sabio con su novela *Garoé*, de enorme éxito. Con Ediciones Martínez Roca ha publicado, también, *El mar en llamas*, *La bella bestia* y *Bímini*.

*A José Miguel Serrano y familia.*
*Con mi más profundo agradecimiento*

# 1

Hacía frío.
Mucho frío.

Aún faltaba media hora para el amanecer, el termómetro marcaba once grados, pero un molesto viento que llegaba del noroeste obligaba a tiritar a quienes se apretujaban en la parte alta del camión, cuyas manos se agarrotaban a causa del esfuerzo que exigía aferrarse a cuanto podían con el fin de evitar que un bache obligara al vehículo a dar un brusco salto precipitándoles al suelo desde cuatro metros de altura.

Gacel Mugtar, que había heredado el nombre de un pariente lejano que al parecer había luchado heroicamente contra la dictadura militar, sabía muy bien que en tales momentos debía conducir con infinitas precauciones para evitar tan desagradables incidentes. Quienes trepaban sobre las cajas y los sacos lo hacían aceptando una total responsabilidad sobre sus actos, pero resultaba desagradable, poco honorable y en cierto modo humillante llegar a su destino con un viajero menos.

Infinidad de veces se había visto obligado a detener la marcha para recoger a quien no había tenido la precaución de atarse a algo al advertir que se estaba quedando dormido, pero el caso más triste ocurrió la noche en que un muchacho cayó a plomo sin que nadie lo advirtiera y tan solo salvó la vida gracias a que cuatro días más tarde otro camión se lo encontró tendido en mitad de la pista, con una pierna destrozada y a punto de ser devorado por las hienas.

*Inshallah!*

La voluntad del Señor había sido que sobreviviera a base de aprender una dura lección y quedarse cojo.

Pese a que antes de ponerse en marcha Gacel aleccionaba insistentemente a sus pasajeros sobre la necesidad de tomar toda clase de precauciones durante el agotador viaje, no podía evitar sentirse molesto cuando sobrevenía un accidente debido a que la mayoría de los pasajeros apenas le prestaba atención, ya que se consideraban valientes guerreros capaces de enfrentarse a los infinitos peligros del desierto, incluso desde lo alto de un bamboleante vehículo.

Cuando la primera luz comenzó a anunciar su próxima aparición a algunos viajeros aún les castañeaban los dientes, pero apenas diez minutos más tarde el indiscutible amo de los desiertos, el sol, recuperó su trono, ahuyentó el frío y se dispuso a imponer una bochornosa e implacable ley sobre sus vastos territorios.

Las dos horas siguientes, con perfecta visibilidad y apenas 20 grados de máxima, resultaban las más idóneas para viajar, pero, tal como solía suceder con desesperante regularidad, apenas había transcurrido la mitad de ese tiempo cuando estalló el primer neumático.

*Inshallah!*

Bastante había tardado, a decir verdad, e incluso debía

agradecerle que hubiera tenido la deferencia de no haberse visto obligado a apear del camión a los pasajeros en mitad de la noche con el fin de reparar el desaguisado a la luz de una linterna.

Apagó el motor, echó el freno de mano, descendió, comprobó que en efecto la rueda delantera derecha había quedado inservible y se alejó hasta encontrar la sombra de una acacia bajo la que descansar un rato.

Su eficaz ayudante, Abdul, sería el encargado de rogar a los viajeros que descendieran y exigir a los hombres más fuertes que le echaran una mano para cambiar la rueda debido a que era un compromiso que adquirían a la hora de comprar su pasaje.

Aquel no era un autobús de línea regular que se dirigiera a un destino concreto siguiendo un itinerario fijo o un horario predeterminado, sino tan solo un medio de transporte poco ortodoxo, puesto que era cosa sabida que tenía que someterse a las mil eventualidades que surgían en un entorno natural en exceso caprichoso.

El viento, la arena, los salteadores de caminos y últimamente los sanguinarios yihadistas que intentaban imponer por la fuerza sus fanáticas leyes en una tierra que jamás había aceptado otra ley que la libertad de creencias, conseguían a menudo que un itinerario que debía recorrerse en tres días se prolongara otros tantos, e incluso que no se completara nunca.

*Inshallah!*

Así era, por desgracia, y las costumbres imponían que en tales casos el conductor se tomara un merecido descanso y fueran otros los encargados del duro trabajo de sustituir la rueda dañada. En aquel lugar y con aquellas circunstancias llegaba a resultar agotador, porque, como el inestable terreno impedía utilizar un gato hidráulico que poco a poco se iba hundiendo en la arena, lo único que se podía hacer era sostener el chasis con gruesos troncos y cavar un hoyo bajo la rueda de forma que pudiese extraerse y cambiarse por una de repuesto.

A continuación se hacía necesario rellenar de nuevo el hueco hasta que el neumático se asentara con firmeza, y por ultimo retirar los troncos, lo cual solía celebrarse con gritos y saltos de alboroto, puesto que se trataba de una clara victoria del hombre sobre la naturaleza.

Por último, el incansable Abdul reparaba el pinchazo, colocaba el neumático en el puesto que había quedado vacío y se encaminaba hasta el punto en que su jefe descansaba, ofreciéndole un vaso de té con el que venía a indicarle que podían reiniciar la marcha en cuanto lo considerara oportuno.

Los pasajeros se limitaban a aguardar expectantes, porque un hombre capaz de conducir un camión tan grande por un territorio tan complejo llevándolos sanos y salvos a su punto de destino alcanzaba a sus ojos una jerarquía digna de la mayor consideración.

Tal como rezaba un viejo dicho beduino: «Los más valientes guerreros serán derrotados si no disponen de un guía que sepa conducirles al campo de batalla».

Y Gacel Mugtar era un buen guía.

Siempre lo había sido.

Años atrás solía marchar al frente de una larga caravana que transportaba sal, pero ahora era el curtido chófer de una compleja y ruidosa máquina que acortaba el tiempo de viaje, aunque no las distancias.

A solas con su vaso de té, observando cómo Abdul y la mayoría de los viajeros se acomodaban en lo alto del vehículo esperando con la paciencia propia de los beduinos a que se decidiera a retomar el volante, Gacel Mugtar evocó una vez más los viejos tiempos en que solía hacer aquel mismo recorrido a lomos de un parsimonioso camello que no necesitaba que le apretara el acelerador o le cambiara las marchas.

Él era un imohag del Kel Talgimus por cuyas venas corría la sangre más noble y más pura que pudiera encontrarse entre los tuaregs, y el hecho de guiar caravanas a través del más peligroso de los desiertos siempre había sido considerado un gran honor para los de su estirpe.

Conducir un camión ya no lo era tanto.

No obstante, el día en que su hermana le comunicó que deseaba casarse se vio obligado a endeudarse con el fin de proporcionarle la dote adecuada.

Nunca pudo imaginar que el ajuar de una novia costara tanto, lo cual trajo aparejado que tuviera que cambiar de oficio y pasar de las bridas de un silencioso dromedario al volante de un ruidoso monstruo mecánico.

En aquella remota zona del desierto en la que el mar más cercano se encontraba a miles de kilómetros, la sal era un bien muy apreciado, pero su comercio no resultaba rentable si se transportaba en unos camiones que solían averiarse y consumían demasiada gasolina.

La sal no tenía fecha de caducidad, los camellos eran mucho más lentos y, aunque se reprodujeran solos, se alimentaran del pasto del camino y soportaran largo tiempo sin beber, una caravana de doscientos animales proporcionaba tan escasos beneficios que resultaba imposible ganar lo suficiente como para adquirir una dote digna de una hermana.

Y el dueño de los camiones pagaba bien.

Y pagaba bien porque era consciente de los riesgos que se corrían. Apenas tres meses atrás, dos de sus camiones cargados de inmigrantes que se dirigían a Argelia con el fin de llegar al Mediterráneo y cruzar Europa habían tenido la mala suerte de averiarse al mismo tiempo y casi cien hombres, mujeres y niños, ¡familias enteras!, habían muerto de sed tras diez o doce días de vagar sin rumbo por el desierto y pese a que los andaba buscando todo un ejército.

Gacel conocía a uno de los conductores y sabía que era un buen profesional, pero aun así no había podido evitar tan espantosa desgracia.

*Inshallah!*

Era el Señor el que en definitiva señalaba los caminos que deben seguir los seres humanos.

Incluso los tuaregs.

Apuró su té, se decidió a reanudar la marcha y, por suerte, solo se produjo un nuevo pinchazo antes de que llegara el mediodía y la temperatura superara los cuarenta grados, momento en el que buscó un lugar apropiado, se detuvo y permitió que Abdul desmontara una parte de la lona que cubría el camión para levantar con ella un toldo. Muy pronto el sol castigaría con fuerza el costado de poniente del vehículo, pero al lado contrario, cara a levante, la sombra permitiría a los pasajeros descansar hasta que amainara el insoportable bochorno.

Y es que ni hombres ni máquinas estaban en condiciones de resistir la violencia del sol durante las próximas horas.

Cuando se cercioró de que todo estaba en orden y sus pasajeros disfrutaban de una relativa comodidad, Gacel Mugtar comió frugalmente, recogió el viejo fusil que colgaban en la trasera de la cabina y se alejó de las voces, los ronquidos o las ventosidades, puesto que tras más de seis horas al volante necesitaba dormir.

Rezó sus oraciones arrodillado sobre una estera que luego le sirvió para montar una minúscula tienda de campaña, se acurrucó en posición fetal y cerró los ojos sabiendo que Abdul, nieto de esclavos descendientes de kotokos del lago Chad, tenía la piel tan curtida que permanecería impasible en lo alto del camión atento a la llegada de malhechores de los que en más de una ocasión habían tenido que defenderse a tiros.

En absoluto silencio y libre del velo que cubría su rostro en presencia de extraños, Gacel descansó lo suficiente como para reintegrarse sin problemas a su duro trabajo y alcanzar su destino esa misma noche.

La suerte quiso que solo sufrieran un nuevo pinchazo, por lo que poco después de las dos de la mañana hizo entrega de las llaves del vehículo y se encaminó a una casa de la que llevaba once días ausente.


Assalama se encaró sin el menor miramiento al hombre que había golpeado la puerta de una forma tan desconsiderada e insistente.

—¿Qué ocurre…? —inquirió sin tan siquiera molestarse en saludarle—. ¿A qué viene tanto escándalo? Mi hijo descansa.

—Necesito hablar con él.

—Vuelve mañana. Ha hecho un largo viaje y está agotado.

—Más largo ha sido el mío, y no puedo esperar… —fue la seca respuesta en lengua tamashek—. Me llamo Hassan y soy un Cebra.

Ante semejante presentación la actitud de la mujer cambió como por ensalmo, franqueó la entrada al recién llegado y le condujo al patio en que se alzaba su más preciado tesoro: uno de los nueve árboles del valle, y probablemente el más frondoso, lo que permitía que aquel fuera el único lugar del pueblo en el que al mediodía se podía charlar a gusto a sin que faltara el aliento.

Gacel Mugtar apenas tardó unos minutos en hacer su aparición, saludando respetuosamente a su inesperado huésped según la milenaria tradición de los tuaregs:

—*Metulem, metulem!*

—*Metulem, metulem!* —le respondió quien le esperaba.

—¿En qué puedo servirte?

El desconocido aguardó a que Assalama colocara ante ellos una bandeja con la inevitable tetera, vasos, pastas y dátiles, pero cuando advirtió que hacía ademán de alejarse la detuvo con un gesto.

—¡Quédate! —suplicó—. Lo que tengo que decir te atañe de modo muy directo.

La buena mujer dudó, consultó con la mirada a su hijo, que hizo un casi imperceptible gesto de asentimiento, y tras llenar los vasos tomó asiento permaneciendo a la expectativa con las manos cruzadas sobre el halda.

Quien decía llamarse Hassan y se había proclamado Cebra aguardó unos instantes, se alzó unos centímetros el *anagad* con el fin de sorber un poco de la oscura infusión sin permitir que se le viera el rostro y, tras asentir como dando su conformidad a la calidad de su cuidadosa elaboración, comentó:

—Estoy aquí porque como bien sabéis el tuareg es un pueblo temido, admirado y respetado desde hace miles de años, desde que, según cuenta la tradición, nuestros antepasados, los garamantes, se lanzaron a la conquista de estos inmensos desiertos en los que nunca nadie se ha atrevido a discutir nuestra hegemonía —hizo una corta pausa, bebió de nuevo y, tras lanzar lo que parecía un hondo suspiro, añadió—: Siempre hemos sido una raza noble y orgullosa de una fama de la que nos hemos hecho merecedores a base de sufrir incontables privaciones, pero últimamente un deleznable grupúsculo de individuos de nuestra misma sangre está arrastrando por el fango nuestro buen nombre...

El dueño de la casa se limitó a asentir a sabiendas de que a su visitante le asistía toda la razón, por lo que este añadió:

—Más de un millón de tuaregs asentados desde hace siglos en una decena de países no pueden consentir que un par de cientos de renegados, bien sean viles mercenarios o fanáticos embrutecidos por ideologías extremistas, destruyan su glorioso pasado arruinando el futuro de sus hijos...
—la nueva pausa estaba destinada a dar mayor fuerza a sus palabras y la voz sonó segura de sí misma al puntualizar—:

Debido a ello se ha tomado una lógica y justificada decisión: los culpables, ¡todos los culpables!, deben ser eliminados.

—¿Qué quieres decir exactamente con «eliminados»? —quiso saber un alarmado Gacel.

—Lo que he dicho: tienen que ser aniquilados dondequiera que estén y aunque se trate de nuestros propios hermanos o nuestros propios hijos.

—¿Significa eso matarlos?

—Significa «ajusticiarlos» —fue la rápida aclaración—. No debe quedar uno solo; ni de ellos, ni de cuantos se cubren el rostro con un velo y se hacen pasar por tuaregs con el fin de seguir cometiendo atrocidades.

Assalama fue a decir algo, se arrepintió, pero Hassan le animó a hacerlo.

—Habla sin reparos; tal como ya te dije, esto te afecta.

Tras una ligera duda debido a que no era habitual que una mujer interviniera en una conversación en la que los hombres trataran «asuntos de guerra», o a que tal vez lo que pretendía decir resultaba demasiado duro, la madre de Gacel Mugtar se atrevió a puntualizar:

—Ajusticiarlos sin juicio previo significaría colocarse a su mismo nivel.

—A los bárbaros solo se les puede combatir siendo aún más bárbaros —fue la áspera respuesta—. Esos malnacidos, hijos de una camella tuerta, no respetan ni a mujeres ni a niños, ni aun a las más sagradas reglas de la hospitalidad. Hacen burla de las palabras del Profeta al interpretarlas y retorcerlas a su antojo y, si no se tratara de una herejía, me atrevería a decir que merecerían que se les enterrara envueltos en la piel de un cerdo.

—¡Por favor...!

—¡Perdón! No debería permitir que la ira se apoderase de mi ánimo, pero en ocasiones no puedo evitarlo porque hemos sabido que incluso están promoviendo entre sus propias hijas ese bárbaro ritual de la ablación.

—¡No es posible! —negó una escandalizada Assalama.

—Lo es.

Gacel Mugtar, que parecía presentir que aquella conversación iba a cambiar de alguna forma brutal y muy poco deseada su monótona pero en cierto modo apacible existencia, depositó con sumo cuidado su vaso sobre la bandeja antes de inquirir en un tono que mostraba a las claras una sincera y profunda preocupación.

—Si, como aseguras, eres un auténtico Cebra y no un simple mensajero, me gustaría saber qué es lo que se espera de mí.

—Se espera que cumplas con tu obligación como miembro del Pueblo del Velo. Se te ha elegido porque se te considera un gran conocedor del desierto, y además eres soltero, lo cual significa que si caes en la lucha no dejarás ni viudas ni huérfanos.

—Dejaría desamparada a su madre... —le hizo notar Assalama.

—Dejaría desamparada a una madre orgullosa del sacrificio de su hijo... —fue la descarnada respuesta—. Ten en cuenta que aquellas que podrían haber sido sus esposas encontraron otros maridos con los que sin duda engendrarán nuevos tuaregs, mientras que tú ya no estás en edad de hacerlo.

—¿La decisión es firme? —quiso saber ella en un tono que denotaba la profundidad de su angustia.

—E inapelable.

—Eso lo daba por sentado —señaló Gacel en el tono de quien acepta sin protestar lo que el destino le ha deparado—. Siempre he sabido que no me temblaría el pulso a la hora de matar a un enemigo, pero no estoy tan seguro si se me exige que lo mate a sangre fría.

—Solo lo sabrás cuando llegue el momento, y la memoria de tus antepasados te dará fuerzas.

—No creo que se trate de fuerzas, que pocas se necesitan a la hora de apretar un gatillo; lo que hace falta es decisión.

—Te la proporcionará el saber que los yihadistas han iniciado una campaña de matanzas indiscriminadas en cualquier lugar del mundo y contra todos los que no sean musulmanes extremistas. Destruyen a quien construye y alaban a quien destruye, lo cual solo nos deja dos opciones: alabarlos o destruirlos…

—Justo parece.

—Y justo es. El nuestro nunca ha sido un pueblo al que le apasione el progreso puesto que siempre ha sabido conformarse con lo que la naturaleza le proporciona aprendiendo a sobrevivir con lo imprescindible, pero tampoco desea retroceder a unos tiempos en los que las creencias se imponían por la fuerza. Quien adora al Señor porque el Señor así lo quiere entrará en el paraíso, pero quien le adora porque otros le obligan jamás cruzará sus puertas.

—¿Cruzará mi hijo esas puertas con una carga de muertes sobre sus espaldas?

El Cebra tardó en responder, arrugó el entrecejo, lo cual resultó visible, puesto que el velo solo le cubría parte de la frente, y, tras lanzar un gruñido que evidenciaba el malestar que la pregunta le producía, masculló:

—Empiezo a arrepentirme de permitirte participar en nuestra conversación, mujer, pero, como presumo de ser consecuente con mis actos, no me queda otro remedio que resignarme. Entiende bien que le estoy ordenando a tu hijo que ejecute a nuestros enemigos o que en caso de no obedecer se disponga a morir. Decida lo que decida, yo seré el único responsable.

Assalama fue a añadir algo, pero Gacel se lo impidió.

—Se trata de una guerra inevitable aunque nunca la hayamos deseado, madre, y cuando una guerra se inicia no se discuten las órdenes. ¿Acaso te gustaría ver cómo una vieja fanática mutila los genitales de tus nietas convirtiéndolas en pedazos de carne que tan solo servirán para que otros viejos fanáticos disfruten de ellas como si fueran mulas?

—Naturalmente que no.

—En ese caso déjame que luche por su derecho a ser mujeres, tal como lo fuiste tú, pues aún recuerdo con cuánta pasión amabas a mi padre... —Gacel se tomó un leve respiro antes de concluir—: Lo que por desgracia está en juego no son nuestras vidas, sino nuestra forma de vivir, lo cual no nos atañe tan solo a ti y a mí, sino a millones de personas, sean tuaregs o no.

—En eso puede que tengas razón —admitió ella—. Por lo poco que oigo y lo poco que sé, una desmesurada avaricia o un enloquecido fanatismo parecen estar adueñándose del mundo y entiendo que debemos contribuir a evitarlo. Si Alá ha dispuesto que te conviertas en un Cebra, debo resignarme.

—Ese siempre ha sido el papel de las madres… —le hizo notar Hassan.

—Y lo acepto, aunque hay algo que me gustaría saber… —la pregunta no iba dirigida a su hijo, sino a su huésped—: ¿Qué significa exactamente ser un Cebra, y por qué razón se ha elegido el nombre de un asustadizo animal que en nada representa lo que debe ser un valeroso tuareg?

El interrogado meditó su respuesta mientras mordisqueaba un dátil, y por fin inquirió en un tono que dejaba entrever una ligera sorna:

—¿Un león o tigre te parecen animales que nos representarían mejor…? —ante el mudo gesto de asentimiento añadió—: En un circo los leones y los tigres saltan por el interior de un aro de fuego en cuanto el domador chasquea su látigo, a la par que los caballos más fogosos e incluso los gigantescos elefantes acaban haciendo payasadas. Sin embargo, las cebras no suelen obedecer órdenes y rara vez se dejan montar —sonrió divertido al concluir—: Y además tienen rayas.

Tanto Assalama como su hijo mostraron ahora su sorpresa.

—¿Y qué tienen que ver las rayas? —quiso saber la primera.

—Que nadie puede saber si se trata de un animal blanco con rayas negras o uno negro con rayas blancas. ¿Tú qué opinas?

—No tengo ni la menor idea… —fue la sincera respuesta.

—Hasta los ocho meses de gestación el feto de una cebra es negro y solo a partir de ahí comienzan a aparecerle manchas blancas, lo cual indica que en su origen debían ser negras y la necesidad las obligó a evolucionar con el fin de camuflarse.

—¡Camuflarse! —repitió la asombrada mujer—. Es el animal más estúpidamente llamativo que he visto.

—Puede que resulte llamativo para ti, pero no para los leones, que son sus principales depredadores, ya que al parecer tan solo ven las cosas en blanco o negro. Cuando las cebras se quedan quietas entre la maleza, sus rayas simulan ser ramas, lo cual les permite pasar desapercibidas a los ojos de los leones.

—Nunca se me habría ocurrido.

Su interlocutor parecía disfrutar con sus explicaciones, puesto que, tras lanzar lejos el hueso del dátil con la vana esperanza de que algún día naciera una palmera que dejara constancia de su paso por aquel lugar, añadió:

—Conocer las limitaciones del enemigo resulta prioritario a la hora de luchar. Una de nuestras mayores ventajas estriba en que cuando nos quitamos el velo nadie puede saber que somos tuaregs. Gracias a que nos está permitido usarlo tú aún no has visto mi rostro, o sea, que, si mañana cruzara a tu lado vestido de un modo diferente, no me reconocerías y te estarías comportando como un león que no consiguiera distinguir a su presa. ¿Empiezas a entender por qué hemos elegido a la cebra como símbolo?

—Un poco…

—Ya hay demasiados símbolos de leones, tigres, zorros, leopardos o panteras y tenemos que esforzarnos por actuar con astucia pasando desapercibidos debido a que existen millones de yihadistas astutos, sanguinarios y especialmente traicioneros.

—No me parece un comportamiento honorable ni digno de nuestra raza —se lamentó la buena mujer—. Tú mismo empezaste diciendo…

—Madre, perdona que te interrumpa… —intervino de nuevo Gacel—. Sabes cuánto te respeto y valoro tu opinión, pero entiendo que esta es una guerra especialmente sucia y en la que el honor y la dignidad no tienen cabida. Cebra o tigre… ¿Qué más da? Sus rayas les sirven para lo mismo, intentar pasar desapercibidos a la hora de matar o morir.

# 2

Dos hombres montaban guardia, uno a cada lado de la puerta del vetusto caserón, y, mientras el más corpulento permanecía erguido y con el fusil firmemente aferrado, el otro apoyaba el suyo en el muro sobre el que se recostaba, aprovechando la oscuridad para despojarse del velo y fumar con absoluta comodidad.

Del interior de la vivienda surgían voces a las que no prestaban la menor atención, por lo que continuaron impertérritos hasta que por el final de la calle hizo su aparición un escuálido borrico montado por un harapiento beduino cuyas sandalias casi rozaban el suelo, y que obligaba al sufrido animal a avanzar a base de insultos y latigazos.

A la escasa luz que surgía de una de las ventanas la escena resultaba en cierto modo ridícula, puesto que evidentemente se trataba de una montura demasiado endeble para el esfuerzo que se le exigía, obligando a temer que en cualquier momento le fallarían las patas, con lo que su desconsiderado jinete saltaría por las orejas para acabar rompiéndose la crisma.

El centinela que fumaba agitó negativamente la cabeza dejando escapar una leve sonrisa, pero su compañero ni tan siquiera se inmutó.

El desgraciado borrico continuó su vacilante marcha y su dueño, concentrado en la tarea de mantenerse en tan inestable equilibrio, ni siquiera se dignó alzar el rostro o saludar, aunque cuando se encontraba a menos de cuatro metros de distancia en su mano hizo su aparición un pesado revólver.

Sin tiempo de reaccionar, el centinela más corpulento cayó de espaldas con un agujero entre los ojos.

El que fumaba se giró alargando la mano hacia su arma, pero una nueva bala le entró por la sien, le atravesó el cerebro y se clavó en la pared.

Quien les había eliminado de una forma tan fría e inesperada saltó ágilmente de su agotada montura, echó a correr y a los pocos instantes había desaparecido tras la siguiente esquina.

Cuando de la casa surgieron varios hombres dispuestos a repeler con violencia a cualquier enemigo, solo se encontraron frente a un derrengado borrico que olisqueaba los cadáveres.

*Inshallah!*

Gacel Mugtar corrió durante casi quinientos metros antes de desaparecer en las tinieblas de un estrecho callejón por el que abandonó de inmediato un silencioso pueblo en el que ni un solo lugareño se había atrevido a asomar la nariz a intentar averiguar a qué demonios se debían los disparos.

Continuó su marcha a la débil luz de las estrellas y diez minutos después se tumbó a contemplarlas.

Eran las estrellas de siempre, las que le habían guiado durante sus largos viajes a través del desierto. Eran las estrellas de siempre, pero ahora él había cambiado, puesto que ya no seguía siendo un noble imohag que se limitaba a disparar sobre los malhechores que osaban atacar su caravana o su camión; ahora era un asesino que había abatido a traición a dos hombres sin concederles la menor oportunidad de defenderse.

Se restregó las manos con arena como si con ella pudiera borrar una sangre que ni siquiera le había salpicado, y experimentó unos casi irrefrenables deseos de vomitar, aunque no lo hizo, limitándose a maldecir al cruel destino que había dado tan brusco vuelco a su vida.

Sabía que a partir de aquella noche no existía vuelta atrás, aunque en realidad eso era algo que supo desde que el malhadado Hassan le comunicara que había sido elegido como uno de los brazos ejecutores de una raza justamente ofendida.

Tal vez, ¡solo tal vez!, si un año antes hubiera conseguido saldar sus deudas y casarse con Alina, ya tendría un hijo y hubiera podido vivir el resto de su vida sin otra preocupación que sacar adelante a su familia.

Sin embargo, ahora la dulce Alina se vería obligada a encontrar a otro hombre con el que engendrar hijos mientras él continuaría matando renegados o yihadistas hasta que alguno de ellos tuviera la oportunidad de volarle los sesos.

Al fin y al cabo no sería más que una lucha entre iguales.

Le vino a la mente una frase de su abuelo: «Un tuareg nunca debe enfrentarse a los débiles, porque derrotarlos constituye un deshonor; tampoco debe enfrentarse a sus iguales, porque el resultado de la lucha solo dependerá de la suerte; únicamente debe enfrentarse a quienes son más fuertes, porque el hecho de vencerlos trae aparejada la auténtica gloria».

Aquellas palabras siempre le habían parecido muy hermosas, pero en aquellos momentos no creía que se consiguiera gloria alguna por el simple hecho de acabar con unos desprevenidos centinelas.

¿O quizás sí?

Tal vez, bien mirado, la gloria era mucha, puesto que no se trataba de «desprevenidos centinelas», sino de auténticos mercenarios que habían sido advertidos con suficiente antelación del futuro que les esperaba.

La noticia había comenzado a extenderse un mes antes, de norte a sur y de este a oeste, de Argelia a Nigeria o de Sudán a Mauritania; los tuaregs renegados, al igual que todos cuantos se hicieran pasar por ellos, disponían de tres semanas para abandonar las armas o serían ejecutados dondequiera que se encontrasen.

Si aquel par de cretinos habían sido tan ineptos como para dejarse engañar por un escuálido borrico, merecían estar dondequiera que estuvieran ahora.

—Son algunos de los que acompañaban al coronel Gadafi cuando intentaba salir de Libia y que consiguieron escapar cruzando la frontera cuando le mataron —había señalado Hassan—. Al parecer, ahora están a la espera de unirse a algún grupo yihadista, pero, por lo que sabemos, no son verdaderos integristas; son de los que se venden al mejor postor.

—¿Cuántos? —quiso saber.

—Unos quince, por lo que las órdenes son muy claras: intenta matar a los puedas, pero no corras riesgos. No necesitamos héroes, necesitamos ejecutores.

Era de agradecer que hubiera utilizado la palabra «eje-cutor» y no «verdugo», que resultaba a su modo de ver mucho más apropiada, aunque al fin y al cabo lo mismo daba, ya que idéntica desazón hubiera sentido denominán-dose de una forma que de otra.

Lo que en verdad importaba era que dos de esos mer-cenarios ya estaban muertos y sus compinches debían tener sobradas razones para comprender que la amenaza iba en serio, ya que a partir de aquel momento cientos de tuaregs que sabían hacerse pasar por pacíficos beduinos, les estarían acechando desde cada duna o cada recodo del camino.

Hassan había abandonado su casa sin mostrarle el ros-tro, pero antes habían estado hablando a solas casi una hora, puesto que las instrucciones que debía darle no podían ser conocidas por Assalama.

La primera, y sin duda la más dolorosa, establecía que debía olvidar que tenía amigos y familiares, porque a partir del momento en que emprendiera la marcha su única fami-lia y sus únicos amigos serían los que él le indicara.

—Tu madre deberá contar que has emigrado a Europa y nosotros nos ocuparemos de enviarle dinero con el fin de que pueda vivir dignamente hasta el día de su muerte.

—¿Por tarde que esta llegue?

—Aunque viva cien años.

—¿Y qué le diré a Alina? Confiaba en que nos casaría-mos pronto.

—Nada, porque no volverás a verla.

Aquel había sido un golpe muy duro; el más duro qui-zás, puesto que Assalama siempre conocería las razones por las que había perdido a su hijo, mientras que la pobre muchacha pasaría el resto de su vida creyéndose repudiada por quien hacía tiempo que daba por hecho que sería su esposo.

—No es justo… —musitó amargamente—. No es justo para mí, pero sobre todo no es justo para ella que lleva mucho tiempo esperando.

—Nos encargaremos de que un familiar cercano, no te puedo decir cuál, pero se trata de alguien de nuestra absoluta confianza, se ocupe de hacerle comprender lo que ha ocurrido… —Hassan había hecho una breve pausa antes de apostillar—: Aunque no será de momento.

—¿Y a qué viene tanto secretismo? —se lamentó Gacel—. Si los tuaregs hemos decidido lavar nuestro honor, lo lógico es que lo hagamos en público.

Se diría que su interlocutor se encontraba fatigado o tal vez hastiado de tener que dar siempre idéntica explicación, pero, siendo como era consciente de lo que le estaba exigiendo, decidió exigirse a sí mismo.

—Si por algún increíble milagro los franceses decidieran lavar su honor en público, estarían en su derecho, al igual que podrían intentarlo italianos, ingleses, chinos o americanos. Pero legalmente los tuaregs que viven en Argelia no tienen derecho a lavar el honor de los tuaregs que vivimos en Níger, ni los tuaregs que viven en Chad el honor de los que viven en Malí… ¿Me explico?

—Supongo.

—Existen países que acogen dentro de sus fronteras a varios pueblos de diferentes costumbres a los que aplican las mismas leyes, pero los tuaregs somos un pueblo distribuido entre muchos países, por lo que cada uno nos aplica sus propias leyes. Y lo peor del caso es que aquí, en la inmensidad de unos desiertos en los que las fronteras rara vez están bien delimitadas, nunca podemos saber qué tipo de ley nos afecta en un determinado lugar y cuál nos afectará tres kilómetros más allá.

—Por lo que el resultado acaba siendo una situación ciertamente caótica… —se vio obligado a reconocer Gacel.

—Tú lo has dicho; los tuaregs vivimos inmersos en una impenetrable maraña de normas que además cambian en cuanto cambian los Gobiernos de cada uno de esos países, lo cual ocurre con excesiva frecuencia. En esta parte del mundo suele haber más días de golpe de Estado que de lluvia, y los que ayer eran demócratas mañana son fascistas o comunistas.

Se tomó un respiro, puesto que había sido una larga perorata que había tenido la virtud de dejarle la boca seca, y, tras elevar ambas manos con las palmas hacia arriba como queriendo indicar que aquel era un problema ciertamente irresoluble, inquirió:

—¿Qué puedes hacer cuando te encuentras frente a cien caminos que conducen a cien lugares diferentes…? —aguardó la respuesta, pero, como no llegaba, concluyó—: Elegir el único que conoces: el código tuareg, que siempre ha sido muy claro: el que la hace, la paga. Tras medio siglo de prudente silencio, los *ettebels* han vuelto a retumbar y nuestros enemigos tienen la obligación de escucharlos o darse por muertos.

Gacel Mugtar sabía muy bien que, cuando antaño los nobles *imajeghan* tomaban la difícil decisión de hacer sonar los enormes tambores que constituían la insignia de un poder que les permitía convocar asambleas, llamar a juicio e incluso declarar guerras, hasta al último tuareg, fuera hombre, mujer o niño, no le quedaban más que dos opciones: o acudir de inmediato o correr a esconderse en los confines del infierno.

Algunos podrían considerar absurdo recurrir a tan obsoleto sistema en los tiempos de los teléfonos móviles, pero resultaba evidente que hasta un mísero vendedor ambulante tenía acceso a uno de esos teléfonos sin que nadie prestara la menor atención a cuanto pudiera decir, y solo unos pocos *imajeghan* podían dictar sentencias de muerte a base de golpear un tambor.

Aunque una cosa era dictar sentencias y otra muy diferente ejecutarlas, sobre todo si los reos se ocultaban en una extensión de arena y piedras que duplicaba el tamaño de Europa.

—Nos consta que constituirá una ardua labor castigar a quienes no nos escuchen —añadió Hassan, como si le hubiera leído el pensamiento—. Pero sobrevivir en el lugar más árido del planeta siempre ha sido difícil y somos los únicos que tenemos ojos y oídos donde nadie más los tiene. Allí donde nunca conseguirán llegar los más modernos ejércitos con su sofisticado armamento, sabemos llegar nosotros.

En ese punto le asistía la razón, porque en el corazón del Sáhara ninguna máquina superaría el instinto de un tuareg ni ningún satélite de última generación conseguiría descubrir la huella del paso de un sigiloso beduino por una llanura de piedra.

Únicamente los tuaregs disponían de una extensa red

de pacientes pastores, astutos cazadores, arriesgados contrabandistas o incansables caravaneros dispuestos a obedecer las órdenes que dictaba el *ettebel*.

—Ellos serán los encargados de señalar dónde se ocultan los culpables... —le había indicado Hassan en el momento de marcharse—. Tú limítate a eliminarlos.

*Inshallah!*

Nada cabía alegar ni ninguna disculpa era válida cuando las órdenes llegaban de tan alto.

Ya había eliminado a dos y, mientras observaba cómo unas estrellas fugaces surgían de la nada, se adueñaban del firmamento unos instantes y se sumían de nuevo en las tinieblas, Gacel se esforzó una vez más en admitir que la responsabilidad por tales muertes no era suya, sino de aquellos a quienes tenía la obligación de obedecer.

Había llegado tres noches antes al pueblo y se había dirigido directamente a casa del guarnicionero que le había informado con toda clase de detalles sobre cuántos eran sus enemigos, dónde se encontraban, qué rutinas seguían y cuál sería la mejor vía de escape una vez que hubiera llevado a cabo su misión.

—Continúan siendo quince, al mando de un tal Omar el Khebir, y el Gobierno libio ha puesto precio a sus cabezas acusándoles de docenas de asesinatos e infinidad de violaciones de mujeres e incluso niños. Por lo visto, tras la batalla de Sirte, y al comprender que todo estaba perdido, decidieron abandonar a Gadafi dejando un auténtico reguero de sangre durante su huida hacia la frontera. Sin embargo, desde que llegaron al pueblo, hace ya casi cinco meses, no han provocado ni un solo incidente.

—¿Todos son tuaregs?

—La mayoría, aunque los que no lo son lo parecen.

Omar el Khebir había participado en demasiadas batallas y había visto demasiados muertos como para asustarse al descubrir dos cadáveres ante la puerta del caserón que les servía de refugio, pero su estado de ánimo cambió como por ensalmo cuando advirtió que sobre el lomo del famélico borrico que le observaba con cara de hambre habían pintado una palabra en caracteres *tifinagh*, que solo los tuaregs, cualquiera que fuese su origen o nacionalidad, serían capaces de interpretar: «Ettebel».

Por primera vez en años un escalofrío le recorrió la espalda, porque sabía que aquel mensaje, transmitido en una casi indescifrable escritura que carecía de vocales, lo cual hacía que tuviera que leerse en voz alta para que el sonido de las consonantes proporcionase una pista sobre cuál era su auténtico significado, constituía una clara e inequívoca sentencia de muerte.

Le enfureció que ninguno de los tuaregs que vivían en el mísero poblacho, y entre los que distribuía dinero generosamente, hubiera tenido la gentileza de advertirle de que los *imajeghan* exigían su cabeza, por lo que tras lanzar una ristra de reniegos ordenó a sus hombres que fueran a cortarles el cuello.

No obstante, su lugarteniente, el siempre sensato e impasible Yusuf Kassar, le hizo comprender que probablemente ya habrían huido o que, si por casualidad encontraban a alguno, lo único que conseguirían sería perder el tiempo y complicar las cosas.

—Ya nada las puede complicar aún más... —fue la agria respuesta de su superior—. Hagamos lo que hagamos acabarán con nosotros, pero admito que tienes razón y lo aconsejable es salir cuanto antes de esta ratonera y presentar batalla donde mejor sabemos hacerlo; en el desierto.

El desierto se había convertido en su único aliado cuando decidieron abandonar a un maldito dictador hijo de puta que cuando se encontraba en el poder trataba a los seres humanos como a perros, pero que en cuanto vio de cerca la muerte fue capaz de lamerle el culo a cuantos suponía que podían ponerle a salvo. Le recordaba gimiendo y temblando, incapaz de aceptar que en pocos meses había pasado de ser un tirano prepotente, temido y vergonzosamente adulado por la mayor parte de los gobernantes del mundo, a un hediondo monigote de rostro repelente y ojos de alucinado, que cuando no lloriqueaba roía nerviosamente un pequeño hueso de cabra.

Disfrutó doblemente al traicionarle, no solo porque fuera un gusano al que muy pronto clavarían en un anzuelo, sino porque al dejarle atrás se llevó consigo parte del dinero con que contaba para sobornar a las patrullas fronterizas.

Y cobraban mucho, de eso podía dar fe.

Los bolsillos de infinidad de militares y políticos de los países vecinos engordaron de forma notable gracias a que habían sido legión los familiares, amigos y seguidores del coronel Gadafi que pagaron fortunas a la hora de escapar del infierno en que se había convertido Libia, y escasos fueron los Gobiernos que dieron asilo gratuitamente y por humanidad a quienes durante tantos años se habían comportado de una forma harto inhumana.

Pocas veces el simple hecho de vivir había costado tan caro, porque quienes no estaban dispuestos a pagar el precio estipulado debían permanecer al otro lado de la frontera aguardando a que vinieran a cobrarles en sangre la sangre que contribuyeron a derramar.

Consciente de ello, el día en que Omar el Khebir avistó en el horizonte a una patrulla de hombres uniformados que le cortaban el paso ni siquiera se le pasó por la cabeza la idea de plantarles cara, se limitó a comunicar a su mugriento teniente que estaba dispuesto a pagar cien mil dólares si les permitían seguir su camino.

Las opciones eran muy simples: si les obligaban a retroceder, buscarían otro punto de la frontera u otro país en el que los militares fueran más comprensibles; y, si decidían atacarles, rajaría las sacas del dinero, con lo que el fuerte viento que estaba soplando desparramaría los billetes a todo lo largo y ancho del desierto para acabar sirviendo de pasto a las cabras.

El desharrapado teniente no tardó ni medio minuto en tomar su decisión, en parte debido a que la decisión ya había sido previamente tomada por sus superiores: el ochenta por ciento de lo recaudado en las fronteras por el «derecho de asilo» iría a parar a las arcas del Estado mientras que el resto se repartiría entre los encargados de vigilarlas según su rango ya que eran los que se estaban achicharrando bajo un sol de fuego.

A decir verdad, los militares se achicharraban muy a gusto, puesto que al pertenecer a algunos de los países más pobres del planeta tanto soldados como oficiales se sentían increíblemente felices debido a que estaban ganando en pocos meses más de lo que hubieran soñado ganar a lo largo de toda su vida. Podría decirse que los fugitivos gadafistas se habían convertido en el nuevo maná del desierto.

Tal como marcaban las leyes internacionales, a los «asilados políticos» se les requisaron las armas antes de cruzar la frontera; pero, apenas la habían traspasado, el avispado teniente aceptó revenderles las peores, sabiendo como sabía que resultaba peligroso andar indefenso por unas hostiles tierras plagadas de bandidos.

Pese a que le hubiese privado de su amado Remington y sus prismáticos de visión nocturna, Omar el Khebir recordaba con cierto afecto a tan desvergonzado personaje, ya que, si les hubiera impedido el paso, los rebeldes que les pisaban los talones habrían acabado con ellos tal como habían acabado con su abominable dictador.

Anduvieron de noche, siempre hacia el sur, durante varios días, evitaron aproximarse a pistas, pozos, oasis o lugares habitados y pasaron meses ocultos en las montañas cerca de una agreste garganta en la que se había formado una minúscula laguna, subsistiendo a base de enviar de tanto en tanto a un par de hombres a conseguir provisiones.

Necesitaban dar tiempo al tiempo y permitir que el mundo se olvidara de los mercenarios de Gadafi, porque la mayoría de cuantos se dejaron atrapar acabaron linchados, y una cosa era morir en el campo de batalla y otra muy diferente permitir que una horda de harapientos rapaces y viejas desdentadas les cayeran a palos, les rociaran de gasolina, que era lo único que en aquellos momentos sobraba en Libia, y les prendieran fuego.

Incapaces de soportar las privaciones, el infernal calor y,

sobre todo, la falta de mujeres, dos de sus hombres acabaron por desertar, pero, como era de esperar, no llegaron muy lejos. Uno se pegó un tiro antes de que le pusiera la mano encima y al otro le quebró las piernas abandonándole en mitad de la llanura con el fin de que entre hienas y buitres le enseñaran lo que significaba la fidelidad a la palabra dada.

Quien juraba servir a las órdenes de Omar el Khebir tenía la obligación de servirle hasta el último aliento.

*Inshallah!*

No obstante, al parecer, en esta ocasión la voluntad de Alá era otra, las hienas no acudieron a la cita quizás debido a lo remoto del lugar, y los buitres se mostraron renuentes a aproximarse mientras su futuro almuerzo continuara agitando furiosamente un palo, por lo que se limitaron a girar en círculo aguardando acontecimientos sin arriesgarse a que les partiera un ala.

En pleno Sáhara un buitre que no pudiera volar no tardaba en morir bajo las garras de sus congéneres.

Quiso también Alá, cuyos caminos, como es cosa sabida, suelen ser inescrutables, que un camión de contrabandistas que, como también es cosa sabida, prefieren elegir caminos poco frecuentados, avistara en la distancia el lento girar de aves y se aproximara con la esperanza de que se tratara del cadáver de algún gadafista que aún llevara encima objetos de valor.

Grande fue su sorpresa al descubrir al infeliz sediento, y grandes las discusiones a la hora de decidir si lo recogían o lo abandonaban a su triste destino, pero al fin imperó el compasivo espíritu beduino y cargaron con él, aunque a desgana.

Y fue el tercer deseo de Alá, y en este caso ciertamente oportuno, que se tratara de contrabandistas de medicamentos, oficio en verdad peligroso pero increíblemente lucrativo y bien considerado debido a que uno de cada tres medicamentos que se vendía en aquella parte de África era una vergonzosa falsificación importada de China o la India. A los enfermos o sus familiares les enfurecía y casi desesperaba tener que emplear sus escasos medios en algo que a menudo producía más daño que alivio, por lo que desconfiaban de las farmacias o de sus proveedores habituales.

Quince años atrás, Níger se había visto asolado por una feroz epidemia de meningitis durante la cual traficantes sin escrúpulos habían sustituido ochenta mil vacunas auténticas por otras tantas falsas, provocando la muerte de casi tres mil pacientes, en su mayoría niños.

A raíz de semejante tragedia y otras no tan sangrantes, pero igual de dramáticas, nació lo que dio en llamarse el gremio de los «honorables contrabandistas», arriesgados aventureros cuya actividad se encontraba fuera de la ley, pero cuyos beneficios se sustentaban sobre el prestigio personal y la autenticidad de los productos que ofrecían, especialmente viagra, ya que, de cada diez pastillas que vendían las farmacias, ocho no eran más que harina teñida de azul.

El abominable negocio de los medicamentos falsos podía producir unos beneficios del quinientos por uno, incluso más que el tráfico de drogas, pero la «importación», sin pagar derechos de aduana, de medicamentos garantizados constituía de igual modo una actividad altamente lucrativa y hasta cierto punto «decente».

Los clientes de este tipo de contrabandistas tenían muy

claro que, si se les ocurría adulterar sus mercancías, podían darse por muertos, ya que nadie estaba dispuesto a que le metieran en la cárcel o desaparecer para siempre en la inmensidad del desierto para que al final de tan infernal periplo un avaricioso intermediario dañara su prestigio.

Por suerte para el herido, los calmantes y antibióticos que le facilitaron sus salvadores eran genuinos y, como recompensa, no dudó en indicarles el punto exacto en el que se escondían quienes le habían dejado inválido de por vida y por cuya captura las autoridades libias ofrecían una más que generosa recompensa.

Días más tarde, cuando el fiel Yusuf regresó de adquirir provisiones y comentó que había encontrado lo poco que los buitres habían dejado del desertor que se había suicidado pero ni rastro del otro, Omar el Khebir comprendió que había llegado el momento de cambiar de aires.

Meses más tarde, al descubrir el mensaje escrito sobre un asno que parecía haber sido enviado por el propio Shaitán desde los mismísimos infiernos, llegó a una conclusión muy diferente: ya no bastaba con cambiar de aires, ahora necesitaba encontrar aliados lo suficientemente fuertes como para ayudarle a enfrentarse a los malditos *imajeghan* y sus dichosos tambores.

Y los primeros que le venían a la mente eran los yihadistas.

Despreciaba a los fanáticos, especialmente a quienes se inmolaban al grito de «¡Alá es grande!», porque Alá era tan grande que no precisaba de tan ridículos sacrificios para demostrar que era el único dios verdadero, abominando de quienes se lanzaban ciegamente a la lucha, sabiendo que si el Creador había tenido a bien proporcionar a los seres humanos una inteligencia que les diferenciase de las bestias no era para que actuasen como una manada de búfalos.

No obstante, ahora se veía en la obligación de entremezclarse con los búfalos con el fin de que le protegieran de los ataques de un solitario león.

Porque si algo le constaba a aquellas alturas era que los *imajeghan* no deseaban un abierto enfrentamiento entre distintas facciones tuaregs; habían preferido que ejecutores anónimos fueran resolviendo cada problema de forma individual.

## 3

Gacel Mugtar intentaba entender por qué razón se habían negado a proporcionarle los hombres necesarios para acabar con Omar el Khebir y sus mercenarios de una vez por todas.

No se le antojaba justo que le dejaran solo si sabían dónde se ocultaba y disponían de medios suficientes como para borrarles del mapa, pero acabó por aceptar que quienes manejaban los hilos de tan enredada madeja estaban mejor informados de lo que él pudiera estarlo nunca.

Tenía la impresión de haberse convertido en un minúsculo peón en un inmenso tablero, avanzando casilla a casilla centrándose en la tarea de apartar de su camino a cuantos peones se pusieran a su alcance, por lo que cuando se cansó de contemplar las estrellas reemprendió el camino en busca de la hondonada en donde había ocultado un camello con todos sus pertrechos.

Extrajo de una bolsa de mano el moderno rifle de gran potencia y largo alcance dotado de silenciador que le había proporcionado Hassan, lo montó a oscuras, tal como le había enseñado a hacerlo, y tendido sobre la arena de un montículo afirmó los codos y enfocó el visor nocturno que había acoplado a la mira telescópica.

Todo se antojaba irreal bajo la luz verdosa, como si estuviera viviendo un sueño que llevaba trazas de convertirse en pesadilla. Nada se movía en el pueblo o sus alrededores pero se armó de paciencia sabiendo que esa paciencia sería su mejor aliada en el futuro y que si alguna vez la olvidaba se volvería en su contra.

«El cazador al acecho no tiene peor enemigo que aquel que acecha en su interior.» La frase, que formaba parte del decálogo de cuantos aspiraban a abatir a una gacela o un antílope en mitad del desierto, se aplicaba de igual modo a quien pretendiera abatir a un ser humano que conociera bien ese desierto, y Gacel tenía muy claro que a los que estaba intentando abatir lo conocían.

Por ello no le sorprendió que al cabo de casi dos horas una larga hilera de dromedarios abandonara el pueblo en dirección suroeste y sobre ninguno de ellos se distinguiera la figura de un jinete.

Tampoco nadie tiraba de los ronzales, evitando que su silueta destacara en el horizonte convirtiéndole en un blanco fácil. Sus dueños marchaban a pie, aferrados a las sillas de montar y con el hombro rozando sus cuartos traseros de forma que sus piernas se confundían con las patas y de cintura para arriba se encontraban protegidos por los cuerpos de las bestias.

Siguiendo la costumbre, la mitad de los hombres avanzaban por un lado de la hilera y la otra mitad por el otro. Tal precaución solía ser muy eficaz en unos tiempos en los que aún no se habían inventado las armas de gran calibre dotadas de silenciador, mira telescópica y visor nocturno, pero en este caso no sirvió de gran cosa, dado que el hombre que marchaba junto al quinto animal sintió algo parecido a un negro rayo que le hubiera penetrado por el brazo derecho atravesándole de parte a parte hasta detenerse en la clavícula izquierda, trastabilló y cayó de bruces.

Gritó pidiendo ayuda, pero ninguno de sus compañeros acudió en su auxilio sabiendo que el tiempo que Alá le había otorgado para permanecer entre los vivos estaba a punto de acabar. Bien adiestrados, lo único que hicieron fue obligar a arrodillarse a los animales ocultándose tras ellos por el lado contrario al que había sido alcanzado el herido.

La noche se pobló de gemidos hasta que Omar el Khebir acabó con ellos por el expeditivo método de rematar a bocajarro a un maldito beduino que ni siquiera en su agonía había aprendido a comportarse como un tuareg. A continuación recostó la espalda contra el animal que le servía de protección y, una vez más, echó de menos los prismáticos de visión nocturna que el desvergonzado teniente le había requisado al cruzar la frontera.

Analizó con calma la situación sabiendo que disponía de una evidente superioridad numérica, pero de una innegable inferioridad posicional. Años antes sus hombres se hubieran desplegado en silencio arrastrándose por entre los matojos y las rocas hasta eliminar a quien ya había asesinado a tres de sus compañeros, pero, si, como parecía evidente, el francotirador estaba en condiciones de distinguirles en plena noche, los iría abatiendo uno por uno en cuanto osaran asomar la nariz sobre la joroba de un dromedario.

Los animales constituían por tanto su única protección hasta que con el amanecer las fuerzas empezaran a equilibrarse, pero si algo le constaba a Omar el Khebir era que al amanecer aquel maldito hijo de perra ya estaría muy lejos.

Desde el principio de los tiempos habían existido animales diurnos y animales nocturnos, y cada uno de ellos adaptaba a la luz o a la oscuridad su capacidad de matar o no dejarse matar, pero, como de costumbre, el ser humano había acabado por romper tan justo equilibrio encontrando la forma de matar o no dejarse matar en las tinieblas.

Los rayos infrarrojos, ¡ni el mismísimo Shaitán debía de saber lo que era eso!, permitían a un cegato rivalizar con un guepardo en plena noche, y a su modo de entender se trataba de una clara injusticia y una burla a las sagradas leyes de la naturaleza.

Cansado de esperar, gritó a voz en cuello:

—¿Quién te envía?

La lacónica respuesta fue la esperada y la peor que hubiera deseado escuchar.

—¡El *ettebel*!

Tras pronunciar la temida palabra, Gacel Mugtar pareció comprender que ya nada más le quedaba por hacer allí y, tras desmontar el arma y guardarla en su bolsa de cuero, tomó las riendas del camello y se alejó hacia el este.

A la media hora, cuando ya no podían ni verle ni oírle, cabalgó obligando al animal a marchar al trote cara al sur durante casi tres horas con el fin de girar luego de nuevo hacia el oeste y detenerse en un punto que a su entender debía de encontrarse aproximadamente en la intersección de la ruta que seguirían los fugitivos.

Una vez más, los rayos infrarrojos resultaban de una utilidad asombrosa. Le permitieron comprobar que ante él se extendía una amplia llanura de piedra que se perdía de vista y que aparecía salpicada de innumerables montículos de altas rocas que le proporcionarían un magnífico escondite.

Se tomó unos minutos de descanso, calculó el tiempo que faltaba para que la primera claridad hiciera su aparición en el horizonte, repasó mentalmente cada paso que debía dar y al fin tomó una dolorosa decisión: liberó al camello del ronzal y la montura, le obligó a levantarse y, tras pedirle en voz alta perdón porque había demostrado ser un noble animal que no se merecía semejante castigo, le levantó el rabo y le introdujo una guindilla en el ano.

La pobre bestia dio un salto, lanzó un estremecedor berrido, coceo en el aire y partió como alma que lleva el diablo hasta perderse de vista en las tinieblas y probablemente no paró de correr hasta encontrar un río o una laguna en la que poner los cuartos traseros en remojo.

El tuareg lamentaba sinceramente haber tenido que recurrir a tan deleznable truco, más propio de un sádico caravanero beduino que de un noble *imohag* miembro del pueblo del Kel Talgimus, pero sabía por experiencia que aquella era la única forma de conseguir que se alejara del punto en que le dejaba en libertad.

Un animal tan alto resultaba demasiado visible en el desierto, advirtiendo a los extraños de que su dueño no debía encontrarse muy lejos y, si esos extraños eran mercenarios que se sabían acosados, el peligro era excesivo.

Tras rezar sus oraciones y pedir perdón por la maldad

que acababa de cometer, Gacel cenó con apetito, enterró la silla de montar junto a la mayor parte de sus pertenencias y reinició la marcha a pie sin cargar más que con las armas, tres odres de agua y una bolsa de dátiles.

Avanzó pisando siempre sobre las piedras y cuando le resultaba imposible hacerlo se volvía de espaldas de tal modo que podía ir barriendo sus huellas con ayuda de un arbusto. En una ocasión tropezó, y al caer se clavó una piedra en el trasero y se quedó un largo rato sentado frotándose la parte dañada sin poder contener la risa al entender que no era aquella una postura ciertamente airada para un ejecutor de renegados.

La primera claridad anunciaba que pronto el sol comenzaría a borrar del firmamento las estrellas cuando al fin encontró un buen escondrijo en lo alto de un grupo de rocas.

Se acurrucó en su interior, cerró los ojos y se quedó dormido.

El día fue especialmente bochornoso y se congratuló por haber tomado la precaución de cargar con mucha agua y poca comida, porque no tenía apetito, pero corría el peligro de deshidratarse debido a que las rocas se recalentaban de tal forma que su refugio estaba a punto de convertirse en un horno.

No corría ni una gota de viento, a mediodía advirtió que tenía la ropa empapada en sudor y echó de menos el pequeño ventilador del salpicadero del camión. Su madre le había regalado uno portátil, pero las pilas tenían la mala costumbre de agotarse cuando más falta hacía, y siempre le pareció poco apropiado que un miembro de su raza lo usara en público.

Ahora se encontraba completamente solo y le habría sido de gran ayuda, pero de nada servía lamentarse.

Se sumió en un profundo sopor y soñó que paseaba por las calles de una ciudad fabulosamente iluminada para acabar bañándose en una enorme fuente en la que los chorros de agua cambiaban de color.

Al despertar recordó que había visto esa fuente en una película, pero no recordaba cuál; le encantaba el cine, aunque nunca había tenido ocasión de acudir a una auténtica sala con butacas, gran pantalla y buena acústica. Su experiencia se limitaba a proyecciones al aire libre sobre un muro, en un idioma que no entendía y con subtítulos en francés que rara vez le daba tiempo a leer. Aun así le encantaba.

El sol comenzaba a declinar cuando los vio venir y llegó a la conclusión de que eran muy buenos en su oficio, puesto que conformaban un grupo compacto pero cada uno tenía la vista fija en un punto sin mover apenas la cabeza.

El que los comandaba solo miraba al frente; los de los flancos, al lado que les correspondía, y el que marchaba en retaguardia había modificado su silla con el fin de viajar de espaldas, apoyado en un alto respaldo de madera y con los ojos clavados en cada duna o cada roca que iba dejando atrás.

A Gacel no le cupo duda de que aquel era un genuino tuareg, aunque le recordara a uno de aquellos monos de feria trepados sobre una cabra con cuyas habilidades los titiriteros se ganaban unas monedas en los zocos.

No obstante, la forma en que mantenía la posición adaptándose a los movimientos del dromedario y sin transmitir la sensación de correr peligro de caerse de bruces obligaba a reconocer que se trataba de un jinete excepcional.

Los animales avanzaban en bloque, a paso ligero, aunque sin llegar al trote, siguiendo el ritmo que marcaba el que iba en cabeza y manteniendo las distancias sin necesidad de que sus dueños les fustigaran.

Unos hombres y unas bestias tan bien compenetrados constituían sin duda un enemigo letal en un pedregal perdido en el centro del Sáhara, por lo que Gacel se planteó que tal vez había cometido un grave error al elegir el lugar para enfrentarse a ellos.

Si los atacaba, e independientemente de que tuviera éxito o no, podrían ocurrir dos cosas: la primera, que decidieran emprender la huida a sabiendas de que la mira telescópica le proporcionaba una gran ventaja; y la segunda, que se arriesgaran a buscarle y eliminarle antes de que oscureciera y su visor nocturno multiplicara aún más dicha ventaja.

Intentó imaginar cómo actuaría Omar el Khebir en su lugar, pero le resultó imposible debido a que el mercenario debía de estar acostumbrado a enfrentarse a situaciones de alto riesgo, mientras que él no era más que un simple camionero que hasta la noche anterior jamás había entrado en combate.

Estudió la posición del sol y calculó que, pese a lo breves que solían ser los crepúsculos por aquellas latitudes, faltaba casi una hora hasta que oscureciera, y una hora podía hacerse infinitamente eterna cuando unos cazadores de hombres profesionales tomaban la decisión de cazarle.

Seguían avanzando.

Los observó por una rendija entre las rocas, sin mover un músculo, casi sin respirar siquiera, sabiendo que un par de ojos escrutaban cada punto en un círculo completo, lo que demostraba que confiaban ciegamente en quien les comandaba y en que sus monturas sabían muy bien dónde pisaban.

Parecían autómatas.

No era justo; nada justo. Él debía encontrarse en aquellos momentos al volante de su camión charlando amistosamente con los pasajeros que se encontraran a su lado, por lo general ricos comerciantes que podían permitirse el lujo de pagar veinte veces más por viajar en la cabina y que solían hacerlo con cestas repletas de apetitosos manjares que no dudaban en compartir con el encargado de conducirles sanos y salvos a su destino.

No era justo; él no debía encontrarse ahora allí, sino muy lejos, porque ya había matado a tres renegados.

¿A cuántos más tendría que matar para que Hassan se sintiera satisfecho?

Hasta que no quedara uno solo, y eran muchos.

Y más serían, porque el virus del extremismo fanático se iba extendiendo como una pandemia; una «peste negra» que no se extinguiría hasta que el último ser humano del planeta se convirtiera al islamismo y aceptara que no existía otro dios que Alá.

Gacel Mugtar aceptaba esto último; siempre lo había aceptado sin que la menor duda naciera nunca en su ánimo, pero lo que no aceptaba era que quienes se habían vendido a un tirano, asesinando y torturando por dinero, fueran dignos de ser considerados auténticos musulmanes.

Pero, lo aceptara o no, ellos seguían avanzando impertérritos.

Por el rumbo que llevaban pasarían a unos doscientos metros a la izquierda de donde se ocultaba, una distancia considerable teniendo en cuenta que no paraban de moverse, aunque calculó que resultaría hasta cierto punto factible dar en el blanco siempre que utilizara la mira telescópica.

Aceptó que tenía miedo y se justificó a sí mismo argumentando que era preferible dejarlos continuar su camino y conservar la vida con el fin de poder cumplir otras misiones. Tal como dijera el propio Hassan: «No corras demasiados riesgos, porque no necesitamos héroes románticos, sino ejecutores eficaces».

Pasaron de largo y respiró aliviado; si todos ellos le hubieran dado la espalda, les habría permitido continuar su camino, pero la fría altivez de quien marchaba en retaguardia, y que en esos momentos parecía estar mirando directamente hacia el punto en donde se encontraba, le hizo cambiar de idea.

Permitió que se alejaran otros doscientos metros, se encaró el arma, levantó en el último instante la tapa que cubría la mira telescópica, apuntó al pecho de quien parecía estar observándole y disparó.

Se ocultó de inmediato, dejó pasar varios minutos antes de decidirse a atisbar de nuevo entre las rocas y le sorprendió descubrir que el grupo se iba perdiendo de vista en la distancia.

Gacel Mugtar nunca llegó a saber si había errado el tiro o si los que se alejaban aún no habían advertido que quien cabalgaba en último lugar cabalgaba muerto.

Cuando el viaje era muy largo y corrían el riesgo de quedarse dormidos, algunos jinetes tenían la costumbre de atarse al respaldo de la silla, porque, tal como aseguraba el viejo refrán: «Más son los que se rompen el cuello por caerse del camello que por caerse el camello».

# 4

Razmán Yuha, también conocido por Cuatrosangres, no debía su sonoro apodo al hecho de ser un temido criminal o un peligroso sádico, sino a que se enorgullecía de poseer una abuela senegalesa y otra fulbé, un abuelo francés y otro tuareg.

A decir verdad era un *arageyna* por partida doble, puesto que tal era la palabra con la que se designaba en el idioma tamashek a aquellos cuyo padre era de una raza y su madre de otra.

Era uno de los miembros más ricos y poderosos de la respetada tribu nómada de los iregenaynatan, pero hacía ya casi treinta años que un accidente de automóvil le había dejado dolorosas secuelas, razón por la que ya apenas abandonaba los límites de sus extensas propiedades.

Había amasado una muy notable fortuna con el comercio de la sal o la importación de latas de conserva y sandalias de plástico, por lo que su inmensa mansión, levantada sobre una antigua fortaleza de la época colonial, era sin duda la construcción más sólida y hermosa en cientos de kilómetros a la redonda. Se alzaba a orillas de un riachuelo de aguas cristalinas, carecía de grandes lujos, pero la había dotado de todas las comodidades imaginables, excepto teléfono y televisión, puesto que en su opinión el primero solo servía para que las mujeres hablaran demasiado y el segundo para que los hombres estuvieran demasiado callados.

«Las familias solo siguen siendo familias mientras se comunican entre sí más que con los extraños» —solía decir y, evidentemente, sabía mucho de temas familiares, puesto que tenía tres esposas y once hijos.

Su mayor placer era reunirlos a cenar en el amplio jardín, con un buen número de amigos con el fin de tomar luego el té, cantar, bailar, fumar el narguile, contar historias y recitar poesías, tal como habían hecho sus antepasados desde el origen de los tiempos.

Recibió a Gacel en lo que había sido el despacho de un general francés y que se encontraba cubierto de estanterías repletas de libros en varios idiomas y, tras agradecerle cuanto estaba haciendo a favor de «la causa de los tuaregs», le indicó que debía permanecer como su bienvenido huésped hasta que recibiera instrucciones de Hassan.

—Son muchos los que como tú han actuado con rapidez eliminando a un buen número de fanáticos, pero precisamente por ello el resto está ahora muy alerta y creemos que ha llegado el momento de hacer una pausa con el fin de permitir que vuelvan a confiarse.

—¿Y qué haré mientras tanto? —fue la lógica pregunta.

—Descansar y disfrutar sin preocupaciones, puesto que mi tribu controla la región, y te garantizo que entre ellos no queda ni un solo fanático.

—¿Cómo lo has conseguido?

—Cortando a tiempo algunas lenguas, porque nadie ha

aprendido a predicar el extremismo o incitar a la violencia a base de gestos; resultaría ridículo y los asistentes al mitin acabarían revolcándose de risa.

—Lo tendré en cuenta... —señaló convencido su huésped—. Cuando crea que alguien no ha hecho suficiente daño como para pagar con la vida, haré que pague con la lengua.

—Pero procura no cortársela demasiado o de lo contrario tendría serios problemas para comer.

—También lo tendré en cuenta.

—¡Bien! —el Cuatrosangres cambió de tono y su voz sonó más profunda y grave al señalar—: Y ahora me veo obligado a hacerte una advertencia, ya que pronto conocerás a mis hijas, así como a varias sirvientas *akli* que he ido seleccionando por su innegable encanto y belleza —se interrumpió unos instantes como si le costara trabajo decir lo que tenía que decir, pero al fin lo hizo—: Te quedaría muy agradecido si no fijaras tu atención en ninguna de estas últimas, puesto que al pertenecer a una raza inferior se verían obligadas a aceptar tus requerimientos aunque solo fuera porque suponen que de ese modo me agradan. Y nada más lejos de la realidad, ya que la experiencia me ha enseñado que tal comportamiento acarrea engorrosos problemas y mis esposas me acusan de alcahuete —hizo una nueva pausa mientras agitaba la cabeza como si recordara malos ratos pasados por culpa de tan desagradable malentendido, y al poco añadió—: Si incluso yo las respeto, con mayor razón deben hacerlo mis invitados. No obstante, en cuanto se refiere a mis hijas, son mayores de edad y dueñas de sus actos hasta que decidan contraer matrimonio, o sea, que allá tú con lo que hagas —le golpeó afectuosamente la rodilla al concluir—: Pero mi consejo es que te andes con ojo, porque han salido tan zalameras y embaucadoras como sus madres.

Esa misma noche, Mogtar puedo comprobar que a Razmán Yuha le sobraba razón, puesto que al menos cuatro de las muchachas *akli* encargadas de atender a la treintena de comensales hubieran sido dignas de participar en un concurso de belleza, al igual que tres de sus hijas, que parecían rezumar miel por cada poro de su cuerpo mientras observaban al nuevo huésped de su padre con la expresión del gato dispuesto a juguetear con un ratón antes de merendárselo.

Durante la cena se habló poco, puesto que la tradición estipulaba que aquellos eran momentos para disfrutar de los manjares y no de las palabras, pero tras los postres se sirvió el té y al poco el dueño de la casa alzó su vaso y fue como si el mundo se hubiera detenido, ya que todos los presentes se aprestaron a disfrutar en absoluto silencio.

Un anciano de ojos cansados pero de voz aún potente, que hablaba con tanta claridad que resultaba casi imposible perder un solo detalle de su narración, se puso en pie, agradeció con un gesto los espontáneos aplausos de quienes sabían que se trataba de uno de los mejores contadores de historias de la región y al poco se decidió a iniciar un relato que debía aspirar a servir de entretenimiento y enseñanza.

—Allá por ya mi muy lejana juventud —dijo—, quiso Alá bendecir a una tribu de gente trabajadora, creyente y abnegada dotando a sus pozos de abundante agua, con lo que pudieron aumentar la extensión de sus campos y pastos, criando un ganado fuerte que proporcionaba nuevas crías, así como gran cantidad de leche y queso. Al poco comenzaron a llegar las caravanas con el fin de abrevar al ganado, la tribu progresó tal como nunca había imaginado y jamás se vio a beduinos tan alegres y felices a este lado del Adrar de los Iforas... —alzó un dedo inclinando apenas la cabeza en un claro gesto que obligaba a suponer que algo malo iba a ocurrir y aquel idílico cuadro cambiaría muy pronto de color...—. ¡Ah...! —exclamó antes de hacer una corta pausa—. Cosa sabida es que nunca llueve en la medida exacta de las exigencias de cada cual, y tanta felicidad no satisfacía al usurero, ya que estaba acostumbrado a que por cada cinco monedas que prestaba recibía cada año dos en concepto de intereses, y eran esos intereses los que le permitían vivir cómodamente —el contador de historias negó una y otra vez con la cabeza queriendo indicar que aquella situación no era agradable ni en absoluto sostenible para añadir—: Aquel maldito avaro comprendió que, si no cultivaba la tierra, pastoreaba ganado, salía a cazar antílopes o fabricaba esteras y, por ende, no recibía nada a cambio de su dinero, tendría que acabar gastándoselo en sobrevivir, lo cual le producía un insoportable malestar. Fue por ello por lo que maquinó un astuto plan destinado a tergiversar los sagrados designios del Señor y permitir que las cosas volvieran a los viejos tiempos en los que acumulaba riquezas a costa de los demás.

Ahora la pausa fue de varios minutos con el fin de que se pudieran servir más té, recargar el narguile o correr a aliviar la vejiga, si es que resultaba necesario, pero, sobre todo, estaba destinada a permitir que los oyentes intercambiaran opiniones o intentaran adivinar cuál sería el deleznable plan por el que tan despreciable personaje intentaría devolver a tan próspera tribu a los amargos tiempos de la precariedad.

Recuperado el aliento, reconfortado el estómago con más dulces de miel y almendras y elevado el ánimo por el ansioso interés de los asistentes, el veterano narrador recorrió con la mirada los rostros de todos y cada uno de cuantos se sentaban en torno a la hoguera, sonrió a una de las encantadoras hijas de su anfitrión y al fin se decidió a continuar.

—Aquel inmundo parásito, que, como hemos dicho, tan solo sabía vivir del esfuerzo ajeno, fue llamando uno por uno a sus vecinos, a los que dijo: «Vuestros pozos son muy generosos y dan agua abundante, pero puedo proporcionaros los medios para que contratéis obreros y los agrandéis ampliando de ese modo los campos de cultivo y el número y calidad de vuestros animales. Aceptad mi dinero con el fin de asegurar el futuro de vuestros hijos y, si me entregáis las escrituras de vuestras tierras como garantía, solo os cobraré una moneda anual en concepto de intereses».

Gacel Mugtar advirtió cómo un murmullo se extendía entre los presentes y, mientras algunos cruzaban miradas de desaprobación, otros permanecían tan solo atentos a las palabras del anciano, que al poco aclaró:

—La mayoría de los beduinos, hombres de buena fe, consideraron que con más agua, más tierras y más ganado el día de mañana podrían distribuir más riqueza entre sus hijos, por lo que aceptaron el trato; trajeron operarios y roturaron nuevos campos de cultivos. No obstante, la gran sorpresa llegó cuando descubrieron que más pozos no significaban más agua, sino la misma cantidad de agua repartida entre más pozos, porque el Señor suele ser generoso pero no despilfarrador. El astuto usurero lo sabía y, tal como había previsto, al cabo de dos años los miembros de la tribu tenían lo mismo que al principio pero el doble de deudas, y al cabo de cuatro años todos los campos y todos los pozos le pertenecían.

Nuevo silencio, nuevos murmullos y gestos de desencanto, porque a nadie le gustaba que las historias que se contaban en torno a una hoguera acabaran en tragedia, por lo que al fin el narrador se vio obligado a alzar la mano para que le permitieran añadir el epílogo que constituía la esencia y la moraleja del relato, puesto que a su modo de entender la vida contar algo que no enseñara nada de nada servía.

—Tal como os he dicho, aquel diabólico escorpión ponzoñoso logró sus propósitos, pero no había tenido en cuenta que en el fondo de su alma los miembros de la tribu seguían siendo nómadas, por lo que, respetando sus viejas costumbres, habían aceptado empeñarlo todo menos el ganado. Fue así como un buen día se pusieron en marcha arreando sus cabras, sus camellos, sus ovejas y sus asnos, por lo que el codicioso prestamista se quedó rodeado de inútiles riquezas y ahora nadie impedía que el viento cubriera de arena los campos. Ni siquiera le quedaban las monedas que se habían empleado en pagar obreros, por lo que una noche, que se lanzó a correr desesperado, se cayó a un pozo en el que el agua le llegaba a la cintura, pero, como no podía salir ni nadie le escuchaba, pasó varios días en su interior hasta que acabó muriendo de hambre.

Resonaron los aplausos, se escucharon innumerables alabanzas, hasta el último oyente se sintió satisfecho por el justo final que había tenido tan despreciable personaje, y Shela, una de las hijas más jóvenes de Razmán, casi una adolescente, comentó con manifiesto entusiasmo volviéndose a Gacel Mugtar, que se encontraba a su lado:

—Una hermosa historia que una vez más nos enseña que el egoísmo y la avaricia a nada conducen —sonrió provocativamente al añadir—: Pero, sobre todo, nos enseña que más vale estar casado.

—¿Y eso que tiene que ver…? —fue la sorprendida pregunta del tuareg.

—Mucho, porque, si el deleznable usurero hubiera tenido una esposa, le habría sacado del pozo… ¿Tú estás casado?

—Soy demasiado pobre como para poder permitirme más de una esposa, y es cosa sabida que una sola proporciona infinitos problemas… —replicó con evidente sentido del humor el interrogado.

—El dinero no lo es todo, importan los méritos y, por lo que he oído, mi padre te considera casi un héroe… ¿Realmente eres un héroe?

—Me limito a cumplir con lo que me ordenan.

—¿A cuántos yihadistas has matado?

—A ninguno.

—Mientes… —le espetó la muchacha con absoluto desparpajo.

—Recuerda el dicho: «El hombre que miente a una mujer entrometida no merece castigo, merece una recompensa porque la excesiva curiosidad no está bien vista a los ojos de Alá».

La desinhibida muchacha no pudo evitar que se le escapara una divertida carcajada al tiempo que exclamaba:

—No conocía ese dicho y sospecho que acabas de inventártelo, lo cual me encanta, porque demuestra que eres un hombre ingenioso. ¿Conoces algún poema?

Su interlocutor se puso en guardia intuyendo el peligro que implicaba responder a una pregunta en apariencia inocente. Los tuaregs amaban la poesía y el hecho de saber recitar, e incluso ser capaces de improvisar un poema marcaba diferencias en una sociedad que apreciaba mucho el ingenio y el don de la palabra.

En cuanto se encendían las hogueras, los buenos poetas y contadores de historias se convertían en los protagonistas de la noche mientras los más aguerridos guerreros o expertos cazadores pasaban a un segundo plano.

Frunció el ceño, observó de reojo a la desvergonzada criatura que pretendía colocarle en una situación harto comprometida en la que se arriesgaba a rozar el ridículo y, tras meditarlo unos instantes, replicó:

—He podido advertir que la mayoría de vuestros invitados son hombres cultos, por lo que imagino que se sentirían ofendidos si un zafio camionero tuviera la osadía de interrumpirles con el fin de recitar un poema, que, por hermoso que fuera, al escucharlo de mi boca perdería de inmediato toda su belleza… —sonrió ladinamente al rematar la frase—: ¿Es eso lo que deseas? ¿Que ofenda a los amigos de quienes me han acogido con tanto afecto?

—¡No! Naturalmente que no —replicó quien sin lugar a dudas se sentía frustrada por la forma en que su víctima había sabido escapar de la trampa que había intentado tenderle—. Nada más lejos de mi intención, pero te advierto que de ahora en adelante estaré muy atenta, puesto que has demostrado ser un jodido tipejo puñeteramente escurridizo.

—No es forma de expresarse demasiado apropiada tratándose de una jovencita bien educada.

—Ni soy tan jovencita ni estoy bien educada, puesto que tengo seis hermanos, a cual más bruto.

—¿Y cómo son tus hermanas?

—Hay un poco de todo, o sea, que tendrás dónde elegir.

—No tengo la menor intención de elegir.

—Eso está por ver, porque, como nos aconseja mi padre: «Debemos disfrutar de nuestras gracias mientras nos sea posible, porque nunca sabemos cuándo llegará el tiempo de nuestras desgracias».

—Extraño comportamiento...

—No tan extraño si se tiene en cuenta que mi bisabuelo nació en París y alcanzó el grado de coronel de la Legión Extranjera. Y ya te puedes imaginar cómo era la Legión Extranjera en aquellos tiempos...

Dos horas más tarde, Gacel no pudo por menos que preguntarse cómo era posible que estuviera tendido en una amplia cama de mullido colchón y suaves sábanas cuando apenas una semana antes se encontraba acurrucado entre unas rocas temiendo que una cuadrilla de asesinos decidieran volver sobre sus pasos con el fin de acabar con él aun a costa de levantar hasta la última piedra del desierto.

Aquel día había tenido que esperar a que la noche cerrara antes de atreverse a asomar la cabeza y, aunque todo era quietud y silencio, había dedicado largo rato a espiar cuanto le rodeaba con ayuda del visor nocturno, echando mano una vez más de la demostrada paciencia propia de los cazadores de las llanuras.

Cuando algo se movió sigilosamente a su derecha, el corazón le latió con fuerza, aunque se calmó al comprobar que solo se trataba de una serpiente que se deslizaba en busca de ratones. Una hora más tarde avistó en la distancia a un fénec, pero el escurridizo zorrillo de enormes orejas y alargado morro debió captar su olor o presentir el peligro, porque a los pocos instantes dio media vuelta y se perdió de vista.

Había tardado casi dos horas en abandonar su refugio, aliviar el cuerpo, que buena falta le hacía, cubrir sus excrementos para no dejar la menor huella de su paso y regresar al lugar en que había enterrado la montura.

Tan solo entonces comió y bebió hasta sentirse ahíto, durmió hasta que el frío le hizo comprender que era hora de reemprender la marcha, buscó la estrella polar, la Cabra, que siempre le marcaba el rumbo a seguir, y se encaminó al noreste.

De día se ocultaba y de noche caminaba, y así siguió hasta alcanzar el punto en que le habían asegurado que le aguardaría un guía enviado por un tal Razmán Yuha, que según le había contado Hassan era miembro de los *imajeghan* y uno de los pocos autorizados a hacer sonar el tambor que le había obligado a matar.

# 5

«Cuando la suerte te vuelve la espalda, lo único que puedes hacer es intentar darle por el culo.»

Aquella era una de las frases predilectas de Omar el Khebir cuando las cosas iban mal y, en el momento en que Yusuf le advirtió que Mubarrak continuaba galopando, pero que probablemente ahora lo hacía con el mismísimo Satanás trepado en la joroba de su camello, la repitió una y otra vez antes de ordenar que le enterraran cubriendo la tumba de piedras para evitar que las hienas se dieran un banquete con sus restos.

No lo hizo por compasión ni por motivos religiosos, sino porque comprendió que estaba dejando tras sí un vergonzoso rastro de cadáveres y que sus hombres se sentirían incómodos al suponer que serían los próximos en acabar siendo pasto de las bestias.

Habían demostrado en sobradas ocasiones su valor y sin duda estaban dispuestos a morir en combate, pero no les apetecía la idea de entrar en la eternidad convertidos en sangrientos despojos.

Omar el Khebir opinaba que lo mismo daba que te devoraran los gusanos que las hienas, aunque admitía que los primeros eran más discretos, ya que no solían reírse al hacerlo.

Cumplida la desagradable tarea de dar el último adiós a un amigo, trepó a una duna y oteó el horizonte a sus espaldas preguntándose cómo era posible que hubieran atravesado aquel desolado pedregal sin percatarse de la presencia de un enemigo. Quienquiera que fuese utilizaba silenciador, por lo que el simple jadear de los camellos bastaba para acallar el sonido de un disparo, pero había tenido la precaución de mantenerse alejado de las rocas y ese único disparo tenía que haberse realizado a una enorme distancia.

A la vista de ello solo cabían dos interpretaciones: o el tirador era excepcionalmente bueno o tenía la suerte de cara y, dado que pronto anochecería y no era cuestión de quedarse a averiguarlo, tomó la sabia decisión de largarse de allí lo más rápidamente posible.

Yusuf se negaba a huir como una vieja asustada ante quien había matado a cuatro compañeros, pero su jefe se mostró inflexible.

—Cuando salimos de Trípoli éramos cuarenta y ya solo quedamos once —dijo—. Hemos sido sentenciados a muerte y eso ya no hay quien lo evite, pero debemos intentar que nos entierren lo más lejos posible... —hizo un gesto para que el resto de su maltrecha tropa se aproximara con el fin de señalar—. Ahora nuestra «obligación» es convertirnos al islamismo más radical y encontrar a un grupo de yihadistas que nos acoja.

—¿Crees que estarán dispuestos a hacerlo? —le hizo notar Yusuf—. Suelen ser muy estrictos.

—Lo harán si los convencemos de nuestra sincera fe y espíritu de sacrificio, aunque probablemente nos cortarán el cuello si averiguan que hemos trabajado para Gadafi. Les encantan los mártires chapuceros, pero aborrecen a los buenos profesionales.

—¿Y qué les vamos a decir cuando quieran saber quiénes somos, de dónde venimos o a dónde vamos?

—¿Acaso crees que son filósofos en busca de respuestas a unas preguntas que la humanidad se viene haciendo desde el comienzo de los tiempos? —inquirió molesto—. ¡Olvídalo! Solo son fanáticos descerebrados, porque si tuvieran cerebro no se inmolarían, con lo que debe de doler eso de volar en pedazos —fue alzando los dedos a medida que hablaba—: «¿Quiénes somos...?» Sumisos seguidores del Señor. «¿De dónde venimos...?» Cada cual de su casa. «¿A dónde vamos?» A donde el Señor tenga a bien reclamar nuestra presencia...

Su lugarteniente, que le conocía desde hacía demasiados años, le observó de arriba abajo con gesto despectivo al comentar:

—Si alguien es capaz de creerte un «sumiso seguidor del Señor», debe ser tan estúpido que su simple compañía significa un peligro, pero tal vez tengas razón y el camino de la fe sea el único que evite que nos maten.

—De acuerdo entonces... —Omar el Khebir se volvió a uno de los pocos no tuaregs que quedaba en el grupo para inquirir—: ¿Es cierto que te sabes el Corán de memoria...?

—Casi todo.

—En ese caso, irás recitando versículos mientras cabalgamos y los demás los repetiremos en voz alta.

—Me parece una falta de respeto... —se lamentó el otro—. Siempre he sido un sincero creyente.

—Todos somos sinceros creyentes, por lo que recitar el Corán no puede significar falta de respeto —fue la desconcertante respuesta—. Y nos vendrá muy bien recordar algunos versículos tanto ahora para salvar nuestras vidas como después para salvar nuestras almas.

El beduino no pareció sentirse satisfecho por tan rebuscados argumentos, pero conocía a su jefe, sabía que no era hombre al que resultara prudente llevar la contraria y se limitó a obedecer, por lo que minutos después el grupo avanzaba de nuevo al trote corto, pero en esta ocasión cantando a voz en cuello de tal forma que quien que los viera no dudaría en suponer que se trataba de un puñado de fanáticos seguidores de las enseñanzas del Viejo de la Montaña.

Quien más tarde fuera conocido con tan curioso sobrenombre se llamaba en realidad Hassan-i Sabbah, y casi novecientos años antes había fundado en Egipto una secta integrista ismailí, pero al verse acosado por sus enemigos construyó una fortaleza en la cima de una montaña al sur del mar Caspio. Desde allí, sus seguidores consiguieron apoderarse de plazas fuertes en Palestina, Siria e Irán, llegando a constituir lo que podría considerarse un auténtico «Estado ismailí», que realizó una increíble labor de proselitismo de lo que denominaban la «nueva predicación». Aquellos que realizaban acciones armadas se denominaban a sí mismos fedayines, «los que están dispuestos a dar la vida por la causa».

Se convirtieron en un auténtico ejército de fanáticos especializados en el terror a costa de inmolarse y sus crímenes pretendían servir de ejemplo, por lo que los realizaban a plena luz del día y, sobre todo, cuando su objetivo se encontraba rodeado de gente. Como el atacante solía ser ajusticiado, los ismailíes drogaban con hachís a los aspirantes a entrar en su secta al extremo de que cuando despertaban se encontraban en un fabuloso jardín rodeados de manjares, fuentes, hermosas doncellas y cuanto un ser humano pudiera desear, lo que les obligaba a creer que ciertamente habían accedido al paraíso. Al cabo de unos días les devolvían a la realidad y les aseguraban que cuanto habían vivido solo era una muestra de lo que les esperaba en caso de inmolarse. Del término *hashshashin* o «consumidores de hachís» provenía la palabra *asesino*, que posteriormente se vulgarizó designando a cualquier homicida, pero que en su origen se refería concretamente a los seguidores del Viejo de la Montaña.

Estaban autorizados a mentir, fingir, ocultar sus orígenes e incluso renegar en público de sus creencias si ello les permitía ganarse la confianza de sus futuras víctimas. La muerte y la traición constituían sus únicos credos y eso era lo que les había hecho tan peligrosos en el pasado, los hacía tan peligrosos en el presente y los haría tan peligrosos en el futuro, ya que resultaba prácticamente imposible luchar contra quienes estaban deseando morir imaginando que de ese modo volarían directamente al paraíso.

Tal como el deleznable Hassan-i Sabbah asegurara en su día: «Cuando llegue la hora del triunfo, con la fortuna de ambos mundos por compañera, un rey con más de mil guerreros a caballo será aterrorizado por un solo guerrero a pie».

Omar el Khebir, que conocía muy bien la sangrienta historia de los fedayines, estaba convencido que la mejor forma de conservar la cabeza era hacerse pasar por uno de ellos hasta que le ordenaran colocarse un cinturón de bombas y hacerlas explotar entre la multitud.

Cuando llegara ese día vería cómo se las arreglaba, pero de momento lo mejor que podía hacer era aprender de memoria versículos del Corán, porque al fin y al cabo eso no era nada que pudiera hacerle daño.


Shela había asegurado que «entre sus hermanas existía un poco de todo» y Zair constituía la mejor prueba de ello.

Era la única a la que no le gustaba tomar parte en los cantos y bailes de las agitadas noches en torno a la hoguera y solía lucir grandes gafas de concha que resaltaban de forma notable la belleza de unos ojos que parecían estar siempre espiando el interior de quien se encontraba frente a ella.

La melena de un negro azabache le llegaba a la cintura, vestía a todas horas largas túnicas y siempre iba descalza, por lo que cuando cruzaba una estancia con un libro en la mano parecía un fantasma vagando en busca de un personaje.

A primera vista podía parecer fría y distante, pero pronto resultaba evidente que destilaba sexualidad y cada uno de sus movimientos evocaba los de un felino al acecho.

Gacel no tardó comprender que, si peligrosa se le había antojado la provocativa y deslenguada Shela, Zair podía ser letal, por lo que se prometió mantenerse lo más lejos posible de ambas.

Constituía, no obstante, un empeño difícil, puesto que vivían bajo el mismo techo y por grande que fuera la mansión no conseguía evitar tropezarse con alguna.

Una tarde, Zair, que solía pasar horas leyendo bajo un árbol a la orilla del río, le hizo un casi imperativo gesto indicándole que viniera a acomodarse a su lado, y apenas lo hubo hecho le espetó con marcada intención:

—Te advierto que no intento comerte, porque jamás pruebo una fruta si no tengo muy claro de qué árbol proviene. ¿A qué tribu perteneces?

—Si tu padre no te lo ha dicho, yo no puedo decírtelo —le respondió.

—Mi padre se muestra bastante reservado con respecto a ti y, si tú también quieres serlo, no insistiré… —la inquietante muchacha hizo un gesto indicando el libro que había dejado sobre la hierba e inquirió—: ¿Te gusta Tolstói?

—¿Quién?

—León Tolstói —golpeó con el dedo la portada al aclarar—. El autor.

—¿A qué tribu pertenece…? —fue la malévola pregunta.

—Era ruso y murió hace mucho tiempo.

Gacel tomó el libro, estudió el título y se limitó a comentar:

—Puede que fuera ruso y esté muerto, pero escribía sobre lo mismo que todos: la guerra y la paz.

—A mí me apasiona.

—¿La guerra o la paz?

—El libro.

Su interlocutor dejó el ejemplar donde había estado al tiempo que se disculpaba por su evidente ignorancia.

—Me resulta imposible leer mientras trabajo y regreso a casa agotado, pero cuando era joven me gustaban las novelas de Julio Verne, sobre todo una que trataba de un barco que navegaba bajo el agua.

—*Veinte mil leguas de viaje submarino.*

—No recuerdo cómo se llamaba, pero sí que los protagonistas libraban una feroz batalla contra una bestia enorme.

—Un calamar gigante…

—¡Bueno…! —fue el desencantado comentario no exento de un leve tono de reproche—. Veo que la conoces mejor que yo, o sea, que no vale la pena que te la cuente.

La atractiva mujer se bajó un tanto las gafas para mirar por encima de ellas a quien se advertía casi infantilmente ofendido.

—No he pretendido molestarte —dijo—. Verne, Stevenson y London siempre han sido mis autores favoritos y solía leerles sus novelas en voz alta a mis hermanos.

—Si se las leías, tenía que ser en voz alta, porque de lo contrario no se hubieran enterado de nada —fue el mordaz comentario.

Zair reaccionó como si le acabaran de tirar de las orejas y torció el gesto, pero casi al instante sonrió al replicar.

—Mi hermana ya me advirtió de que sueles responder con ingenio, pero hay algo que quiero que entiendas: no tengo marido, ni hijos, ni obligación alguna puesto que mi padre es rico y me lo proporciona todo, mientras que tú trabajas y sospecho que ahora incluso te juegas la vida. Con ello pretendo decir que no debes avergonzarte porque yo haya leído más que tú, puesto que he dispuesto de mucho más tiempo libre.

—Eso lo entiendo… —admitió él con absoluta sinceridad—. Cada cual debe conocer sus limitaciones y supongo que de tanto leer habrás aprendido muchas cosas.

—Con aprender no basta; alguien escribió en una ocasión: «Saber por saber de nada sirve, si no sabes para qué sirve lo que sabes». Tú eres de los que saben para qué sirve lo que sabes y yo a veces no. Entiendo los conceptos, pero no soy capaz de aplicarlos a nada útil.

—Lo que más me admira de ti es que puedas entender nada de lo que estás leyendo mientras caminas descalza sobre arena caliente —le hizo notar él—. Hasta yo me quemaría.

La muchacha se limitó a mostrarle la planta de uno de sus pies, que exhibía una callosidad equiparable a una suela de zapato.

—En eso continúo siendo una auténtica saharaui, porque puedo andar sobre cristales e incluso sobre cigarros encendidos.

—No parece muy propio de la hija de un *amenokal*.

—Quien acostumbra a hacer lo que se supone que tiene que hacer se vuelve previsible, lo cual le coloca en desventaja.

Gacel hubiera deseado preguntarle a qué clase de desventajas se refería, pero en esos momentos se aproximó una de las doncellas para comunicarle que «el amo» le rogaba que acudiera a su despacho.

Se lo encontró sentando en un blanco butacón fumando un enorme narguile y, al verle entrar, el Cuatrosangres le indicó que tomara asiento mientras hacía un gesto hacia el transmisor de radio que se encontraba a sus espaldas.

—Acaba de llamar Hassan pidiéndome que te haga una pregunta a la que debes responder con absoluta libertad: ¿te importaría aceptar cualquier misión que signifique eliminar yihadistas o prefieres continuar persiguiendo a Omar el Khebir?

Era, sin duda, una cuestión harto delicada que exigía una meditada respuesta, que tardó un par de minutos en llegar.

—Si tengo que matar, prefiero matar a alguien que mata por dinero antes que a quien mata debido a sus creencias por muy estúpidas que me parezcan. O sea, que elijo continuar persiguiendo a Omar.

—De acuerdo.

—El problema estriba en que a estas alturas debe encontrarse muy lejos y no tengo la menor idea de cómo seguirle el rastro —le dijo Gacel—. Se internó en el *erg* y las huellas de los camellos desaparecen sobre las rocas.

—Lo sé, pero no son los camellos, sino lo que llevan encima lo que nos indicará dónde se encuentran —ante el desconcierto de su interlocutor el padre de Zair continuó—: Como señal de garantía los buenos guarnicioneros identifican con su firma las monturas que fabrican, y el que conociste, que es de los mejores, le había vendido cinco a Omar. Nuestra gente, que controla los pueblos, los oasis y los pozos desde aquí a Mauritania, estará atenta a la aparición de cualquiera de ellas.

—Pero son casi tres mil kilómetros —le recordó el tuareg.

—Por mil de ancho, pero, como tenemos miles de ojos al acecho, solo es cuestión de tiempo.

—Lo que me sobra es tiempo.

—¿Estás a gusto en mi casa?

—Mucho.

—¿Te dan problemas mis hijas?

—En absoluto.

—También eso es cuestión de tiempo… —fue el burlón comentario—. Procura no bajar la guardia, porque he podido advertir que un par de muchachas del servicio te miran con ojitos de gacela degollada y, si la iniciativa parte de ellas, mis mujeres no pueden acusarme de alcahuete. A partir de ahora, lo que tienes que hacer es rogarle al Señor que te proporcione fuerzas para resistir un acoso que te puede venir de varios frentes.

—Eres un hombre desconcertante incluso en los desconcertantes tiempos que corren… —le hizo notar su confuso interlocutor—. A veces sospecho que juegas conmigo.

—Nada más lejos de mi ánimo, puesto que tu vida pende de un hilo y sé lo que eso significa, ya que tres de mis hijos también luchan por nuestra causa, aunque se ven obligados a hacerlo en las ciudades.

—¿Y eso por qué?

—Porque estudiaron en Europa y luchando en el desierto no habrían durado ni cinco minutos.

—No tenía ni la menor idea.

—¿Acaso me crees capaz de derramar sangre ajena sin estar dispuesto a derramar la mía? —quiso saber el otro en un tono que parecía querer indicar que la sola idea le ofendía—. Esta es una guerra en la que debemos implicarnos del más rico al más humilde o estaremos condenados a perderla. No somos como los ingleses, que enviaban al campo de batalla a neozelandeses, australianos o hindúes mientras ellos se quedaban en casa haciendo política, que es lo que en verdad les gusta.

—No sé mucho sobre los ingleses.

—Pues te convendría leer algún libro de historia.

—Todo el mundo parece empeñado en que lea libros... —se lamentó el camionero al tiempo que indicaba con un gesto de la barbilla la enorme biblioteca que llegaba del suelo al techo—. ¿Cuánto tiempo tardaría en leerme todo eso?

—Siglos, puesto que la mayoría están en inglés.

—¿Y Zair los entiende?

—Mucho mejor que yo.

—¡Demonio de mujer! ¿Cómo puede ser tan inteligente?

—Hablar idiomas no suele ser cuestión de inteligencia, sino de oportunidad y una cierta predisposición que sin duda ella tiene, lo cual no quiere decir que no sea inteligente, que lo es, y mucho.

Su huésped fue a decir algo, pero se lo pensó mejor y decidió cambiar de tema, puesto que al parecer existía otro que le preocupaba más que Zair o sus hermanas.

—Me gustaría que me aclararas algo, si es que estás autorizado a hacerlo... —dijo tras unos instantes de indecisión—. Desde que yo recuerde, en África se han producido y continúan produciéndose revoluciones y guerras civiles que en ocasiones degeneran en auténticas masacres que no parecen importarle gran cosa al resto del mundo... ¿Por qué lo que está ocurriendo en Malí resulta tan importante que ha obligado a intervenir a los franceses?

El dueño de la casa meditó la respuesta; dio la sensación

de no querer responder, pero al fin extrajo de un cajón un mapa que abarcaba una gran extensión del continente, desde el golfo de Guinea al Mediterráneo.

—Malí se encuentra en este punto y, como puedes comprobar, su extremo noroeste, que está considerado el desierto más desierto de todos los desiertos, podría ser considerado de igual modo el centro geográfico del Sáhara. Si con la disculpa de convertir la región en una república tuareg la yihad islámica consiguiera crear un Estado reconocido internacionalmente, extenderían su influencia a los países vecinos aniquilando a quien se opusiera, fuera tuareg o no... —lanzó un resoplido de desagrado, y se diría que casi estaba a punto de escupir sobre el mapa al añadir—: Y por lo que a mí respecta, me niego a que impongan las leyes de la *sharía*, obliguen a mis hijas a usar *burka* o les impidan hacer el amor con quien les plazca.

Gacel Mugtar observó con atención el mapa para acabar por asentir con un leve movimiento de cabeza.

—La verdad es que constituye un punto estratégico con fronteras a cuatro países—dijo—. Entiendo que a los franceses no les interese que sea el acceso a ellos.

—A los únicos que les interesa es a los integristas... —insistió su interlocutor—. Lo que buscan con esa supuesta «nación tuareg» no es más que una tapadera, y los tuaregs podemos ser cualquier cosa menos una tapadera. Casi medio millón de malíes han tenido que huir de la zona, setenta mil se encuentran en campos de refugiados y el resto desparramados aquí o allá muriéndose de hambre. Y los yihadistas, que son los verdaderos culpables, se han infiltrado entre la población con el fin de azuzarla contra los nuestros. Los persiguen, los encarcelan o los matan a palos como si fueran bestias... —el dueño de la casa golpeó repetidamente el mapa con el dedo al concluir—: Siempre he estado de acuerdo en que pertenecer al islam significa aceptar la voluntad de Alá, pero un pueblo como el tuareg no debe someterse a la interpretación que un lunático pretenda dar a los mandamientos del Corán. Si existiera una autoridad suprema que marcara el camino que debemos seguir, a semejanza del papa de los cristianos, aceptaría sus mandatos, me gustaran o no, pero por suerte o por desgracia no existe.

—Pero por lo que me han contado, eso del papado no funciona muy bien y el Vaticano se ha convertido en un nido de corrupción —le hizo notar con cierta timidez su huésped—. Incluso tengo entendido que debido a ello ahora incluso existen dos papas.

—Eso es cierto; muchos han sido corruptos, pero lo hagan bien o lo hagan mal constituyen una autoridad única que marca las pautas a seguir, mientras que los musulmanes tenemos que resignarnos a ver cómo cualquier imán exaltado interpreta los textos sagrados a su antojo. La mayoría de las aleyas del Corán son muy precisas, pero existen otras que se prestan a confusión y el propio Profeta lo advirtió en su momento: «Quienes tienen dudas en su corazón prefieren seguir el camino equívoco buscando la discrepancia y ansiando imponer su propia interpretación, pero esa interpretación solo la conoce Dios».

77

# 6

Omar el Khebir aborrecía a los bororos, a los que consideraba una raza inferior a causa de sus absurdos rituales, y sobre todo a los estrambóticos maquillajes que utilizaban resaltando sus pintarrajeados ojos y unas enormes dentaduras que mantenían muy blancas a base de frotárselas continuamente con el extremo de una ramita.

Se le antojaban ridículos payasos sin dignidad y le repelían sus claustrofóbicas chozas de adobe, pero sus hombres estaban sedientos y sus monturas agotadas, por lo que al distinguir una de sus míseras aldeas decidió enviar por delante a Yusuf con el fin de advertir que venían en son de paz y estaban dispuestos a pagar el agua a muy buen precio.

Un diminuto y cojitranco jefezuelo aceptó el trato condicionándolo a que se marcharan al atardecer debido a que la mayoría de los guerreros se habían llevado el ganado a pastorear demasiado lejos por culpa de la sequía y desconfiaba de lo que pudiera ocurrir durante la noche en un poblado con mayoría de ancianos, mujeres y niños.

A la vista de ello, Omar el Khebir no dudó en amenazar severamente a sus hombres al tiempo que puntualizaba:

—Recordad que ahora somos devotos siervos de Alá

que viajamos en procura de su mayor gloria, o sea, que al que intente propasarse con las mujeres o con los niños, y esto último va por ti, Almalarik, tendrá que recoger sus sesos de la arena.

El tono de su voz no dejaba lugar a dudas con respecto a la sinceridad de sus intenciones, sobre todo teniendo en cuenta que la bilis le devoraba las entrañas por el hecho de verse obligado a huir como una liebre asustada.

Sus subordinados recordaban con nostalgia los viejos tiempos en que montaban guardia en torno al palacio de Gadafi y los viandantes les observaban con temor, pero Trípoli se encontraba a casi dos mil kilómetros de distancia, y correr durante tanto tiempo perdiendo en el camino a la mayor parte de sus compañeros había constituido un severo correctivo.

Pese a tan desmoralizadora racha de desastres, nadie ponía en duda la autoridad de Omar el Khebir, aceptando que si aún seguían con vida era gracias a él.

Comprendían que estuviera furioso, lo que significaba que si no le obedecían su furia se convertiría en ira y cumpliría a pies juntillas su promesa de desparramar sus sesos por la arena.

Se agruparon por tanto a la sombra del bosquecillo que rodeaba el pozo cumpliendo el precepto de dar de beber en primer lugar a los camellos, y no les sorprendió que el único ser humano que se aproximara fuera el renqueante jefezuelo, que, tras estudiar con suma atención a los animales, comentó:

—Parecen agotados y algunos presentan heridas en las patas, porque han caminado demasiado sobre el *erg*. Estoy dispuesto a cambiároslos por trece de refresco si me regaláis uno de los fusiles que os sobran.

—Los fusiles nunca sobran… —le hizo notar Omar el Khebir—. Y trece camellos a cambio de quince no se me antoja un trato justo.

—Lo es si tienes en cuenta que pasaré días curándoles las heridas y que al menos dos corren peligro de quedarse cojos. Si descansan, sobrevivirán; si continúan, tan solo servirán de pasto para buitres.

—Eres un maldito charlatán enredador —fue la respuesta.

—Por eso soy el que manda… —replicó el otro con sorna—. Pero si de algo entiendo es de camellos.

A Omar el Khebir le hubiera encantado regatear, aunque solo fuera por seguir la costumbre, pero se encontraba en verdad agotado y le constaba que al mal encarado bororo le sobraba razón en lo que se refería a los animales.

—¡De acuerdo! —masculló de mala gana.

—En ese caso te proporcionaré siete odres de agua a cambio de cincuenta cartuchos, porque un rifle sin munición de nada sirve.

—Veinte cartuchos…

—Cuarenta…

—Veinte…

—Treinta y ocho, porque te advierto que el pozo más cercano, el *guelta* senaudi, se encuentra a tres días de camino.

—Veinte… —insistió Omar el Khebir, y adelantándose al viejo, que parecía dispuesto a continuar discutiendo, le espetó—: Y ahora soy yo quien te advierte que puedes elegir entre veinte balas en una bolsa o una en la cabeza, y en ese caso nos quedaríamos con todo y saquearíamos tu aldea.

El anciano, cuya dentadura seguía siendo tan perfecta, sana y blanca como la de un adolescente, la mostró abiertamente al admitir con gesto de rendida resignación:

—Es una oferta a la que nadie podría resistirse, o sea, que ordenaré que traigan los animales y llenen los odres... —hizo un gesto hacia las monturas—. ¡Por cierto! —exclamó—. ¿Qué piensas hacer con las sillas que te van a sobrar?

—¿Y qué mierda quieres que haga? —fue la malhumorada respuesta—. ¿Utilizarlas como sombrilla? Quédatelas, y que una de ellas te sirva de montura cuando galopes hacia el infierno.

—Espero que sea cómoda, porque tengo entendido que es un largo viaje... —respondió quien parecía sentirse muy satisfecho de cómo había manejado la situación—. Mataré un cabrito para que podáis cenar a gusto y antes de dos horas podréis iros.

Se alejó casi dando saltos de alegría, por lo que Yusuf alzó los ojos al cielo al tiempo que barbotaba:

—¡Hasta dónde hemos llegado!

—El problema no es hasta dónde hemos llegado, sino hasta dónde llegaremos —le hizo notar su jefe—. Tras cuatro años de sequía, en el *guelta* senaudi apenas debe quedar agua. Tendremos que confiar en Alá.

—Tengo la impresión de que Alá no confía en nosotros, pese a tanto cántico y tantas alabanzas. Y, por lo que a mí respecta, no pienso continuar recitando el Corán en voz alta, porque sospecho que le molesta y además se me seca la garganta.

¿Era un sueño?

No era un sueño.

Pero podía ser un sueño.

También podía ser que soñara que estaba soñando.

En contadas ocasiones había experimentado idéntico placer cuando soñaba, pero la mano que le acariciaba íntimamente demostraba ser muchísimo más hábil de lo que pudiera serlo cualquier criatura surgida de un sueño.

Abrió los ojos y fue como si no los hubiera abierto, puesto que la oscuridad era absoluta, pero el leve jadear, el olor y el tacto le hicieron comprender que se trataba de una mujer y que se encontraba sumamente excitada.

No hizo preguntas, sabiendo que no recibiría respuestas.

Quienquiera que fuese había sabido elegir una calurosa noche sin luna en la que debió de suponer que le encontraría desnudo sobre la cama.

Y así era.

Los suaves dedos dejaron paso a una húmeda lengua, luego a una ávida boca y por fin a unos muslos que se abrieron sobre sus muslos, por lo que permitió que le cabalgaran hasta la extenuación.

Se quedó dormido.

Descansó durante una hora; tal vez dos...

Y tuvo un sueño.

Pero no era un sueño, aunque podía ser un sueño.

También podía ser que soñara que estaba soñando.

En ciertas ocasiones había experimentado idéntico placer, pero la mano que le acariciaba íntimamente demostraba ser muchísimo más hábil de lo que pudiera serlo cualquier criatura surgida de un sueño.

Abrió los ojos y fue como si no los hubiera abierto, puesto que la oscuridad era absoluta, pero el leve jadear, el olor y el tacto le hicieron comprender que se trataba de una mujer y que se encontraba sumamente excitada.

Pero su perfume era diferente, al igual que lo era la tersura de su piel y la forma en que en esta ocasión le cabalgó hasta dejarle vacío.

Durmió una hora; tal vez dos...

Y por tercera vez tuvo un sueño.

Pero no era un sueño, aunque podía ser un sueño en el que intervenía una tercera mujer que nada tenía que ver con las anteriores.

Cuando despertó por cuarta vez, ya era de día, por lo que agradeció que los sueños no acabarán convirtiéndose en pesadillas, porque la visita de tres ansiosas desconocidas en tan corto espacio de tiempo constituía sin lugar a duda una experiencia ciertamente satisfactoria pero a todas luces agotadora.

Cerró los ojos y permaneció muy quieto olfateándose a sí mismo como un perro de caza en un vano esfuerzo por asociar los olores que le habían impregnado la piel con algunas de las mujeres de la casa.

La resultó imposible debido a que imperaba una fuerte mezcla a sudor y sexo.

Le hubiera gustado permanecer largo rato rememorando las sensaciones que le habían asaltado durante aquella insólita noche, pero tanto ejercicio le había despertado el apetito, por lo que se dio una larga ducha que le sirvió para advertir cómo por el desagüe desaparecían las pruebas que hubieran servido para demostrar que había sido implacable y abusivamente violentado.

*Inshallah!*

Si esa era su voluntad, ¿quién era él para oponerse?

Pasó el día observando de reojo a cuantas muchachas se cruzaban en su deambular por salones, patios y jardines, creyendo descubrir sonrisas maliciosas o gestos de complicidad, pero no de complicidad con él, sino entre ellas, por lo que llegó un momento en el que se sintió incómodo al imaginar que se estaban riendo a sus espaldas.

Esa tarde la casa se engalanó como correspondía al honor de recibir a Alí Bahal, uno de los más celebrados poetas del Sahel, que además tenía fama de ser un buen contador de historias.

Como de costumbre, la cena se sirvió en torno a una pequeña hoguera que tenía la misión de servir de símbolo de unión y no de fuente de calor, ya que el persistente bochorno resultaba agobiante.

Tal como ordenaba el «protocolo», mientras se disfrutaba de los abundantes y exquisitos manjares, se habló poco, sin elevar el tono y siempre con alguno de los invitados más próximos.

Gacel aprovechó la ocasión para mantenerse atento a las reacciones de las hijas de su anfitrión o de alguna de las doncellas que en ocasiones se aproximaban a atenderle, pero, por más que esforzaba la vista o aventaba la nariz como un perro de caza, no fue capaz de descubrir un solo gesto o percibir un solo perfume que le sirviera de orientación para determinar cuáles de entre aquellas exuberantes muchachas le habían visitado en plena noche.

Nada parecía haber cambiado.

Nadie parecía tener la menor noticia sobre una triple

y fascinante agresión sexual perpetrada al amparo de las tinieblas.

Resultaba frustrante.

Por fin, Alí Bahal decidió ponerse en pie, y lo primero que hizo fue recitar algunos poemas propios, un tanto enrevesados al entender de un simple camionero debido a que aparecían repletos de alusiones a hechos y personajes de los que Gacel nunca había oído hablar, pero que deleitaban al refinado auditorio y sobre todo entusiasmaban al dueño de la casa, que era lo que en verdad importaba.

Vino luego una larga y conocida epopeya en recuerdo de un admirado caíd vencedor en incontables batallas doscientos años atrás y, tras el imprescindible intermedio destinado a procurar el alivio de las vejigas de los ancianos, Alí Bahal comenzó su historia, pese a que su voz no era tan clara ni tan firme como la de quien le había precedido en parecida tarea la semana anterior.

—¡Alá es grande, alabado sea! —dijo—. Esto que voy a contaros ocurrió muy lejos, más allá del río Congo, y al sur de los inmensos lagos que son como mares de agua dulce en el centro del continente, un lugar habitado por salvajes que abrigan extrañas creencias e idolatran a los astros. Mantienen ideas absurdas, entre ellas una muy singular que afirma que, cuando un león devora a un hombre, su alma, que se ha quedado sin cuerpo en el que descansar durante toda la eternidad, se introduce en el guerrero que se encuentra más próximo, toma posesión de él como segundo espíritu y no lo abandonará hasta que armado únicamente de una lanza se enfrente a la fiera y le dé muerte. Según dicen, no le queda al guerrero otro remedio que luchar, puesto que de lo contrario vivirá atormentado por el espíritu intruso, al punto que llegará a hablar, pensar y comportarse tal como si fuera el difunto.

Hizo una pausa para tomar un sorbo de agua y estudiar el efecto que sus palabras causaban en el auditorio y hasta qué punto había despertado interés, ya que quien no supiera cuál era el momento justo de detenerse y cuál el de retomar la palabra y proporcionar a la narración un ritmo adecuado nunca conseguiría convertirse en un buen contador de historias.

—Admito que lo que estoy relatando es poco digno de crédito a nuestros ojos —dijo—. Pero aseguran que un nefasto día, y de eso hace también casi un siglo, un cazador inglés amante de los grandes trofeos se adentró en la selva en busca de un enorme león devorador de hombres que estaba causando estragos entre los nativos. Le acompañaba un experto rastreador local, y por desgracia nadie fue testigo de lo que sucedió, aunque a las dos semanas el inglés regresó hambriento, exhausto y enfermo. Por lo que contó, la astuta fiera le había atacado por sorpresa, desarmándole, y cuando el valiente rastreador acudió en su ayuda se abalanzó sobre él matándole en el acto. Reconoció que lo único que hizo fue huir presa del pánico, vagó sin rumbo, bebió aguas infectadas y solo la voluntad de Alá quiso que en el último momento encontrara el camino de regreso al poblado.

Durante la nueva y muy estudiada pausa, Gacel se entretuvo en escudriñar los rostros de todas las mujeres y pudo constatar que ninguna parecía reparar en su presencia, ya que su atención se centraba en lo que Alí Bahal estaba diciendo. Hubiera sido o no el hombre del que habían disfrutado la noche anterior no le prestaban la menor atención y en aquellos momentos carecía de importancia.

Según un antiguo proverbio: «El pene de un hombre puede mantener en vilo a una mujer durante un cierto tiempo; su lengua puede mantenerla en vilo durante horas».

Aquella era una clara prueba.

—El hechicero de la tribu cuidó al cazador blanco y consiguió curarle... —continuó el relator—. Pero pronto comenzaron a correr rumores que aseguraban que el espíritu del rastreador se había apoderado de su cuerpo, y a ello contribuyó que se comportara de una forma cada vez más extraña, puesto que dejó de actuar como correspondía a un hombre de su rango, raza o cultura. Poco a poco, sus ideas se identificaron con las de los nativos atravesando por largos períodos de melancólica lucidez y otros de desgarradora desesperación durante los que gritaba que una voz le ordenaba que se adentrara en la selva y se enfrentara de nuevo al sanguinario león.

Alí Bahal bebió de nuevo, depositó el vaso en la bandeja con casi desesperante lentitud, observó directamente a Razmán Yuha como para comprobar que se sentía satisfecho pese al cuantioso gasto realizado a la hora de organizar tan magnífica fiesta en su honor y comprendió que había llegado el momento de alcanzar el clímax de su inquietante narración:

—Temerosos de las represalias de las autoridades europeas si les consideraban sospechosos de brujería, los indígenas pidieron ayuda al representante del rey de los belgas, que eran quienes en aquellos momentos les gobernaban, y este no tardó en presentarse con la intención de devolver al desgraciado poseso a su país. El cazador se negó alegando que no podía llevarse con él a un segundo espíritu; el belga decidió que debía repatriarlo aun contra su voluntad, pero no pudo hacerlo, puesto que la noche anterior a la partida el cazador desapareció llevándose una lanza. Fueron inútiles cuantos intentos se hicieron por encontrarle y nunca más se volvió a saber de él, pero también es cierto que los lugareños jamás volvieron a ser atacados por el terrible león devorador de hombres.

El hábil contador de historias demostró que se había ganado a pulso la fama, puesto que alzó las manos con las palmas hacia arriba como para demostrar que no guardaba nada en ellas, al puntualizar:

—Esta es la historia que me contaron y que os cuento, y en la que nunca he creído, porque siempre he sabido que no hay más dios que Alá y que él procura que los espíritus de los valientes, sean quienes sean y dondequiera que mueran, marchen directamente al paraíso, donde disfrutarán de una paz y una felicidad eternas.

# 7

Un hombre que se cubría el rostro con el extremo de un turbante azul hizo su aparición en la cima de una duna alzando la mano a modo de saludo mientras en la otra sostenía un fusil.

—*Metulem, metulem!* —gritó.

—*Metulem, metulem!* —le respondieron.

—Lo siento, pero no podéis pasar de aquí.

—¿Por qué?

—Porque no tenemos agua suficiente. Uno de vosotros puede ir a llenar dos *girbas*, pero es todo lo que os daré.

—¿Quién lo dice?

—Yasir, dueño del pozo. Los senaudi lo abrimos hace más de un siglo y lo hemos cuidado durante cuatro generaciones.

—Nuestros animales necesitan beber y con dos *girbas* no basta —le hizo notar Omar el Khebir alzando la voz, ya que el desconocido no parecía dispuesto a aproximarse.

—Lo sé, pero tengo que elegir entre mi familia y vuestros animales.

—¿Acaso es esta la famosa hospitalidad beduina? —fue

el claro reproche que buscaba herir el orgullo del desconocido.

—Si solicitas mi hospitalidad, te la otorgo, al igual que estoy obligado a concedérsela a todo el que me la pida... —respondió el otro de inmediato—. Pero los camellos no saben hablar y por tanto la ley de la hospitalidad no me exige acogerles.

—En ese caso pedimos tu hospitalidad.

—Pues en ese caso continuad a pie, aunque dejando aquí las armas, porque a partir de este momento estáis bajo la protección de los senaudi y, por tanto, no las necesitáis.

—¡Astuto el maldito...! —masculló por lo bajo un malhumorado Omar sin girar la cabeza hacia Yusuf, que se encontraba a su lado—. ¿Qué hacemos?

—Aceptar lo poco que nos ofrece y largarnos, porque nos han visto llegar y les creo capaces de habernos tendido una emboscada buscando una disculpa para quitarnos desde la vida a los camellos...

Su jefe chasqueó la lengua al tiempo que movía afirmativamente la cabeza al comentar:

—Alegarían que pretendíamos robarles el agua, por lo que estaban en su derecho a matarnos... —hizo una pausa para mascullar de nuevo—: Sin contar que es posible que sepan que los tuaregs nos han condenado, con lo cual no dudarían en enterrarnos hasta el cuello. ¡De acuerdo! —le gritó al dueño del pozo—. Almalarik te acompañará a buscar el agua.

—¿Y por qué yo...? —protestó el elegido, al que evidentemente la orden no le hacía la más mínima gracia.

—Porque la vida de un pederasta es la que menos vale

a los ojos del Señor —fue la despectiva respuesta—. Nadie te llorará si no vuelves.

—Nadie llorará por ninguno de nosotros —comentó el elegido, obligando a arrodillarse a su montura para descabalgar—. Y por el camino que vamos muy pronto llegará ese momento.

Se colgó del hombro los dos odres vacíos que le lanzaron sus compañeros, hizo un gesto con el que pretendía demostrar al senaudi que se encontraba desarmado y comenzó a ascender hacia donde se encontraba.

—¿Queda muy lejos? —quiso saber.

No obtuvo respuesta, desaparecieron juntos tras las dunas y tardó una hora en regresar arreando a un asno que cargaba los odres que ahora rezumaban agua, una cabritilla recién degollada de cuyo cuello aún goteaba sangre y un pequeño haz de leña destinado a asarla.

—La cabrita y la leña son un regalo —aclaró—. Pero el borrico tenemos que devolverlo…

—Pues descargadlo y vámonos, porque nos están vigilando.

Almalarik distribuyó entre sus compañeros cuanto cargaba el burro y, tras darle una patada en el trasero obligándole a que regresara por donde había venido, comentó:

—Esos malditos tienen más gallinas de las que he visto en mi vida; intenté que nos regalaran dos en lugar de la cabra, pero se negaron en redondo.

—¿Por qué? —quiso saber Yusuf.

—Alegan que las cabras no ponen huevos.

—Y tienen razón.

—Pero, según eso, tampoco las gallinas dan leche y me

apetecía un buen caldo de gallina con arroz, porque hace meses que tan solo comemos carne de cabra… Por cierto —añadió dirigiéndose directamente a Omar el Khebir—: Yasir nos aconseja que regresemos por donde vinimos, o que en todo caso nos dirijamos al sur, porque los pozos del norte y el oeste se han secado.

—¿Y el suyo cómo está?

—Muy mal, hay que bajar treinta metros para conseguir un hilillo de agua, y a mi modo de ver tiene razón en no querer repartirla; si la sequía continúa, se verán obligados a emigrar.

—Será la voluntad de Alá.

—Pues la voluntad de Alá a veces cansa.

—¡No blasfemes!

Mientras trepaba de nuevo a su montura y le golpeaba levemente el cuello con la fusta para que se pusiera en pie, Almalarik no pudo por menos que rezongar:

—¡Maldita palabra! Si dices lo que piensas de los demás, te llaman sincero, pero, si dices lo que piensas de Dios, te llaman blasfemo —hizo un gesto con la mano hacia la cabeza del animal como deseando saber en qué dirección debía orientarla al inquirir—: ¿Hacia dónde vamos?

—Hacia el sur, tal como aconseja Yasir, pero sin prisas… —replicó Omar el Khebir, que casi de inmediato inquirió—: ¿Cuántos hombres armados has visto en el campamento?

—Ninguno.

—Lógico… —señaló Yusuf, que permanecía atento a la conversación—. No quieren que conozcamos sus fuerzas. ¿Cuántas jaimas?

—Seis junto al pozo y cuatro entre las palmeras, por lo

que calculo que entre hombres, mujeres, ancianos y niños no deben de llegar al medio centenar, aunque pretendan aparentar que son más.

—Cuando piensas atacar debes hacer creer a tu enemigo que tus fuerzas son menores de lo que en realidad son, pero cuando te defiendes debes hacerle creer que son mayores. Esa es la norma, aunque en ocasiones el éxito se alcanza cuando se contravienen las normas…

Iniciaron la marcha y no tardaron en comprobar que un jinete les seguía sin hacer la menor intención de pasar desapercibido, lo que venía a indicar que lo único que pretendía era comprobar que abandonaban el territorio de los senaudi.

Omar el Khebir hizo un gesto a Yusuf con el fin de que se colocara a su lado y señaló:

—O mucho me equivoco, o a estas alturas ya deben haber enviado a alguien a contar a los del tambor que nuestros camellos no han bebido y que nos dirigimos al sur, lo cual quiere decir que fortificarán los pozos y nos acosarán hasta matarnos de sed.

—¡Mala muerte es esa! —fue el sencillo comentario de su lugarteniente.

—La peor, e indigna de un tuareg que se precie… —Omar hizo un gesto hacia el sol al añadir—: No tardará en oscurecer y tenemos que librarnos de ese imbécil, o sea que prepárate. ¡Y no me falles!

—Nunca te he fallado.

—Lo sé, pero es que en esta ocasión nos jugamos el pellejo.

—¿Y cuándo no? —quiso saber Yusuf mientras permitía que su dromedario se retrasara con el fin de ordenar al resto de los hombres que comenzaran a preparar lo necesario para acabar cuanto antes con tan molesto acompañante.

Apenas comenzó a oscurecer y, al descender de una duna que les ocultaba por unos momentos del campo de visión del senaudi, Yusuf se deslizó del dromedario y de inmediato tres de sus hombres levantaron sobre la montura la tosca figura que habían confeccionado con palos, una chilaba y un turbante. Vista de frente no llegaría ni a la categoría de burdo espantapájaros, pero, para quien se encontrara a casi un kilómetro de distancia a sus espaldas y con escasa luz, seguiría siendo uno más de los intrusos que se alejaban.

Omar el Khebir había hecho bien en confiar en un veterano experto en emboscadas, puesto que Yusuf apenas tardó tres minutos en ocultarse bajo la arena, donde permaneció hasta que escuchó los resoplidos del camello del senaudi que descendía por la duna.

Solo cuando comprendió que lo tenía ya sobre su cabeza dio un salto surgiendo como un fantasma que aventara la arena y le clavó al animal una afilada gumía, rajándole el vientre de arriba abajo.

La pobre bestia se derrumbó lanzando un sonoro berrido, su jinete se precipitó de bruces sin tiempo de reaccionar y un instante después la sangre de su corazón se mezcló con la del dromedario que chorreaba de la gumía.

Fue un trabajo limpio y rápido, tal como se esperaba de un mercenario curtido en semejantes lides, alguien que jamás dudaba ni un segundo a la hora de segar una vida sabiendo que ese segundo podía significar que la vida segada fuera la suya, aunque, en el momento en que Yusuf descubrió que el difunto era un muchacho, se sintió profundamente decepcionado.

—Lo siento —se disculpó aun a sabiendas de que no podía oírle—. Debieron enviar a alguien con más experiencia para que no cayera en una trampa tan burda.

A un par de metros de distancia el dromedario agonizaba coceando, aguardó a que lanzara una última patada y se apoderó de la *girba* y la bolsa de dátiles que colgaban de la silla. Bebió a pequeños sorbos, lanzó un sonoro eructo y a continuación se sentó sobre las ancas de animal observando el ensangrentado cuerpo del joven beduino.

Intentó hacer un recuento del número de hombres que había matado a lo largo de su vida pero no tardó en darse por vencido; llevaba demasiado tiempo en un oficio en el que cada muerto solo era una oportunidad de seguir respirando.

Él continuaba allí sentado mientras que aquellos que se cruzaron en su camino estaban ahora en manos de quien debería juzgarle y que sin duda sabría con exactitud a cuántos le había enviado antes de tiempo.

Tal vez le mostraría una larga lista intentando averiguar las razones que le habían impulsado a acabar con cada uno de sus miembros.

«Nací en el Sahel…, sería lo único que acertaría a decirle. Mis padres tenían un pequeño huerto y algunas cabezas de ganado, pero dejó de llover y tuvimos que acudir a un campo de refugiados donde murieron dos de mis hermanos. Si tú permitiste que el viento empujara la arena que mataría a los míos y a miles como ellos, ¿con qué derecho me pides cuentas de mis actos? ¿Acaso el desierto no te parece lo suficientemente grande que pretendes ensancharlo día a día a costa de la vida de los más miserables? Si me acusas de haber asesinado sin razón aparente, te responderé que lo único que he hecho ha sido seguir tu ejemplo.»

Dudaba que tal razonamiento le salvara de acabar en el infierno, pero al fin y al cabo había pasado gran parte de su infancia en uno de ellos.

Olvidó el asunto, y al muerto, en cuanto sus compañeros regresaron, recuperó su camello y, en el momento de reiniciar la marcha rumbo al pozo de los senaudi, se colocó junto a Omar el Khebir.

—¿Atacaremos con sigilo o por sorpresa? —inquirió.

Esperó a que Zair estuviera leyendo bajo su árbol predilecto, tomó asiento a su lado y arrancando una brizna de hierba la mordisqueó antes de comentar, con los ojos clavados en las garzas que paseaban muy erguidas por la otra orilla del riachuelo:

—Tres visitas por noche durante cinco noches seguidas me impiden descansar y, si las visitas continúan a ese ritmo, cuando llegue el momento de volver a la lucha no seré capaz de levantar un arma.

—¿Y qué quieres que haga?

—Procurar que se reduzcan a dos y que, en todo caso, la tercera espere a la hora de la siesta.

—Lo veo difícil porque, aunque tu dormitorio dispone de cortinas, no bastan para conseguir una oscuridad absoluta durante el día, por lo que tu visitante perdería la ventaja del anonimato... —la muchacha dejó el libro a un lado al añadir—: Además, en esta casa vive mucha gente y correría el riesgo de que la vieran entrar o salir.

—¡Es que me están exprimiendo...! —fue el quejumbroso comentario.

—¿Y por qué acudes a mí? —quiso saber la muchacha—. ¿Acaso imaginas que soy una de ellas?

—No —fue la firme respuesta—. Sé que no lo eres.

La hija de Razmán Yuha se despojó de las gafas e inclinó el cuerpo hacia delante con el fin de mirar de medio lado a su interlocutor:

—¿Y cómo puedes estar tan seguro? —inquirió, burlona.

—Porque son siempre las mismas, acuden en el mismo orden, y tú no eres una de ellas. Si lo fueras, no habría acudido a pedirte ayuda.

—Podrías equivocarte.

—Imposible.

—En lo que se refiere al sexo y al deseo, nunca hay nada imposible.

—Algunas cosas sí.

—¿Como qué?

—Como que los callos de las plantas de los pies de una mujer que suele caminar descalza sobre arena caliente desaparezcan de la noche a la mañana.

La carcajada estalló espontánea y la fascinante criatura no pudo por menos que agitar su negrísima cabellera hasta que casi le ocultó el rostro.

—¡Por las barbas del Profeta! —exclamó sin el menor respeto—. ¡Esto sí que no me lo esperaba! ¿O sea, que te dedicas a tantear las plantas de los pies a las mujeres con las que estás haciendo el amor?

—Entre otras cosas… —replicó Gacel sin inmutarse—. Y de momento no me ha servido para descubrir quiénes son las que me impiden dormir, pero sí para descartar candidatas.

—Bastaría con que cerraras la puerta para que se te acabaran los problemas.

—Que en su justa medida no son un problema, sino todo lo contrario —fue la sincera explicación—. Y te hago notar que cerrar la puerta constituiría una ofensa para tu padre debido a que soy su huésped y según la tradición debe ser él quien me proteja desde el momento en que me recibió en su casa.

—Pues debe haber olvidado sus deberes, porque las ojeras te llegan al bigote —comentó Zair socarronamente—. Se lo recordaré discretamente.

—¡No, por favor! —se apresuró a atajarle él—. No es necesario.

La empedernida lectora meditó unos instantes, golpeó la mano de su acompañante con una mezcla de afecto y compasión y al fin comentó:

—Las pastillas que guarda mi padre en su despacho podrían ayudarte, puesto que tiene que atender a las necesidades de tres mujeres bastante revoltosas, aunque por lo que me han contado lo que tú necesitas no es viagra, sino vitaminas.

—Si sabes eso es que sabes mucho más —puntualizó su interlocutor.

—¡Naturalmente! ¿O es que te has creído que los ojos

solo me sirven para leer y los oídos para escuchar el trino de los pájaros? Nada de cuanto ocurra en esta casa se me pasa por alto, y sé que cada una de tus visitantes solo gime una vez por noche, mientras que tú gimes tres veces por noche. Miles de hombres se cambiarían por ti con los ojos cerrados. ¿De qué te quejas?

—Recuerda el viejo dicho: «No permitas que tu camello pase tres semanas sin beber ni permitas que beba demasiado. En el primer caso morirá de sed; en el segundo, reventará».

—¡De acuerdo...! —admitió ella—. Intentaré hacerle un agujero a tu salvavidas, aunque no te prometo nada, porque en esta casa viven nueve posibles «visitantes nocturnas».

—¿Qué quieres decir con eso de «hacerle un agujero a mi salvavidas»?

—Es una curiosa historia que leí hace tiempo, pero que me llamó mucho la atención. Antiguamente, los barcos llevaban siempre un gran trozo de madera o de corcho que lanzaban a quienes se caían por la borda, pero, si el náufrago de veía obligado a permanecer mucho tiempo abrazado a él intentando mantener la cabeza fuera del agua, se cansaba y acababa ahogándose. Sin embargo, un buen día, alguien muy listo, aunque nunca se ha sabido exactamente quién, comprendió que, si le hacía un agujero al corcho, el náufrago podía introducirse por él, apoyar los brazos en los lados y mantenerse así indefinidamente. A partir de entonces todos los salvavidas son redondos, o sea, que te procuraré uno que tenga un agujero a tu medida.

Zair cumplió su promesa y esa noche Gacel durmió sin

sobresaltos, pero la noche siguiente lo que le despertó no fue una mano desconocida, sino una conocida voz que susurraba:

—Ahora vamos a comprobar si lo que cuentan sobre ti es cierto.

Y lo comprobó a conciencia.

Tan a conciencia que no le permitió descansar ni una hora, por lo que, cuando el maltrecho Gacel acudió a una nueva llamada de Razmán Yuha, este no pudo por menos que llevarse las manos a la cabeza en un exagerado gesto de horror.

—¡Que el Señor se apiade de mí! —exclamó—. Se suponía que mi casa sería el refugio en el que recuperarías fuerzas para enfrentarte a las mil penalidades que te esperan en el desierto, pero vengo a descubrir que no es ese desierto lo que acabará contigo, sino la vida placentera… ¡Cálmate un poco!

—Lo intentaré.

—Eso espero…

Hizo un gesto con la mano como apartando el tema y le indicó que se aproximara para estudiar de cerca el mapa que había vuelto a extender sobre la mesa.

—El jefe de una aldea bororo que se encuentra por esta zona asegura que tiene una de las sillas de montar que buscábamos. Al parecer, el grupo de Omar el Khebir se dirige al *guelta* senaudi, que está justo aquí, no lejos de la frontera.

—¿Cuánto tardarán en llegar al pozo? —quiso saber su interlocutor.

—Supongo que deben encontrarse cerca, si es que no han llegado ya.

—¿Y cuánto tardaría en llegar yo?

—Demasiado, y para cuando lo hicieras ya se habrían marchado, porque la región está agostada por las sequías y no tendrán pasto para los camellos. Hace años que las caravanas abandonaron esa ruta y la hierba no basta ni para alimentar a una docena de cabras.

—Y, en ese caso, ¿qué hacemos?

—Esperar noticias, aunque me temo que si tardan no van a servirnos de mucho a no ser que te encierre con llave.

—No será necesario.

—Confío en ti, porque no me gustaría pasarme los próximos meses rodeado de mujeres con la tripa hasta los dientes...

# 8

—Tu madre me ha pedido que te diga que tus deudas han sido saldadas, recibe dinero para vivir sin apuros y Alina se va haciendo a la idea de tener que buscarse otro marido. Tu hermana también te echa de menos.

—Gracias.

—¿Por qué? —quiso saber Hassan—. Soy yo quien debe dártelas por arriesgar la vida.

—No la estoy arriesgando mucho últimamente... —le hizo notar Gacel.

—Eso tengo entendido, pero vaya lo uno por lo otro, y me temo que muy pronto se te acabará la diversión.

Se habían reunido en el bosquecillo que crecía junto a la cabecera del riachuelo y Hassan continuaba sin descubrirse el rostro, ya que el anonimato constituía una parte esencial de su tarea, al extremo de que se había negado a aceptar la hospitalidad de Razmán Yuha alegando que su mansión podía considerarse una especie de manicomio en el que gente llegada de muy diferentes lugares se dedicaba a cantar, bailar, recitar poesías o contar historias. A su modo de ver, se convertía en una especie de zoco propicio a la hora de obtener información, pero al propio tiempo se convertía en un lugar en exceso peligroso si se daba pie a que de allí partieran determinadas informaciones.

—Estamos teniendo muchas bajas… —dijo—. Y empiezo a temer que entre ellas se pueda encontrar Turky, el tercer hijo de Razmán, porque le enviamos a Tombuctú y lleva dos semanas sin dar señales de vida.

—Pues lamentaría muchísimo que le hubiera ocurrido algo —le dijo Gacel—. Su familia me ha recibido con los brazos abiertos.

—Y las piernas… —fue el jocoso comentario, pero, al no obtener respuesta de su avergonzado interlocutor, Hassan cambió el tono al añadir—: Debemos admitir que los tuaregs somos muchos, pero los yihadistas parecen nacer por generación espontánea y en los lugares más insospechados. Lo mismo se inmolan mujeres en un supermercado de Nairobi que dos hermanos ponen bombas al paso de un grupo de corredores en Boston.

—Algo me ha contado Zair sobre el incidente del maratón. ¡Cosa de locos!

—Lo malo es que los locos resultan imprevisibles y son más peligrosos que los cuerdos, porque solo sienten apego a sus obsesiones. Hace cuatro años, un psiquiatra del ejército norteamericano salió de su consulta y mató a tiros a trece soldados gritando que se acababa de convertir a la yihad, por lo que «había estado toda su vida luchando en el bando equivocado y necesitaba corregir su error». Como comprenderás, prefiero a diez asesinos hijos de mala madre como Omar el Khebir antes que a un loco como ese psiquiatra o un sádico como Sad al Mani.

—¿Quién es Sad al Mani?

—Un cristiano nacido de padres y abuelos canadienses que un buen día decidió convertirse al islamismo, pasar del frío de Montreal al calor del desierto y de una cómoda universidad, en la que se supone que debían enseñarle a vivir, a una sucia cueva en la que le han enseñado a matar, que evidentemente es lo que le gusta hacer y de la forma más cruel imaginable. Por lo que hemos conseguido averiguar, se encuentra en Malí y ha jurado «ajusticiar a los infieles que explotan los yacimientos de uranio y el petróleo sahariano».

—¿Qué tienen que ver el petróleo y el uranio con todo esto? —se sorprendió su interlocutor—. Se supone que estábamos hablando de religión, no de energía.

—En los tiempos que corren la energía se ha convertido en una religión y su credo predica «ajusticiar a los infieles», pero no a los musulmanes que explotan el uranio o el petróleo sahariano.

—Entiendo… —admitió Gacel no demasiado convencido—. O por lo menos intento entenderlo, porque Razmán me ha contado que, si la yihad consigue controlar la mayor parte de las fuentes de energía, acabará por imponer sus ideologías.

—¡Lógico! Quienes tienen el dinero y la fe siempre vencerán a quienes no tienen ni una cosa ni otra. Ese desmadrado canadiense pretende disponer de ambos y si, por lo que sabemos, Omar se dirige al oeste, acabará en Malí, lo cual significará que pronto o tarde se pondrá a su servicio.

Gacel meditó unos instantes, siguió su costumbre de arrancar una briza de hierba con el fin de mordisquearla y resultaba evidente que cuanto acababa de oír le desconcertaba. Siempre había sido un buen musulmán que cumplía los preceptos del Corán, pero le costaba aceptar que alguien de otra religión y otra cultura se transformara, de la noche a la mañana y sin razón aparente, en extremista.

Acabó por lanzar un hondo suspiro con el que pretendía demostrar que todo aquello superaba su capacidad de entendimiento y se limitó a preguntar:

—¿De dónde sacará Omar el agua que necesita para llegar a Malí? Razmán asegura que los pozos de la zona están agotados.

—No tengo ni la menor idea, pero ese hijo de una camella tuerta ha demostrado tener infinidad de recursos, por lo que tu misión consiste en impedir que se una al maldito canadiense hijo de una foca.

—Me lleva una ventaja enorme… —le hizo notar Gacel.

—Lo sé, y por eso estoy intentando conseguir una avioneta.

—Nunca he volado.

—Tampoco habías matado a nadie, y volar es más fácil.

—No estoy muy seguro… —fue el intencionado comentario—. Los hombres llevan miles de años matándose y, que yo sepa, aprendieron a volar hace apenas un siglo.

Su oponente le observó inclinando ligeramente la cabeza, hizo intención de contestar con brusquedad, pero se lo pensó mejor y acabó por señalar:

—Sospecho que la hija de Razmán te enseña demasiado.

—Se pasa la vida leyendo… ¡A rusos!

—Espero que no se trate de una comunista, pero volvamos a lo que importa; esa avioneta te dejaría en algún punto desde el que conseguirías interceptar a Omar antes de que se uniera a Sad al Mani.

—¿Y quién se ocupará de Sad al Mani?

—Los franceses le andan buscando, aunque dudo que lo encuentren, porque antiguamente su Legión Extranjera sabía desenvolverse en el desierto, mientras que ahora todo lo basan en aviones a reacción o satélites espías, y eso aquí no sirve de mucho. Debemos ser nosotros los que les resolvamos el problema.

—¿Para que sigan siendo ellos los que se llevan el gas, el petróleo o el uranio? —fue la capciosa pregunta de Gacel.

—No se han hecho sonar los *ettebels* a causa del gas, el petróleo, el uranio o nada que pueda comprarse con dinero —le contestó un quisquilloso Hassan—. Nuestra guerra no es económica; es por el honor de los tuaregs, que es algo que nunca tendrá precio. ¿O es que aún no lo habías entendido?

—Lo siento, siempre he sido un ignorante.

El otro pareció comprender que se había excedido y le golpeó con afecto el brazo intentando disculparse a su vez.

—Ni eres un ignorante ni tienes por qué pedir perdón, dado que has demostrado que estás dispuesto a morir por los nuestros. Y ahora disfruta de todo lo bueno que te ofrezca la vida, porque si algo sé es que cuando nos enfrentemos a los yihadistas acabaremos muriendo antes de tiempo.

Dieron un gran rodeo avanzando desde el oeste, con tanto sigilo que incluso aprisionaron los hocicos de los dromedarios con el fin de que no berrearan, y solo cuando tuvieron a la vista el rescoldo de las hogueras del campamento, comprobando que la mayor parte de sus ocupantes dormían, liberaron de sus mordazas a los animales, justo antes de lanzarse al galope en un furioso ataque por sorpresa.

Emplearon en el asalto todas sus armas, incluida la media docena de granadas que les quedaban, disparando contra cuanto se movía y provocando tal desconcierto que quienes no cayeron en el acto se vieron obligados a huir.

Los sorprendidos beduinos intentaron defenderse a la desesperada, pero ni un solo hombre quedó con vida y cinco jaimas ardieron abrasando en su interior a enfermos, ancianos, mujeres o niños.

Yasir continuó luchando hasta el último aliento pese a que una explosión le había arrancado un pie, ofreciendo tan fiera resistencia que consiguió herir a Almalarik unos segundos antes de que le lanzara encima su camello.

Ya en el suelo, se apuñalaron con saña y ambos se llevaron la peor parte, porque la peor parte siempre significa morir y ambos acabarían muriendo.

Yasir casi al instante; Almalarik, horas más tarde.

Cuando hizo acto de presencia el sol no pareció sorprenderse al alumbrar a una treintena de cadáveres debido a que estaba acostumbrado a que desde que el hombre hiciera su aparición sobre la faz de la Tierra masacres semejantes se produjeran casi a diario en algún rincón del planeta.

Algunas incluso muchísimo más aterradoras.

A media mañana, Yusuf, que había dedicado parte de su tiempo a despojar a los cadáveres de cuanto llevaran de valor, se aproximó a Almalarik, que se desangraba a la sombra de una palmera.

—No está bien que te mueras sin ver cumplido un último deseo —dijo al tiempo que le colocaba ante los ojos un abollado plato de aluminio—. Te he traído sopa de gallina con arroz.

—Mi último deseo no es sopa de gallina con arroz... —casi le escupió el herido sin apenas aliento—. Ahora mi último deseo sería entrar en el infierno llevándote de la mano.

El otro sonrió al tiempo que le guiñaba un ojo.

—Pues me temo que necesitarías un brazo muy largo, porque a ti te quedan tres pasos y dentro de una hora nos largamos —dijo—. Aquí te la dejo, si quieres te la tomas o si lo prefieres te vas al otro mundo en ayunas.

Tres hombres expresaron su malestar ante el hecho de abandonar a un compañero herido a merced de los senaudi que habían conseguido huir, ya que le torturarían al regresar, pero Omar el Khebir se mostró inflexible.

—Más sufrirá si le subimos a un camello —dijo—. Si creyera que le queda alguna esperanza de salvación, lo pensaría, pero en quien tengo que pensar es en vosotros, porque supongo que no tardarán en aparecer docenas de hijos de puta de las tribus cercanas dispuestos a cortarnos la cabeza. No me quedaré a esperar a que Almalarik se muera por sus propios medios, o sea, que el que no esté de acuerdo con dejarle aquí que le pegue un tiro —a continuación alzó el brazo señalando hacia el oeste, al añadir—: Ese es nuestro único camino y después de esto nos buscarán hasta debajo de las piedras, por lo que no podremos aproximarnos a ningún lugar habitado durante mucho mucho tiempo; así que en marcha.

Reunieron todos los camellos que había en el campamento y los cargaron con odres de agua y provisiones.

A continuación, Omar ordenó arrojar al pozo media docena de los cadáveres que ya habían comenzado a descomponerse, así como una gran cantidad de arena.

—Cegar y contaminar un pozo resulta fácil —señaló—. Volver a sacar la arena y descontaminarlo lleva tiempo, o sea, que, si alguien tiene intención de seguirnos, se verá obligado a traer agua desde muy lejos.

La noticia de la masacre que había tenido lugar en el campamento de los senaudi conmocionó a la familia, pero la última señal de su sempiterna alegría desapareció cuando dos días después se supo que el cadáver de Turky había aparecido en Tombuctú.

Le habían torturado, sacándole los ojos y arrancándole la lengua antes de arrojarle al Níger.

Su padre se encerró en su despacho sin querer ver a nadie y las mujeres se enclaustraron en un ala de la casa a llorar la pérdida de un valiente muchacho que lo había dejado todo por cumplir una difícil misión para la que no estaba en absoluto preparado.

Una vieja leyenda aseguraba que miles de años atrás el río Níger discurría a través de lo que ahora era el desierto para acabar desembocando en el lago Chad, por lo que su cauce era un vergel que alimentaba a miles de hombres y animales, incluidos leones, jirafas y elefantes.

No obstante, esa misma leyenda aseguraba que en sus orillas vivía un leñador muy fuerte, Tombuctú, cuya esposa, así como su hija adolescente, eran bellísimas.

Las dos mujeres solían bañarse cada atardecer en un

recodo del río, frente a su cabaña, pero un malhadado día el poderoso y prepotente Níger decidió raptarlas y violarlas devolviéndolas a la orilla al cabo de una semana.

Continuaba contando la leyenda que el desesperado Tombuctú juró vengarse de quien le había arrebatado cuanto amaba y aguardó hasta que varios años más tarde una larga sequía hizo que el nivel del agua descendiera de forma notable, aprovechando la ocasión para acumular en el recodo enormes troncos y piedras con la intención de formar un dique infranqueable.

Cuando volvieron las lluvias el humillado río no fue capaz de derribar tan gigantesco obstáculo, pagando caro sus crímenes, ya que tuvo que buscar un nuevo cauce desviándose hacia el sur para ver cómo su ingente masa de agua dulce y fértil era engullida de inmediato por la del mar, que la convertía en salada y estéril.

Tombuctú completó su venganza y en aquel mismo punto nació la ciudad que llevaría su nombre, pero acarreó la desgracia a millones de seres que murieron de sed o que se vieron obligados a emigrar.

La arena no tardó en cubrir el viejo cauce del Níger, el Chad dejó de ser un gigantesco lago y ya solo era una triste charca casi a punto desaparecer, porque una vez más el hombre había sido capaz de vencer a la naturaleza, pero, una vez más, había pagado un precio demasiado alto.

Con el paso de los siglos Tombuctú se había convertido en una gran urbe próspera, activa y especialmente culta debido a que en sus museos y mezquitas se conservaban casi trescientos mil manuscritos de incalculable valor, muchos de los cuales databan del siglo XIII y trataban de religión, matemáticas, medicina, astronomía, música, literatura, poesía o arquitectura.

Durante la reciente ocupación de la ciudad, los yihadistas habían lanzado una feroz cruzada contra todo lo que denominaron «ideologías heréticas», y los libros con representaciones de imágenes se consideraron una práctica contraria a la tradición del islam suní; numerosos grupos de corriente extremista habían intentado destruir todos los documentos que no estuvieran de acuerdo con sus ideas extremistas.

El número de manuscritos e incunables robados o quemados por los grupos radicales superaba los cuatro mil, y se necesitarían millones de euros para proteger edificios declarados patrimonio de la humanidad si se pretendía evitar que ocurriera con ellos lo que había ocurrido con las colosales estatuas de Buda que años atrás habían sido dinamitadas por extremistas afganos.

Al parecer, Turky, que había estudiado historia en París, era uno de los encargados de recuperar manuscritos perdidos, por lo que su muerte podía achacarse tanto a los fanáticos que ya habían realizado su destructiva labor como a los saqueadores habituales.

Sentado bajo el árbol predilecto de Zair, y observando una vez más las garzas que anidaban al otro lado del riachuelo, Gacel se preguntó por qué extraña razón Tombuctú se había convertido en la ciudad en donde los auténticos creyentes y quienes interpretaban a su capricho los mandamientos del Profeta se enfrentaban en una lucha tan sórdida y sangrienta.

Las muertes que cargaba sobre sus espaldas le seguían pesando hiciera lo que hiciera, pero el hecho de tener conocimiento de la cruel matanza del campamento senaudi, así como del salvaje asesinato de Turky, había contribuido a aligerar su conciencia.

Si alguna duda había albergado sobre la legitimidad de sus acciones, y si era digno de un tuareg ejecutar a un ser humano a sangre fría, tales dudas se habían disipado a partir del momento en que le comunicaron el incalificable acto de barbarie que habían llevado a cabo las huestes de Omar el Khebir.

Y es que ya no entraban en la categoría de «seres humanos». A partir de aquel día pasaban a convertirse en alimañas a las que tenía la obligación de aniquilar dondequiera que se encontrasen y sin experimentar el menor remordimiento.

Bueno era cuando las dudas daban paso al convencimiento, aunque malo era cuando la templanza daba paso a la ira.

Hassan se lo advirtió la mañana que vino a comunicarle que recogiera sus cosas porque había llegado el momento de reanudar la lucha.

—No permitas que la sed de venganza te nuble el juicio —le dijo—. Has demostrado que sabes comportarte como un tuareg y eso es lo que seguimos esperando de ti porque no creo que la furia ciegue a los hombres, pero a menudo consigue que les tiemble el pulso. Limítate a matar sin rencor.

Aquella era una curiosa frase que se repetiría a sí mismo con frecuencia: «Matar sin rencor»; cumplir con su tarea sin molestarse en juzgar la inocencia o culpabilidad de quien se colocaba en su punto de mira y sin dedicarle luego un pensamiento.

No era fácil, pero resultaba mucho más cómodo que pararse a meditar en por qué razón iba a hacer lo que iba a hacer o por qué razón había hecho lo que había hecho. Mientras el difunto fuera uno de los mercenarios de Omar el Khebir, bien muerto estaba, y en lo único que debía pensar era en cuál sería el siguiente.

Lo que sí lamentó a la hora de reiniciar la cacería fue que Hassan le impidiera despedirse de la singular familia con la que había pasado algunos de los días más felices de su vida.

—Lo mejor que puedes hacer en este momento es respetar su duelo, porque ninguna palabra conseguirá aliviar su dolor —señaló el otro, convencido de lo que decía—. Lo que esperan de ti es saber que has contribuido a que la sangre de Turky no haya sido derramada en vano.

Cuando el vehículo se alejó rumbo al desierto, Gacel se volvió a contemplar la vieja fortaleza con la esperanza de distinguir a Zair en una ventana y poder decirle adiós pero se encontraba cerrada a cal y canto.

Al poco, Hassan le entregó un pedazo de papel.

—Estas son direcciones a las que podrás acudir en caso de necesidad —dijo—. Una en Kidal, otra en Tombuctú y otra en Bamako. Apréndetelas de memoria.

—No tengo buena memoria —protestó.

—Pues vale que te esfuerces, porque no podemos permitir que te encuentren esos nombres encima.

Al cabo de unos quince minutos avistaron una vieja avioneta de ala alta que parecía estar aguardándoles en mitad de la nada, pero, cuando se encontraban ya a tiro de piedra, Hassan detuvo el vehículo y permitió que le echara un último vistazo al papel antes de quitárselo de las manos.

—¿Te las has aprendido? —inquirió.

—Supongo que sí.

—Espero por tu bien que así sea. El piloto se llama Ameney y lo único que sabemos de él es que nació en Somalia y tiene casi treinta años de experiencia. ¡Suerte!

Gacel recogió sus pertenencias y se encaminó sin prisas hacia el punto en que, sentado en una de las ruedas del aparato, le aguardaba un negro muy alto y rostro chupado hasta parecer casi cadavérico que apuraba los restos de lo que sin duda había sido un grueso habano.

—*Salam aleikum!* —le saludó.

—*Salam aleikum!* —le respondió una voz que parecía surgir de una tétrica catacumba—. ¿A dónde vamos?

—Al pozo de los senaudi. ¿Lo conoces?

—Sé llegar, pero, si no recuerdo mal, está rodeado de dunas y no tendremos espacio para aterrizar.

—Tan solo nos servirá de punto de referencia.

El somalí se limitó a arrojar lejos lo poco que le quedaba de su cigarro, abrió la puerta indicando que subiera y al tuareg le sorprendió advertir que los asientos traseros habían sido sustituidos por recipientes de plástico tan perfectamente encajados que apenas quedaba espacio para colocar sus armas.

—Agua y combustible… —aclaró el llamado Ameney al advertir su desconcierto—. Cuando se vuela en un trasto de hace cuarenta años, nunca se sabe lo que puede suceder y hay que estar prevenidos, porque ese desierto es muy grande.

Gacel Mugtar no había volado nunca, nunca había tenido la menor intención de hacerlo y nunca imaginó que se vería obligado a hacerlo en un herrumbroso cacharro que ya debía de contar con cientos de horas de vuelo cuando él nació.

—¿Se elevará con tanto peso? —inquirió con apenas un hilo de voz.

—Pronto lo sabremos —fue la, a todas luces, inquietante y desalentadora respuesta de quien lo había dicho en un tono de absoluta sinceridad.

Por suerte la pista era muy larga: una llanura casi interminable sin un solo accidente, quizás el único lugar de toda la región por el que el desvencijado aparato corría tan libremente que su único y aterrorizado pasajero llegó a pensar que el piloto no tenía la menor intención de alzar el vuelo y pensaba llevarle por tierra a su destino.

En ocasiones las ruedas se elevaban un par de metros, pero de nuevo volvían a posarse con desconcertante suavidad, por lo que Gacel Mugtar se aferró al asiento tirando de él con fuerza como si con ello pudiera conseguir que el veterano trasto despegara.

Quien permanecía a los mandos aguardaba con infinita paciencia a que la rugiente y cochambrosa máquina tuviera a bien despedirse del suelo y, solo cuando al cabo de unos interminables minutos se encontraban ya a unos cien metros de altura, se decidió a comentar con su voz profunda y su tono monocorde:

—Empezaba a dudar.

# 9

Omar el Khebir había demostrado ser un hombre capaz de mantener la calma en los momentos difíciles resistiendo ataques de enemigos mucho más numerosos sin tan siquiera un pestañeo.

Era un tuareg valiente; un mercenario, cruel y asesino, pero valiente.

El desierto era su mundo, en él había nacido, se había criado y había aprendido a desenvolverse, pero ahora se había vuelto demasiado hostil debido a las persistentes sequías y sobre todo a que había roto una de las sagradas normas que contribuían a la supervivencia en ese desierto: el incuestionable deber de la hospitalidad y el profundo respeto a quien la había ofrecido.

«La tierra que tan solo sirve para cruzarla», que tal era la definición beduina del Sáhara, solo podía cruzarse confiando en la ayuda ajena y, según un antiquísimo código de los pueblos nómadas, anterior incluso al nacimiento del Profeta, quien traicionara dicha confianza debía ser severamente castigado.

Omar el Khebir tenía muy claro que desde el momento en que decidió arrasar el campamento de senaudi, robarles su agua y contaminar su pozo se había convertido en el odiado enemigo, no solo de los tuaregs que ya le perseguían, sino de la inmensa mayoría de las tribus vecinas, incluidas aquellas que siempre habían estado en mala relación con los senaudi.

Le constaba que había cometido un grave error al ordenar tan bárbaro ataque, pero a la vista de cuanto estaba ocurriendo debía admitir que mayor error hubiera sido resignarse a continuar su camino, visto que sin el agua que habían obtenido a cambio de sangre ya estarían muertos.

El calor resultaba insoportable, incluso para hombres tan acostumbrados al calor como lo suyos, debido a que no conseguían encontrar una choza, una roca o un arbusto que les proporcionara un asomo de sombra.

Únicamente avanzaban a primera hora de la mañana y última de la tarde, siempre a pie y llevando del ronzal a los animales, con un andar tan pausado que cabría imaginar que habían decidido no llegar a ninguna parte, porque era cosa sabida que las prisas no acortaban el camino, tan solo lo hacían más fatigoso.

Había ordenado que cualquier objeto metálico se mantuviera oculto, los fusiles envueltos en telas, las gumías y los amuletos bajo el jaique e incluso los anillos y pulseras en bolsas de cuero, sabiendo como sabía que en semejante lugar cualquier reflejo les delataría de inmediato, puesto que se percibía desde muchísimo más lejos que la figura de un animal o un ser humano.

Cuando el sol alcanzaba su cénit descansaban a la sombra de un improvisado campamento en el que solían dormir durante tres o cuatro horas, reemprendiendo el camino cuando aflojaba el calor, pero en cuanto oscurecía apenas osaban moverse, temiendo caer en una nueva emboscada de quien contaba con silenciosas armas de visión nocturna y largo alcance.

A decir verdad, se sentían más acosados y vulnerables que cuando se enfrentaban cara a cara a los rebeldes libios, porque en Libia sabían con quién se enfrentaban y tenían agua, y ahora el agua se había convertido en su mayor problema.

El único pozo que habían encontrado estaba seco, y de un pequeño oasis antaño exuberante solo quedaban los carcomidos troncos de una docena de agusanadas palmeras y una informe masa de lodo ceniciento en el que tras mucho cavar surgió un poco de agua tan corrompida y pestilente que incluso los animales se negaron a probarla.

Fue esa noche cuando Yusuf decidió tomar por el brazo a su jefe con el fin de apartarle unos metros del resto del grupo.

—Sabes que siempre he acatado tus órdenes y nada más lejos de mi ánimo que objetar tus decisiones, pero sospecho que las cosas se te están yendo de las manos —dijo—. O nos aproximamos a rutas frecuentadas o acabaremos muertos.

—Lo sé.

—Algunos hombres han empezado a robar agua y esa es mala señal.

—También lo sé, y a partir de ahora fusilaré a quien la toque sin permiso.

—A mi modesto entender esa no es solución, porque la sed conduce a la locura y habrá quien prefiera morir de un tiro a volverse loco.

Su jefe pareció aceptar que tenía razón, lanzó un profundo resoplido y al fin señaló, no muy seguro de lo que iba a decir:

—Supongo que aún podremos aguantar un par de días… ¿Tú qué opinas?

Lo único que obtuvo fue un largo e inquietante silencio.

—De acuerdo… —masculló un malhumorado Omar el Khebir cuando comprendió que no había respuesta—. Si las cosas no cambian, y me temo que no van a cambiar, mañana por la noche nos desviaremos hacia la ruta de las caravanas.

No obstante, y contra todo pronóstico, las cosas comenzaron a cambiar al día siguiente a partir del momento en que Tufeili, el hombre que solía marchar en vanguardia, alzó una mano pidiendo que se detuvieran al tiempo que con la otra señalaba un punto en la distancia.

—¿Qué es aquello? —inquirió desconcertado.

Aguzaron la vista entrecerrando los ojos y cubriéndoselos con las manos a modo de visera, pero, pese a ser hombres acostumbrados a los grandes espacios, les resultó imposible distinguir con nitidez el objeto señalado por culpa de una reverberación que distorsionaba los contornos dificultando la visión.

Al fin, quien lo había distinguido en primer lugar fue también el primero en comentar.

—Demasiado pequeño para tratarse de un camión.

Yusuf optó por el expeditivo sistema de extraer unos viejos prismáticos de campaña de la funda y saltar sobre su camello poniéndose en pie sobre la silla de montar con la naturalidad de quien lo ha hecho a menudo.

Tras enfocar largo rato, manteniendo el equilibrio como un hábil funámbulo, señaló:

—Parecen los restos de una avioneta.

—Ayer al mediodía me pareció ver una… —comentó el propio Tufeili.

—¿Y por qué no dijiste nada…? —quiso saber de inmediato un molesto Omar el Khebir.

—Porque todos dormíais y volaba tan alto que no podía vernos.

—Nunca se sabe lo que se puede ver desde un avión… —fue el malhumorado comentario de Yusuf mientras saltaba al suelo—. Incluso a un estúpido fumando, que sin duda era lo que hacías, porque ese maldito vicio te acabará matando. ¿Qué opinas…? —inquirió volviéndose a Omar el Khebir.

—Que lo importante es saber si ha aterrizado por propia voluntad o se ha estrellado —fue la seca respuesta.

—Sin duda se ha estrellado puesto que el morro está clavado en la arena y la cola se encuentra a casi dos metros de altura —puntualizó Yusuf—. Hace años me tropecé con una que estaba en la misma posición porque, por lo visto, cuando aterrizan en campo abierto el problema estriba en que al encontrar arena demasiado blanda se dan de narices contra el suelo. El piloto debía llevar allí un par de años y estaba casi momificado.

—¿Y qué hacía esta por aquí? —quiso saber Tufeili—. Hay que estar loco para adentrarse en semejante zona del desierto en uno de esos trastos…

—Más loco hay que estar para adentrarse a pie, y aquí estamos —le hizo notar Yusuf—. Puede que se trate de contrabandistas de medicinas, o de esa gente que se dedica a recoger muestras con el fin de averiguar si bajo la arena hay petróleo, gas, agua y, sobre todo, uranio… Fue así como descubrieron los acuíferos de Libia, que son como mares de agua dulce que llevan millones de años bajo tierra.

—¡Mira que si encontráramos uno de esos acuíferos…!

—De poco te iba a servir, porque suelen estar a más de doscientos metros de profundidad, y a ver cómo te las ibas a arreglar.

—¿Os podéis callar de una vez…? —se impacientó Omar el Khebir—. Estoy tratando de pensar, ya que sin duda en ese aparato hay agua, pero, si sus ocupantes siguen vivos, tendremos problemas.

—¿Qué clase de problemas?

—Podrían dispararnos, pero nosotros no.

—¿Y eso?

—Si una bala alcanzara el depósito de combustible, todo saltaría por los aires y adiós agua… —Omar el Khebir hizo una pausa que aprovechó para quitarse el turbante y volver a colocárselo con sumo cuidado mientras señalaba—: Debemos llegar a un acuerdo y cambiarles el agua que necesitamos por los camellos que van a necesitar para salir de aquí.

Reiniciaron la marcha y, pese a la persistente reverberación, al cabo de unos minutos pudieron constatar que Yusuf no se había equivocado, una avioneta roja y blanca aparecía clavada en la arena con la cola en alto y a pocos metros de distancia aparecían apilados varios depósitos de plástico de forma rectangular.

Cuando se encontraban a poco más de un kilómetro, Omar el Khebir hizo un disparo al aire y, pese a que esperó un par de minutos y volvió a disparar, nadie hizo acto de presencia.

—Están muertos —comentó Tufeili.

—O se han marchado —le respondieron.

—¡Con tal de que no se hayan podido llevar toda el agua...!

De improviso, el mercenario que marchaba en retaguardia se desplomó; quien se encontraba más cerca se volvió intentando averiguar qué le había sucedido, pero al instante lanzó un gemido y se llevó las manos al estómago doblándose sobre sí mismo.

Yusuf se arrojó de cabeza a la arena al tiempo que aullaba:

—¡Al suelo! ¡Nos disparan!

La reacción fue tan inmediata como de costumbre en hombres habituados a las emboscadas, puesto que al instante obligaron a arrodillarse a los camellos protegiéndose con ellos, aunque en esta ocasión tampoco acertaran a determinar por el ruido de los disparos desde dónde llegaba el ataque.

A los pocos instantes un tercer miembro del grupo cayó muerto y solo entonces sus compañeros pudieron comprobar que el malnacido tirador que con tanta saña les perseguía se ocultaba en algún punto de su flanco derecho.

Intentaban localizar su posición en el momento en que ocurrió algo que les dejó ciertamente estupefactos; de la cabina de la avioneta había surgido un negro muy alto que, tras retirar las cuñas de madera que obligaban al aparato a mantenerse en equilibrio en un ángulo de unos cuarenta y cinco grados, se colgó de la cola haciendo contrapeso de tal forma que muy pronto consiguió que el aparato recuperara su posición original.

Como se encontraba fuera de tiro, Omar el Khebir y sus seguidores no pudieron hacer otra cosa que observar impotentes cómo les saludaba con la mano mientras prendía fuego a la pila de depósitos de plástico, que al contener aún restos de combustible, ardió al instante provocando una espesa columna de humo.

—¡Hijo de la gran puta...! —no pudo por menos que exclamar un indignado Yusuf—. Está indicando nuestra posición a quienes nos buscan; no ha sido un accidente, ha sido una trampa.

Como para corroborar sus palabras, el flaco Ameney se regodeó a la hora de extraer del bolsillo superior de su camisa un enorme habano que encendió con estudiada parsimonia.

—¿Qué hacemos? —inquirió un nervioso Tufeili—. Si nos quedamos aquí, acabarán por matarnos uno a uno.

Su jefe se volvió a mirarle despectivamente al señalar:

—Ser mercenario y pretender que no intenten matarte es tanto como ser peluquero y pretender que no te asalten los piojos.

Por su parte, el larguirucho somalí se tomó un tiempo prudencial fumando con exagerada delectación antes de introducirse de nuevo en la cabina y poner el motor en marcha. El rugiente aparato comenzó a moverse en línea recta levantando tras sí una nube de polvo que dificultó aún más su visión, pero al poco giró hacia la derecha, ganó velocidad y trazando un semicírculo acudió al punto en que Gacel Mugtar había hecho de improviso su aparición surgiendo de entre las rocas en que se encontraba oculto.

En cuanto el tuareg subió a bordo y aseguró la puerta, el piloto aceleró al máximo, por lo que la veterana avioneta, ahora mucho más ligera de peso, no tardó en elevarse, trazar un par de círculos a gran altura y poner rumbo al oeste.

Cuando ya no era más que un diminuto punto en la distancia, Omar el Khebir ordenó que enterraran a los muertos y se alejó hasta la cima de una duna en la que tomó asiento para reflexionar sobre la situación en que le había colocado un frío ejecutor que había sido capaz de abatir a siete de sus hombres sin permitirle saber qué aspecto tenía.

Apenas había alcanzado a verle de lejos y de espaldas en el momento de subir al aparato portando su sofisticado fusil de gran potencia, silenciador y mira telescópica, y aquella era un arma endiabladamente mortífera a la que nunca podría enfrentarse con las suyas.

Pero en aquellos momentos no era el tirador o su arma lo que más le preocupaba, sino la infinidad de beduinos que pudieran haber visto la columna de humo y que probablemente les buscaban ansiando aniquilar a quienes habían pasado a cuchillo a los senaudi.

También podía darse el caso, en realidad lo daba por seguro, de que el piloto hubiese comunicado por radio su posición, por lo que no sería de extrañar que en cualquier momento hiciera su aparición un caza francés dispuesto a fulminarles.

Ni siquiera Yusuf, que conocía bien la región, se sentía capaz de determinar si ya habían cruzado la frontera, y era cosa sabida que los franceses se habían tomado muy en serio el conflicto de Malí, así como la protección de las minas de uranio de Níger, al extremo de haber enviado a la región un numeroso contingente de tropas.

Y Omar el Khebir sabía por amarga experiencia que a los pilotos franceses les divertía disparar sus ametralladoras, y con excesiva frecuencia no dudaban en lanzar sus misiles sobre cuanto se movía.

A su modo de ver, había llegado por tanto el momento de gritar «¡Sálvese quien pueda!» y, siendo como era un hombre eminentemente pragmático, no dudó en admitirlo en el momento de reunirse con su gente.

—A partir de aquí debemos dispersarnos y que cada cual cuide de sí mismo... —comenzó diciendo sin el menor tapujo y con loable sinceridad—. No he conseguido evitar que nos machaquen y, por lo tanto, ya no me considero vuestro jefe.

—¿Y a dónde iremos?

—Cada cual a donde se sienta más seguro. Pero mi consejo es galopar hasta reventar los camellos, dejarlos luego en libertad e intentar ocultarse lo mejor posible.

—Resulta muy difícil sobrevivir en el desierto sin camellos —le hizo notar Tufeili.

—Cierto, pero te delatan desde muy lejos y lo mejor es soltarlos, porque su instinto les llevará hacia el agua y quienes te persigan irán tras ellos... —se golpeó el pecho como si quisiera poner de manifiesto su sinceridad—. Ese es mi consejo, pero cada cual puede hacer con su pellejo lo que le plazca.

No obtuvo respuesta, puesto que todos parecían rumiar

sobre lo que harían a partir del momento en que se encontraran solos, por lo que, dando por concluida la reunión, dio unas cuantas palmadas al señalar:

—Y ahora repartiremos a partes iguales el agua y las provisiones, pero antes debemos desparramar las tripas de los camellos muertos.

—¿Y eso…? —preguntó alguien con gesto de asco.

—Atraerá de inmediato a los buitres y llamará la atención de cuantos nos buscan, que correrán hacia aquí, aunque cuando lleguen ya estaremos lejos.

—¡Odio a los buitres…! —masculló Yusuf.

—Todo el mundo odia a los buitres, amigo mío —fue la tranquila respuesta—. Pero en estos momentos son nuestros mejores aliados, porque los pilotos también los odian, ya que suelen provocar accidentes. Y al girar sobre los cadáveres atraerán a todas las aves carroñeras de la zona, lo cual evitará que nos delaten al girar sobre nosotros cuando andemos perdidos por esos arenales del demonio —sonrió como si lo que fuera a decir se le antojara de lo más divertido—: Por lo general, prefieren un cadáver seguro a un muerto probable.

Habían rellenado el depósito con el contenido de los bidones a los que más tarde Ameney prendiera fuego de una forma ciertamente provocativa, por lo que, en cuanto Gacel se acomodó en su asiento, el aparato, ligero ahora de carga, se elevó con sorprendente suavidad, de tal modo que aún tuvo tiempo de buscar sus prismáticos y observar con detenimiento al grupo de hombres que le amenazaban con el puño evidenciando la intensidad de su ira, su miedo y su impotencia.

Giraron de nuevo sobrevolando sus cabezas, lo suficientemente altos como para no temer que les alcanzaran sus disparos, pero a una distancia que permitió a Gacel distinguir con cierta nitidez el rostro del único mercenario que permanecía impasible y sin cubrirse con el velo devolviéndole la mirada con gesto desafiante.

Supo que se trataba de Omar el Khebir, que parecía estar diciéndole que algún día le ajustaría las cuentas pese a que no supiera quién era, dónde podría encontrarle o qué aspecto tenía, porque los tuaregs verdaderamente valientes solo se quitaban el velo ante sus amigos íntimos o sus peores enemigos con el fin de demostrarles que no les temían.

Gacel Mugtar aborrecía a un desalmado que había traicionado a su pueblo y masacrado a inocentes, pero no podía evitar respetar su capacidad de liderazgo visto que había sabido conducir a sus hombres hasta los límites de lo imaginable.

Allí estaba, en el mismísimo corazón del lugar más desolado del planeta, rodeado de enemigos y expuesto a que le dispararan desde el aire, pero aun así mantenía la entereza y parecía estar desafiándole a un enfrentamiento cara a cara.

—Deberíamos haber traído granadas —comentó el somalí tras lanzar un chorro de humo de su maloliente habano—. Me hubiera encantado lanzarles unas cuantas y verlos correr como conejos.

—Nunca me han gustado las granadas —masculló su pasajero.

—Menos me gustan a mí, porque una me dejó esta

cicatriz —replicó el otro mostrándole el antebrazo—. Pero por eso mismo reconozco que suelen ser eficaces. ¿A dónde vamos?

—Hacia el oeste.

—Eso es «hacia dónde», no «a dónde» —le hizo notar el piloto—. Y te recuerdo que, cuando a uno de estos trastos se le acaba el combustible, tiene la fea costumbre de caerse, y en ese caso no sería un falso accidente.

—¿Y «a dónde» podríamos ir? —fue la inmediata pregunta.

—Si nos desviáramos hacia el noroeste, podríamos aterrizar en Kidal; si nos desviáramos hacia el suroeste, en Tombuctú; pero, si siguiéramos en línea recta, lo más probable es que acabáramos en lo alto de una duna, porque hacia el oeste todo es pura «tierra vacía».

—¿Cuánto tiempo tengo para decidirlo?

—Una media hora...

Apenas había pasado la mitad de ese tiempo cuando hizo su aparición frente a la hélice un macizo de negras rocas de unos trescientos metros de altura que se elevaba abruptamente en el centro de una llanura grisácea.

En uno de sus estrechos barrancos crecían arbustos, por lo que el tuareg enfocó hacia allí los prismáticos y al poco advirtió que en la parte más profunda se distinguía con cierta claridad una pequeña charca verdosa.

—¿Podrías aterrizar por aquí? —quiso saber.

—¿Para qué?

—Si hay agua, vendrán a buscarla.

—El agua que escurre por ese tipo de laderas casi nunca resulta potable.

—Lo sé. Pero un buen beduino, y Omar el Khebir lo es, también sabe en qué proporción debe mezclarla con sus reservas de agua dulce y de ese modo las aumenta.

El negro se limitó a encogerse de hombros al tiempo que inclinaba el morro del aparato y lo obligaba a virar lentamente con objeto de buscar un lugar en donde tomar tierra.

A punto ya de hacerlo, comentó:

—Si piensas quedarte esperándoles ahí, estás más loco de lo que suponía.

La maniobra de aterrizaje fue perfecta, el motor se detuvo a menos de trescientos metros de la entrada del barranco y juntos se aproximaron a examinar la charca que apenas tendría ocho metros de largo por tres de ancho, con una profundidad que no superaba los cuarenta centímetros.

Mientras encendía uno de sus gruesos habanos, el somalí alzó el rostro estudiando el escarpado macizo.

—Es un buen lugar para tender una emboscada, pero si te rodean acabarán cazándote.

—Nunca conseguirían rodearme… —señaló el tuareg seguro de sí mismo.

—¿Cómo lo sabes?

—Porque vendrán de uno en uno, y un hombre solo no puede rodear a otro por mucho que se esfuerce —fue el humorístico comentario.

—¿Y cómo puedes saber que vendrán de uno en uno?

—Porque, por lo general, el tuareg que se siente acosado prefiere viajar sin compañía, abandonar su montura, camuflarse de día y caminar de noche.

—Tiene una cierta lógica visto lo dilatados que son aquí los espacios y que te pueden ver desde muy lejos.

—Tiene toda la lógica del mundo, puesto que desde que permites que te localicen eres hombre muerto. Ten por seguro que, si alguno de los hombres de Omar consigue llegar, lo hará en la oscuridad. Y en ese caso tendré una doble ventaja, porque yo puedo verle y él a mí no.

El piloto agitó una y otra vez la cabeza, tomó asiento en una roca, fumó unos instantes en silencio y, tras observar el escarpado terreno, masculló:

—Eres como una de esas jodidas serpientes que siempre parecen saber lo que va a hacer su presa y no me gustaría tenerte como enemigo. ¿Qué se siente al matar a alguien sabiendo que no puede defenderse?

—Intento no sentir nada, porque es lo que me han ordenado, al igual que se lo han ordenado a millones de soldados a lo largo de la historia.

—Pues tampoco me gustaría estar en tu pellejo —fue el agrio comentario.

—¿Acaso crees que me gusta a mí? —inquirió molesto su acompañante—. Cada vez que tengo que apretar el gatillo se me revuelven las tripas. Y es mejor que te marches, porque comienza a hacerse tarde.

El somalí negó convencido.

—Prefiero pasar la noche aquí, porque si despego ahora me arriesgo a que oscurezca antes de llegar a Kidal, que es el aeropuerto más próximo. Saldré al amanecer y aprovecharé lo que queda de luz para echarle un vistazo al motor, porque tose de vez en cuando y sospecho que no le ha gustado pasar tanto tiempo cabeza abajo.

—Pero, si alguno de los hombres de Omar llegara esta noche, correrías peligro.

—¡Qué estupidez! —fue el despectivo comentario—. Hemos recorrido casi ochenta kilómetros y ni al galope podría alcanzarnos antes de mañana al mediodía.

Regresaron junto a la avioneta y, al observar con cuánta habilidad el negro hurgaba en las entrañas de lo que se le antojaba una complejísima máquina, Gacel no pudo por menos que comentar:

—No me explico cómo eres capaz de pasarte media vida en un trasto que puede venirse abajo en cuanto se le afloje cualquier tornillo.

—Por eso lo único que importa es que los tornillos estén bien apretados —fue el sencillo comentario de quien se limpiaba la grasa de las manos con un mugriento trapo—. Y ten presente que hace medio siglo un Cessna como esta consiguió volar durante sesenta y seis días sin tocar tierra.

—¿Sesenta y seis días volando sin parar? —negó con absoluta rotundidad quien le observaba—. ¡Eso es absolutamente imposible!

—Es posible —afirmó el otro, seguro de lo que decía, volviendo a concentrarse en el motor—: Batió el récord mundial de permanencia en el aire con el fin de hacer publicidad de un casino de Las Vegas.

—Eso sí que se me antoja una soberana estupidez.

—A los norteamericanos les encanta ese tipo de estupideces, pero en ocasiones sirven de algo; no sé si convencerían a los jugadores para que acudieran al casino, pero sí convenció a millones de usuarios sobre la fiabilidad de un motor capaz de funcionar durante mil quinientas horas seguidas.

—¿Y de dónde sacaban el combustible?

—Dos pilotos se turnaban a los mandos y a ratos volaban junto a una carretera desde la que un coche les enviaba gasolina, agua y comida.

Gacel no volvió a preguntar nada al respecto, limitándose a alejarse para tomar asiento y reflexionar sobre lo disparatado que llegaba a ser un mundo en el que miles de niños habrían muerto de hambre durante los sesenta y seis días que aquella dichosa avioneta había estado dando vueltas tontamente.

Cuando tras la frugal cena, y ya a la luz de una luna en creciente, se lo comentó al esquelético negro, este se limitó a responder:

—¿Por qué crees que abandoné Somalia? Llegó un momento en que no soportaba ver cómo se gastaba mil veces más en armas que en agua mientras sufríamos una de las mayores sequías que se recuerdan.

—También aquí sufrimos cada vez más sequías y cada vez se gasta más en armas.

—La diferencia estriba en que Somalia tiene mucha costa y se podría utilizar el viento que casi siempre sopla con fuerza en la zona para subir agua de mar a la gran cadena montañosa del norte y dejarla caer de modo que produjera energía eléctrica. De ese modo se desalaría agua y se recuperaría una inmensa región en la que la gran mayoría de los somalíes podríamos vivir de la agricultura y la ganadería. Pero nadie hace nada y la yihad islámica advierte que matará a quien lo intente, porque las tecnologías modernas van contra la voluntad de Alá. Los muy hijos de mala madre no dudan en utilizar misiles teledirigidos, pero se niegan a aceptar que algo tan antiguo como un molino que sube agua a una montaña evite que mueran miles de niños. Por eso me ofrecí voluntario cuando supe que los estabais combatiendo.

—Pues te has embarcado en una lucha tan inútil como la mía, porque por cada yidahista que eliminamos nacen seis.

—Lo sé, pero la diferencia estriba en que yo abandonaré la lucha cuando me apetezca, mientras que tú no puedes dejarla… —el negro de rostro casi cadavérico echó una vez mano a sus sempiternos habanos antes de inquirir—: ¿Qué experimentas al saber que hagas lo que hagas nunca vencerás?

—Procuro no pensar en ello.

—¿Y lo consigues?

La respuesta tardó en llegar, pero fue absolutamente sincera.

—¡No! Naturalmente que no. Soñaba con comprarme un camión, casarme y tener hijos, pero mi abuelo ya me advirtió que la distancia que separa los sueños de la realidad suele ser mayor que el mayor de los desiertos.

# 10

Fue una noche larga, agradable e instructiva, puesto que el somalí había participado en un gran número de acciones armadas, ejercido incontables oficios y viajado por buena parte del mundo, por lo que sabía mucho sobre el arte de vivir y volar, incluido el arte de estrellarse.

—En realidad resulta muy sencillo —le había explicado a la hora de convencerle para que le tendieran una trampa a Omar el Khebir—. Lo único que hay que hacer es detener el avión en el lugar oportuno, colocar la hélice totalmente horizontal para que no roce el suelo y cavar un hueco bajo el motor. A continuación se levanta la cola con un gato hidráulico y se van calzando las ruedas, por lo que visto desde lejos nadie duda de que el avión se ha clavado de morro quedando inservible. En Somalia lo utilizábamos para cazar bandidos hasta que aprendieron el truco y se dedicaron a una piratería que les está resultando mucho más rentable.

Evidentemente, el sencillo truco había dado como resultado tres mercenarios menos y probablemente el fin de Omar el Khebir como cabecilla de una banda armada, aunque esa noche Gacel no tuvo el menor reparo en admitir que le había asaltado profundas dudas sobre la eficacia del sistema durante el tiempo que permaneció emboscado permitiendo que sus enemigos se aproximaran.

—Por un momento temí que decidieran atacar —dijo—. Y en ese caso lo hubiéramos pasado francamente mal.

—Ten presente que si alguien se está muriendo de hambre luchará por arrebatarte un pedazo de pan, pero que, si se está muriendo de sed, no luchará por arrebatarte una botella de agua que puede derramarse. Prefiere llegar a un acuerdo, y te lo dice quien ha nacido en el país de las peores sequías.

—Aquí también sabemos mucho sobre la sed —le hizo notar el tuareg—. No olvides que vivimos en el mayor de los desiertos.

—No lo olvido —admitió sin la menor reserva Ameney—. Pero los tuaregs os adaptasteis al desierto hace miles de años y vuestra densidad de población es mínima, mientras que Somalia poseía regiones muy fértiles que las sequías han ido dejando sin cosechas por lo que sus pobladores no han sabido hacer frente a tan catastrófica situación. Y lo más triste del caso es que, con la mitad del dinero que se gastan las grandes potencias en mantener la flota de buques de guerra que combaten la piratería en nuestras costas, se acabaría con el problema de la sequía y, por lo tanto, la piratería.

—¿Y por qué no lo hacen?

—Porque se gana más disparando cañones que depurando agua, y construyendo acorazados que plantando cebada…

Como buen tuareg, a Gacel le encantaba escuchar a cuantos eran capaces de contar una historia interesante, recitar un hermoso poema o enseñarle algo, por lo que se hubiera pasado toda la noche haciendo preguntas, pero comprendió que había sido una jornada dura y que al día siguiente a su acompañante le aguardaban largas horas de vuelo.

—Vete a descansar —dijo al fin muy a su pesar—. Me quedaré de guardia, ya que mañana dispongo de todo el día para dormir.

—¿Cuánto tiempo piensas quedarte aquí? —quiso saber el piloto.

—Supongo que cuatro o cinco días.

Ameney frunció el ceño, contó con los dedos y al fin señaló con una aviesa sonrisa:

—Estamos a martes, o sea, que puedo volar a Tombuctú, pasar tres noches en el Tombuc-Fútbol Club, que entre semana baja mucho los precios, y volver a recogerte el viernes —hizo una significativa pausa antes de añadir—: Si estás vivo, te llevaré a donde quieras y, si estás muerto, te enterraré.

—¿Y piensas pasarte tres noches jugando al fútbol...? —no pudo por menos que sorprenderse el otro—. ¡Tú estás mal de la cabeza!

—¡Mira que llegas a ser bruto! —fue la divertida respuesta—. En el Tombuc-Fútbol Club no se juega al fútbol, es el mejor prostíbulo de Malí, y está considerado uno de los mejores de África.

—¿Un prostíbulo? —se asombró el otro—. ¿Y por qué le han puesto un nombre tan absurdo?

—No tiene nada de absurdo, porque de ese modo, cuando un marido le dice a su mujer que se va al fútbol, no está mintiendo. Y las chicas se ponen nombres de jugadores para que se pueda hablar en público de los méritos de cada una de ellas sin provocar escándalo.

El tuareg permaneció un largo rato rumiando la sorprendente respuesta para acabar haciendo un gesto que no venía a significar nada en concreto.

—Nunca he estado en un prostíbulo y tampoco entiendo de fútbol, o sea, que vete a dormir pero no lo hagas junto al agua porque te molestarán animales que la huelan de lejos, aunque cuando la prueban no la beben... —hizo una pausa antes de añadir—: Incluso hay algunos que sí se la beben y consiguen sobrevivir.

En cuanto el somalí se fue a descansar, Gacel se alejó unos quinientos metros, se acomodó sobre un pequeño montículo, dedicó un largo rato a observar los alrededores a través del visor nocturno y, cuando comprobó que no existía peligro, se entretuvo en estudiar el firmamento recordando un viejo dicho: «Los tuaregs pinchan estrellas en la punta de sus lanzas con el fin de iluminar con ellas los caminos».

En cierto modo era verdad: los de su raza aprendían desde niños qué rumbo seguía cada constelación dependiendo de la época del año y de cuál les llevaría sanos y salvos a su destino.

A veces hacían su aparición dos que iban juntas, haciendo guiños y siguiendo siempre la misma ruta, y al poco se escuchaba en el silencio de la noche el apagado runrunear de los motores de un avión que volaba muy alto.

Continuó alerta, y apenas habían pasado tres horas cuando de improviso comenzó a olfatear el aire como un sabueso al que le llega el olor de una pieza, por lo que se alzó inquieto, prestó atención, permaneció unos momentos tan inmóvil como una estatua, olisqueó de nuevo y por fin echó a correr hacia donde roncaba el piloto, al que zarandeó sin contemplaciones.

—¿Qué ocurre? —inquirió el alarmado somalí frotándose los ojos.

—¿Podrías despegar a oscuras? —quiso saber.

—¿Aquí y ahora? ¡Joder! ¿A qué vienen esas prisas?

—A que en cuanto amanezca soplará viento de levante, y te aseguro que será muy fuerte. Si no nos vamos ahora, es posible que no nos vayamos nunca; al menos en esa avioneta, porque la puede cubrir de arena hasta la hélice.

El desconcertado Ameney miró la hora, hizo un pequeño cálculo mental y acabó negando.

—Tendremos que esperar si pretendemos llegar con luz de día a Kidal —dijo—. Si tuviéramos que volar hasta que amaneciera, nos quedaríamos sin combustible.

—Eso nunca le pasaría a un camello —fue el desenfadado comentario de quien pretendía desdramatizar la situación—. ¿Cuánto tiempo?

—El suficiente como para preparar antorchas para cuando tengamos que despegar, o sea, que corta unos cuantos arbustos mientras estudio el terreno. ¡Maldita sea! Yo que ya me había hecho a la idea de pasarme tres días «jugando al fútbol».

—Supongo que en Kidal también habrá putas.

—No es lo mismo; las chicas del Tombuc-Fútbol Club no son putas, son artistas.

Lo que vino a continuación fueron horas de trabajo intenso durante las cuales Gacel continuó olfateando el aire al tiempo que advertía que por levante las estrellas empezaban a perder su brillo, lo que venía a significar que había comenzado a hacer su aparición el polvo en suspensión que precedía al vendaval.

Tuvieron que llevar la avioneta hasta el punto en que habían tomado tierra para intentar despegar siguiendo las mismas rodadas y a continuación colocaron una hilera de arbustos a lo largo de la improvisada pista.

Concluido el trabajo, se sentaron a descansar, puesto que tras consultar una vez más su reloj el somalí señaló:

—Aún tenemos que esperar veinte minutos.

—El viento no espera.

—Pero el sol sí, y has dicho que el viento llegará al amanecer.

—Es que por allí detrás ya debe estar amaneciendo.

—Si los mapas no mienten en esta época del año el sol debe estar saliendo en estos momentos por Sudán. Vete al final de la pista, reza pidiéndole al Señor que nos eche una mano y, en cuanto oigas que pongo el motor en marcha, prendes fuego a los arbustos, subes a bordo y nos largamos...

Omar el Khebir se postró a dar gracias al Señor por enviarle el viento.

Al caer la noche su camello había estado a punto de derrengarse y le había dejado en libertad para que se buscara la forma de sobrevivir por su cuenta.

El agotado animal ni tan siquiera se movió, pero resultaba evidente que en cuanto recuperara fuerzas su instinto le llevaría por el camino correcto; que alcanzara o no su destino ya era otra cosa y, a decir verdad, a su dueño no le preocupaba en absoluto. A partir de aquel momento de lo único que debía preocuparse era de salvarse, lo cual no resultaba empresa fácil, ya que por hábil que fuera borrando su rastro siempre habría un beduino capaz de seguirlo, y por muy bien que se escondiera siempre habría un beduino capaz de encontrarle.

Quienes le perseguían, probablemente muchos, conocían la región mejor que él, por lo que si en cien kilómetros a la redonda existía una sola fuente de la que manara una mísera gota de agua, allí estarían esperándole.

Tras abandonar a su montura, había caminado durante casi cuatro horas buscando a la luz de la luna un lugar apropiado en el que pudiera cavar una pequeña zanja e introducirse en ella boca arriba cubriéndose de nuevo de tal forma que tan solo la nariz y la boca quedaran al descubierto.

Cuando al fin creyó haber encontrado un emplazamiento bastante seguro, se sentó a descansar, pero una hora después, en el momento en que se disponía a comenzar a cavar la zanja, olfateó el aire y fue entonces cuando decidió postrarse a dar gracias al Señor por enviarle el viento.

Llegaría al amanecer, de eso estaba seguro, y sonrió al comprender que quienes le perseguían comprenderían a su vez que perderían el tiempo buscándole, porque la arena siempre había sido la gran amante del viento, su música la elevaba a los cielos, bailaban juntos y al hacerlo oscurecían el sol.

Cómplices y amantes, macho dominante y hembra sumisa, el viento utilizaba a menudo a la arena con el fin de castigar el orgullo de los hombres cubriendo con ella sus campos, templos, tumbas o ciudades, permitiéndose el capricho de llevársela siglos más tarde para dejar de nuevo al descubierto el esplendor y las riquezas de culturas perdidas en tiempos muy remotos.

Arena y viento siempre habían sido los peores enemigos de los tuaregs, pero en muy contadas ocasiones se convertían en sus principales aliados.

Aquel día parecían disfrutar con la idea de salvar a Omar el Khebir de cuantos se habían conjurado para matarle y, como el fugitivo parecía confiar más en su capacidad de sobrevivir a un vendaval que a una lluvia de balas, decidió cambiar su estrategia original y se dedicó a buscar una alta roca inclinada hacia poniente para protegerse del terrible enemigo que llegaría de levante.

El resto era esperar.

Esperó mucho, porque el día tardó más de lo previsto en hacer su aparición y pareció despertarse a desgana, gruñendo, bostezando y sin decidirse a iluminar un paisaje que parecía haberse convertido en un deslavazado puré de garbanzos en el que nada diferenciaba el cielo de la tierra o una roca de una duna.

Tan solo entonces, cuando comprendió que había pasado a formar parte de un mundo sin formas en el que todo era polvo en suspensión, Omar el Khebir se sintió absolutamente seguro, se cubrió la cabeza con el jaique y cerró los ojos.

Soñó con el día más feliz de su vida.

El coronel Gadafi le había elegido como miembro de su escolta, viajaron a Italia en el avión presidencial y le concedieron unas horas de asueto mientras el dictador se reunía con Silvio Berlusconi.

Un bedel de la embajada se ofreció a enseñarle Roma, y le fascinó enfrentarse a las ruinas del Coliseo, visitar la Capilla Sixtina o ver cómo los turistas lanzaban monedas a la Fontana di Trevi.

A la caída de la tarde el avispado bedel le propuso pasar un rato inolvidable con una mujer prodigiosa.

—Conozco a muchas mujeres —le respondió Omar el Khebir—. Pero no conozco a ninguna que merezca que pierda los minutos que quiero dedicar a seguir contemplando las maravillas de esta ciudad.

El astuto bedel, romano de nacimiento y celestino de vocación, le agradeció el cumplido, pero al poco no pudo evitar un corrosivo comentario.

—Puede que hayas conocido a muchas mujeres, pero está claro que aún no has conocido a la apropiada; diez minutos con Angelina, ¡tan solo diez minutos!, te harán cambiar de idea, porque el balcón de su dormitorio se abre justo sobre la fuente de la Piazza Navona.

Fue en verdad una experiencia que le hizo cambiar de idea y el descarado macarra pareció quedar muy satisfecho porque percibía una comisión por cada cliente que le llevaba a Angelina, mientras que nadie le daba un céntimo por cada turista que llevara al Coliseo.

Le despertó el silencio, porque el viento dejaba de aullar con la caída de la tarde, pero aun así no movió un músculo, cubierto como estaba por la arena. Solo cuando, según solía decirse, «resultaba imposible distinguir un hilo blanco de un hilo negro», abandonó su minúsculo refugio, bebió un sorbo de agua y comió frugalmente, porque durante todo el día no le había exigido esfuerzo alguno a su cuerpo y, por tanto, su cuerpo no tenía derecho a exigirle demasiado.

Si la luz del sol apenas había sido capaz de atravesar el grueso manto de polvo en suspensión, mucho menos fueron capaces de atravesarlo la luz de las estrellas o la luna, por lo que las tinieblas resultaban tan impenetrables que decidió que lo mejor que podía hacer era quedarse donde estaba.

En tan difíciles circunstancias ningún camino conducía a ninguna parte, un simple paso le aproximaría más a la tumba que a cualquier otro lugar y, por tanto, se limitó a humedecerse el dedo meñique con la intención de limpiarse a fondo las fosas nasales y colocar luego la palma de la mano sobre el suelo procurando que todos sus sentidos permanecieran alerta.

Sabía que necesitaba incluso aquel sexto sentido, nunca bien descrito por nadie, que le hacía presentir que se encontraba en peligro.

Permitió que las horas transcurrieran sin hacer otro esfuerzo que girar de tanto en tanto la cabeza intentando captar cualquier rumor, pero no fue el oído el que le obligó a apretar con fuerza la culata del fusil que descansaba sobre sus rodillas, sino un olor que le resultaba familiar.

Únicamente Tufeili era capaz de encender un cigarrillo bajo el jaique sin que nadie consiguiera ver la llama, y únicamente Tufeili era capaz de fumar manteniendo el pitillo con la punta de los dedos y la mano cerrada de forma que la lumbre tampoco pudiera distinguirse a un metro de distancia.

Era aquella una mala costumbre propia de fumadores compulsivos que se veían obligados a pasar largas horas de guardia, y Tufeili siempre había sido un buen centinela y un magnífico explorador acostumbrado a moverse sigilosamente.

Omar el Khebir no pudo evitar sonreír al recordar que hasta unas horas antes había sido uno de sus mejores hombres, un eficaz mercenario al que tenía la obligación de defender incluso arriesgando su vida.

Pero únicamente hasta unas horas antes.

En aquellos momentos ya no era uno de sus subordinados, sino solo un beduino, ni tan siquiera un tuareg, que no había aprendido la última lección que le diera al despedirse: «A partir de ahora cada cual deberá cuidar de sí mismo».

Y es que, si no sabía cuidar de sí mismo, el primero que se cruzara en su camino no resistiría la tentación de arrebatarle el dinero, las provisiones y, sobre todo, la *girba*, porque una doble ración de agua podría significar la diferencia entre la vida o la muerte.

Tufeili había tenido en verdad muy mala suerte, porque el primero que se había cruzado en su camino era su antiguo jefe, Omar el Khebir, quien alzó con sumo cuidado el pesado fusil y apuntó hacia donde supuso que se encontraba.

# 11

Suilem Baladé era un hombre educado, meticuloso, afable y comprensivo que trataba por igual al rico comerciante que venía a consultarle la mejor forma de redactar una pomposa petición de ayuda oficial que a la mísera sirvienta que deseaba que le leyera la carta que le había enviado su novio, emigrante en cualquier país de Europa.

Desde primera hora de la mañana los clientes tomaban asiento en el banco de madera que corría a lo largo de la pared del patio delantero de su casa, respetando escrupulosamente el orden de llegada y, cuando advertían que quien ya había concluido su consulta abandonaba el pequeño despacho del Escritor, dejaban que transcurrieran unos minutos para que este fuera a comprobar que su esposa, a la que sabían muy delicada de salud, no le necesitaba.

Tan solo cuando les hacía un amistoso gesto con la mano, se decidían a entrar y tomar asiento al otro lado de la mesa.

Casi la mitad de la población de Kidal era analfabeta o tenía escasa práctica a la hora de expresarse por escrito, razón por la cual acudían a Suilem Baladé sabiendo que lo hacía con sorprendente claridad debido a que poseía un don innato para captar lo que cada cual pretendía transmitir en sus misivas.

De igual modo, producía un auténtico placer escuchar cómo leía una carta, variando la entonación e incluso de voz dependiendo del tipo de documento, puesto que a su modo de ver no era lo mismo solicitar el envío de una tonelada de natrón a pago diferido que evocar los momentos de éxtasis vividos cuando dos cuerpos se entrelazaban sobre las dunas a la luz de las estrellas.

El Escritor, aunque más apropiado pero menos respetuoso hubiera sido denominarle el Escribiente, se había ganado el cariño y la consideración de su comunidad no solo por la excelencia de su trato y su trabajo, sino sobre todo porque, pese a estar considerado como una especie de consejero económico y sentimental, jamás había hecho un solo comentario sobre lo mucho que sabía sobre la vida y milagros de un gran número de sus conciudadanos.

Cualquier secreto, fuera de alcoba o de negocios, permanecía seguro cuando cerraba su despacho, y ni incluso allí quedaba rastro de ellos, puesto que jamás guardaba copia de ningún documento.

Suilem lo conservaba todo en la memoria, y su memoria siempre había sido una caja fuerte inviolable.

Sobre su mesa aparecían perfectamente colocadas diferentes clases de papel con el fin de que cada cual pudiera elegir el que consideraba más adecuado al tema o mejor se adaptaba a sus gustos, y cuando giraba hacia la derecha podía escribir en una maquina con alfabeto árabe, mientras que cuando giraba hacia la izquierda lo hacía en una de alfabeto occidental.

También disponía de dos ordenadores, pero prefería emplearlos únicamente en imprimir folletos, carteles o invitaciones debido a que en Kidal la luz tenía la mala costumbre no «de irse», sino «de dejar de venir» cuando más falta hacía, y no era cuestión de mantener a un cliente aguardando durante horas por una simple carta que con su vieja Underwood se redactaba en cinco minutos.

Las misivas amorosas o en caracteres *tifinagh* las redactaba directamente a mano, en el primero de los casos por una cuestión de deferencia hacia los enamorados y, en el segundo, porque no había conseguido ninguna máquina en la que se sintiera cómodo a la hora de imprimir con absoluta corrección los caracteres de la peculiar y enrevesada escritura tuareg.

Aborrecía tanto a los yihadistas como a los tuaregs renegados que les estaban siguiendo el juego con sus absurdas reivindicaciones nacionalistas, por lo que experimentó como una especie de bocanada de aire fresco cuando Gacel Mugtar tomó asiento al otro lado de su mesa y se limitó a señalar:

—Me envía Hassan.

Aún quedaban hombres dispuestos a oponerse a un destino que comenzaba a considerar inevitable.

—¿Cuándo has llegado? —quiso saber.

—Al amanecer y de milagro, porque, si hubiéramos tardado un poco más, el vendaval nos hubiera apaleado arrastrándonos hasta Mauritania —el tuareg le mostró una manga al añadir sin el menor reparo—: Vomité hasta el alma y apesto a demonios.

—Aquí podrás ducharte y te proporcionaré ropa nueva —le replicó con una comprensiva sonrisa—. ¿Cómo ha ido el viaje?

—Regular; a tres mercenarios les ha ido peor, pero con este maldito viento resultaba imposible continuar trabajando.

—En Kidal tendrás suficiente trabajo siempre que nadie sepa que has venido. ¿Te pidieron que te identificaras al llegar?

El demandado negó de inmediato.

—A esas horas y con tanto polvo no había nadie en la pista, me escabullí entre las primeras casas, y el piloto jurará que venía solo y se vio obligado a aterrizar de emergencia.

Mientras le escuchaba, el Escritor había aprovechado para ir redactando sobre un papel rosa adornado con flores y corazones una relamida carta de amor dirigida a una supuesta amante.

Al concluir se la entregó dentro de un sobre del mismo color.

—Esto es por si te preguntan qué hacías aquí —le explicó—. Al salir gira a la derecha, dale la vuelta a la manzana y entra por el portón verde procurando que no te vean, porque tanto los extremistas como los renegados y los franceses tienen espías por todas partes.

Poco después, Gacel abandonó el despacho con la bolsa que contenía sus armas en una mano y un sobre rosa en la otra, exhibiendo su supuesta «carta de amor» con cara de tonto y como si se sintiera el hombre más feliz del mundo.

Agradeció una vez más que el moderno y extraordinario fusil que le había proporcionado Hassan fuera totalmente desmontable y pudiera llevarlo a todas partes sin levantar sospechas, salió a una calle de arena por la que no circulaba un alma, y en la que la visibilidad era casi nula por culpa del viento, y obedeció las instrucciones que le había dado Suilem Baladé, por lo que diez minutos más tarde se encontraba disfrutando de una reconfortante ducha.

Tenía un hambre canina, pero el agotamiento la superaba, se dejó caer un instante en la cama y se quedó dormido antes de poner la cabeza en la almohada.

Cuando le despertó un irresistible olor a cordero asado, lo primero que vio fue al dueño de la casa que acababa de irrumpir en la habitación portando una bandeja provista de patas.

—Es la que utiliza mi esposa cuando no tiene fuerzas para levantarse… —dijo mientras se la colocaba sobre las rodillas—. Pero no te acostumbres.

—Puedo comer en la mesa —le hizo notar el tuareg.

—Lo sé, pero aquí no hay más que una silla y la necesito —dijo mientras tomaba asiento frente a él y advertía cómo empezaba a comer con excesivas ansias—. Mientras cenas, y tómatelo con calma, porque te vas a atragantar, intentaré ponerte al corriente de cómo están las cosas por aquí…

Tan solo le respondió un gruñido acompañado de un gesto de asentimiento debido a que su interlocutor tenía la boca llena, por lo que insistió:

—Oficialmente, Kidal continúa bajo el control del Movimiento Nacional para la Liberación del Azawad con el visto bueno de las tropas francesas que intentan evitar una guerra civil manteniendo fuera de la ciudad al ejército maliense, pero los terroristas se esfuerzan por conseguir que esa guerra estalle… —el buen hombre lanzó un resoplido y negó una y otra vez como si a él mismo le costara aceptarlo—: Hace quince días que una bomba destrozó a una pobre mujer a la que solía escribirle cartas para sus hijos, y me consta que preparan nuevos atentados, porque la yihad islámica más intransigente ha decidido imponer su ley, desde el lujo de las Torres Gemelas de Nueva York a una ciudad tan miserable como esta. No pararán nunca y lo quieren absolutamente todo, lo cual nos obliga a reaccionar con violencia por muy neutrales y pacifistas que hayamos querido ser.

—¿Y qué crees que he estado haciendo más que utilizar la violencia? —fue la pregunta de quien se interrumpió un instante en su tarea de mojar pan en la salsa del cordero—. Entiendo que al no ser tuareg necesites justificar tus actos, pero a mí no tienes que darme explicaciones. ¿A quién tengo que matar?

—No soy quién para opinar ni sobre eso ni sobre nada —fue la respuesta del escribiente, al que se advertía confuso y se podría asegurar que casi incómodo—. Mis órdenes son ayudarte en cuanto puedas necesitar y procurar que nadie sepa que un ejecutor del *ettebel* se encuentra en la ciudad.

El tuareg, que parecía haber calmado su apetito a base de engullir a toda prisa, depositó la mesita en el suelo y, mientras mordisqueaba un pastelillo, comentó:

—Eso lo entiendo; trabajaré mejor si nadie me conoce, pero por lo que he oído decir eres un hombre muy inteligente que suele estar bien informado, y me gustaría conocer tu opinión.

Su interlocutor abandonó por un momento la estancia con el fin de retirar la bandeja y regresar con dos vasos de té y, tras entregarle uno y sorber un poco del otro, replicó con desconcertante naturalidad:

—La historia nos enseña que con demasiada frecuencia las batallas se pierden por culpa de la opinión de alguien que demostró no estar debidamente cualificado —sonrió de una forma encantadora al concluir—: Puede que yo sepa algunas cosas, pero no creo que sepa las suficientes.

—En ocasiones algunas cosas pueden ser suficientes… —fue la desenfadada respuesta—. Y desde luego siempre serán mejor que nada. ¿Qué puedes decirme sobre ese tal Sad al Mani que los demás no sepan?

—Que es demasiado joven para el puesto que ocupa en la cúpula yihadista, y que le duelen las muelas.

Gacel Mugtar se quedó estupefacto sosteniendo el vaso de té entre el índice y el pulgar, se rascó la descuidada barba, dudó entre echarse a reír o soltar un reniego y al fin inquirió.

—¿Cómo has dicho?

—Que se trata de un muchacho que al parecer no tiene suficiente espacio para que le salgan con normalidad las muelas del juicio, por lo que a menudo le asaltan unos dolores insoportables. Lo sé porque a Midani, el dentista, le sacaron una noche de su casa y le llevaron a una cueva del Adrar de los Iforas, donde un jovenzuelo con cara de pájaro, de esos que tienen el mentón demasiado hundido, lanzaba alaridos y maldecía en inglés. Cuando alguien sufre tanto suele quejarse en su idioma materno y, que yo sepa, en Malí no existe ningún otro extremista de origen inglés.

—Sad al Mani es canadiense.

—Cuando se trata de yihadistas son la misma basura.

Tenía un flemón del tamaño de un huevo, por lo que el aterrorizado Midani lo único que pudo hacer fue inyectarle morfina y aconsejarle que acudiera a un lugar en el que dispusieran de instrumental adecuado para operarle la mandíbula, porque lo suyo no se solucionaba con unas simples extracciones.

—Cuesta creerlo tratándose de un terrorista.

—¿Por qué? ¿Nunca te han dolido las muelas? Por mucho que hablemos del espíritu, el cuerpo siempre impone sus leyes y la mejor prueba estriba en que, por importante que sea, el cuerpo de un ser humano siempre acaba pudriéndose. Si nos parece natural que unos tengan una nariz demasiado grande, también debe parecernos natural que otros tengan el mentón demasiado pequeño.

—La ventaja de los narigudos es que nunca les crecerán muelas en su interior... —comentó humorísticamente el tuareg, que se había puesto en pie y paseaba por la habitación esforzándose por asimilar los peculiares argumentos de su oponente—. Entiendo que no advirtiera la gravedad del problema hasta que empezaran a salirle las muelas del juicio, pero estarás de acuerdo conmigo en que resulta de lo más pintoresco teniendo en cuenta que nos estamos refiriendo a un sanguinario líder que convence a imbéciles para que se suiciden.

—¿Y qué aspecto tienen que tener los líderes sanguinarios? —fue la capciosa pregunta—. ¿Acaso ha existido un líder más sanguinario y de aspecto más ridículo que Adolf Hitler, con aquel minúsculo bigotito y aquel absurdo corte de pelo? Por lo menos, Sad al Mani se ha dejado una barba enorme que no le diferencia de cualquier líder de Al Qaeda.

—Cuesta trabajo imaginármelo llevándose una mano al flemón mientras gruñe: «Mañana te colocarás un cinturón de bombas a la cintura y te inmolarás en el mercado en nombre Alá, pero esta noche tienes que secuestrarme a un dentista». Suena ridículo.

—Pero los muertos son los mismos y seguro que a ellos no les ha hecho la más mínima gracia que los maten, quién los mate, en nombre de quién los maten o qué imbécil ha ordenado que los maten.

—En eso tienes toda la razón. ¿Cuántos dentistas puede haber en Kidal?

—¿Auténticos o simples sacamuelas?

—Auténticos.

—Ninguno, porque Midani se asustó tanto que huyó a Bamako y otro que había se fue hace tiempo porque no estaba de acuerdo con un Estado independiente en el que se imponga la *sharía*.

—¿Crees que la impondrían?

—No lo sé, pero no me gustaría que algún día fueran habituales las ejecuciones públicas, cortarle la mano a los ladrones o matar a alguien por algo tan personal como la homosexualidad o la infidelidad. Por eso considero que, si las muelas de uno de quienes pretenden imponernos tales normas nos pueden conducir hasta él, debemos seguir esa pista aunque parezca absurda.

—Empieza a no parecerme tan absurda —se vio obligado a reconocer Gacel Mugtar—. Cuando la policía persigue a un criminal herido, vigila los hospitales, o sea, que si intento matar a Sad al Mani, debemos vigilar a los sacamuelas.

—Aún no te han ordenado matarlo... —le hizo notar el Escritor.

—Sí que lo han hecho, porque el mandato de los *ima-jeghan* deja muy claro que los tuaregs debemos contribuir a eliminar a quienes atentan contra nuestro honor, y ante todo soy un tuareg.

La primera bala se perdió en la noche, pero el fogonazo le permitió distinguir el bulto, corregir la puntería y acertar de lleno con el segundo disparo, por lo que el desprevenido Tufeili cayó de espaldas lanzando un aullido de dolor.

Omar el Khebir se precipitó sobre él, desenvainó su afilada gumía y, antes de silenciarle para siempre, masculló furibundo:

—Te advertí que tuvieras cuidado...

Le despojó de la bolsa de provisiones y la *girba* de agua y mientras le registraba en busca de dinero encontró un paquete de tabaco que arrojó lejos al tiempo que añadía:

—Y que no fumaras tanto...

Se alejó a paso de carga sabiendo que los disparos habrían alertado a cuantos se encontraran en las proximidades, pero sabiendo también que disparar sobre un blanco en movimiento durante una noche tan oscura constituía un grave riesgo que ni siquiera sus propios hombres se atreverían a asumir.

Por suerte, su peor enemigo, el traicionero tirador del arma con visor nocturno, debía de encontrarse muy lejos.

Tropezó en varias ocasiones, se lastimó una rodilla y se

raspó la mano izquierda, que sangró un rato, pero aun así no aminoró la marcha hasta que alcanzó una duna.

La más elemental prudencia aconsejaba evitar dejar cualquier huella de su paso, pero, como sabía que el viento regresaría al amanecer y las borraría de inmediato, decidió trepar por ella. Los manuales sobre el arte de la guerra solían hacer hincapié en la necesidad de tener siempre preparada una estrategia, pero los manuales sobre el arte de la guerrilla señalaban que la mejor estrategia solía ser cambiar de estrategia dependiendo del momento y del terreno.

Omar el Khebir conocía mejor que nadie ese terreno, por lo que, cuando con la salida del sol el mundo volvió a convertirse en una especie de puré de garbanzos, aunque en esta ocasión mucho menos espeso, cabría asegurar que de nuevo había desaparecido de la faz del planeta.

Permaneció dos días oculto y protegido por el viento, la tercera noche las estrellas reaparecieron mostrándole el camino, y poco después la tímida luz de la luna le permitió abrirse paso por un interminable mar de dunas, aunque procurando siempre que su figura no se recortara contra el firmamento.

Había consumido ya la mitad del agua que cargaba, lo cual quería decir que si no hubiera matado a Tufeili estaría en grave peligro, por lo que agradeció mentalmente al fumador que no hubiera sido capaz de superar su adicción aun a sabiendas de que le iba la vida en ello.

«Bendito vicio…», masculló sonriendo, y continuó su andadura.

El cuarto día amaneció tranquilo, a lo largo de la mañana los restos de polvo en suspensión comenzaron a desaparecer y cuando al fin la visibilidad resultó aceptable advirtió que ante él se elevaba un macizo rocoso de unos trescientos metros de altura.

Aguardó a que el sol se ocultara tras la cumbre y, cuando comprobó que sus rayos no podían devolver el reflejo de las lentes de sus prismáticos, los enfocó hacia allí y con la última claridad advirtió que en su parte baja se distinguían arbustos y matojos.

Allí encontraría agua; amarga y salobre sin duda, pero agua, aunque si el maldito ejecutor que había abatido a siete de sus hombres le estaba esperando, posiblemente se encontraría también con una bala en la cabeza.

Mientras anochecía rezó y luego se dedicó a masticar dátiles con desesperante lentitud, lo que parecía ayudarle a pensar y sopesar sus opciones.

Una ancha llanura grisácea se extendía desde la duna en que se sentaba hasta la base del macizo, por lo que le constaba que, si el tirador se había apostado en las alturas, estaría a su merced, sobre todo si intentaba aproximarse de noche.

Poco antes de cerrar los ojos llegó, por tanto, a una sencilla aunque desconcertante conclusión: su mejor baza estribaba en «atacar» a la carrera y a pecho descubierto en cuanto el sol hiciera su aparición, ya que al encontrarse en esos momentos a sus espaldas sus primeros rayos delatarían de inmediato la mira telescópica de su enemigo.

Y localizar la posición de aquella escurridiza sabandija constituía su única esperanza de salvación.

Desarrolló su plan tal como había previsto, se lanzó a correr con la vista fija en las rocas confiando en distinguir un reflejo poco antes de que el oculto tirador apretara el gatillo, pero lo único que descubrió fue que alguien hacía exactamente lo mismo a unos trescientos metros a su izquierda.

Se detuvo en seco antes de encontrarse al alcance de la potente arma del posible emboscado y gritó:

—¡Yusuf...!

Su exlugarteniente cesó de correr en el acto, se volvió a mirarle y no pudo evitar palmearse con fuerza los muslos al tiempo que dejaba escapar una sonora carcajada.

—¡Qué jodido, Omar...! —exclamó divertido—. Hemos pensado lo mismo.

—De algo ha servido lo que te enseñé.

—¿Tienes agua?

—Poca..., ¿y tú?

—La justa.

Ambos sabían que cualquier enfrentamiento futuro llegaría por culpa de esa agua y que la mejor forma de evitar matarse entre sí se basaba en no tener con qué matarse.

Siguiendo un viejo ritual de las gentes de su peligroso oficio, el de mayor jerarquía, en este caso Omar, alzó su fusil para que quedara bien visible, lo descargó guardándose la balas y lo dejó en el suelo.

Yusuf le imitó.

Hizo lo mismo con su revólver y Yusuf también le imitó.

Solo entonces se aproximaron, abrazándose con sincero afecto, y a continuación cada uno de ellos se encaminó a recoger las armas del otro. Era una antigua forma, práctica y segura, de mantener la paz, puesto que ambos sabían que utilizaban munición de diferente calibre, por lo que de nada les servían las armas de su oponente si no disponían de las balas apropiadas.

Cada cual conservaba su gumía, pero eran lo suficientemente inteligentes y profesionales como para comprender que llegar a un enfrentamiento cuerpo a cuerpo con armas blancas solo conduciría a que ambos salieran heridos.

Y resultar herido en mitad del desierto con poca agua constituía una sentencia de muerte.

Intercambiar pistolas y fusiles les permitía seguir juntos sin recelos y al mismo tiempo les convertía en una firme unidad, ya que en caso de agresión externa lo único que tenían que hacer era devolverse las armas.

Aquella era una de las ventajas de ser beduino y no pertenecer a un ejército regular, visto que en determinadas guerras eran más los oficiales que caían con un tiro en la espalda disparado por uno de sus subordinados que los abatidos de un tiro en la frente disparado por uno de sus enemigos.

Tomaron asiento el uno junto al otro de cara al macizo rocoso y Yusuf fue el primero en señalar las dos *girbas* que su antiguo jefe llevaba al hombro.

—¿De quién era la otra?

—De Tufeili. ¿Y esa?

—De Ahmed.

—Es que no aprenden por mucho que se les explique… —se lamentó Omar el Khebir en un tono de sincera resignación, para indicar luego con la barbilla el grupo de arbustos e inquirir—: ¿Crees que hay agua?

—Tal vez.

—¡Y crees que ese hijo de puta nos estará esperando?

—Tal vez.

—¿Cómo podemos averiguarlo?

—Corriendo al mismo tiempo y en paralelo, aunque con la puntería que ha demostrado ese maldito supongo que solo uno de nosotros llegará hasta las rocas. Al otro no le importará saberlo, porque ya estará frito.

—Me consuela saber que eres más alto y ofreces mejor blanco. ¿Vamos allá?

—Cuanto antes mejor...

Se pusieron en pie, se separaron una veintena de metros y echaron a correr con el mismo ímpetu, por lo que no tardaron en llegar al abrigo de las rocas, dejándose caer felices porque resultaba evidente que si no les habían disparado cuando se encontraban en terreno abierto era porque allí no había nadie dispuesto a dispararles.

# 12

El presidente de Nigeria ha declarado el estado de emergencia en los territorios norteños tras una oleada de mortíferos ataques atribuidos a la milicia radical islámica.

Terroristas yihadistas han asesinado a cuarenta y dos estudiantes en la ciudad de Potiskum, donde asaltaron una escuela, incendiaron los edificios con los alumnos y profesores dentro y dispararon contra los que trataban de huir.

Se trata del ataque más brutal de los tres que se han producido contra escuelas desde que, en mayo, el ejército lanzó una ofensiva contra el grupo terrorista Boko Haram, cuyo nombre significa «la educación occidental es pecado».

La ofensiva militar no ha logrado frenar los ataques de Boko Haram, que lucha por el establecimiento de un Estado islámico en el norte de Nigeria. La mayoría de sus víctimas son cristianos. Solo en el último mes se han producido otros dos ataques contra escuelas, uno en Maiduguri, donde fueron asesinados nueve estudiantes, y otro en Damaturu, donde se produjeron siete víctimas mortales.

«Los últimos acontecimientos hacen necesario tomar medidas extraordinarias para restaurar la normalidad. Después de numerosas consultas, declaro el estado de emergencia», anunció el presidente en un discurso emitido por radio y televisión señalando que se había solicitado al jefe del Estado Mayor de las Fuerzas Armadas que desplegara más tropas en estos estados para operaciones de seguridad internas.

«Esas tropas y otras agencias de seguridad tienen órdenes de llevar a cabo todas las acciones necesarias, dentro de sus protocolos de combate, para acabar con la impunidad de insurgentes y terroristas.»

Estas normas «incluyen arrestar y detener sospechosos, la toma de control de cualquier estructura usada con fines terroristas, el aislamiento de cualquier zona de operaciones terroristas, la práctica de registros y la captura de personas en posesión ilegal de armas».

Sin embargo, a diferencia de otras declaraciones del pasado que incluían la destitución de todos los cargos electos de los estados afectados, se ha decidido que en esta ocasión los gobernadores continúen en sus puestos para cumplir con sus responsabilidades. Para el presidente nigeriano, la rebelión registrada en el norte del país, de mayoría musulmana, supone una seria amenaza para la integridad de Nigeria.

«Estos terroristas e insurgentes parecen decididos a tomar el control en zonas de nuestra nación y arrinconar al resto del país. Han atacado edificios gubernamentales, asesinando a ciudadanos inocentes e incendiando casas, haciendo rehenes a mujeres y niños.

»Estas acciones equivalen a una declaración de guerra. No lo toleraremos», advirtió el mandatario, que intenta entablar conversaciones con los integristas para conceder una amnistía a aquellos que quieran abandonar la violencia, pero los integristas han rechazado la oferta.

Gacel Mugtar dejó sobre la mesa el ejemplar del periódico y alzó el rostro hacia Suilem Baladé, que saboreaba con delectación su tazón de café mañanero, aunque, dada la situación de desabastecimiento de la ciudad, la mayor parte de los granos de café habían sido sustituidos por achicoria.

—Nunca he entendido de política —comentó encogiéndose de hombros—. Pero, si Nigeria, que es uno de los mayores productores de petróleo del continente y cuenta con un poderoso ejército, tiene problemas con los islamistas, dudo que Malí, que es uno de los países más pobres del mundo, consiga solucionar los suyos.

—Más poderosos son los ejércitos estadounidenses, franceses o ingleses y tampoco consiguen evitar que los terroristas les tengan con el alma en vilo. No hace mucho, dos jóvenes islamistas decapitaron en Londres a un soldado y se quedaron en la calle, con los machetes en la mano, charlando con los transeúntes y asegurando que pronto se iniciaría una guerra en la que acabarían con todos los que no adoraran a Alá. Esa actitud prueba que los yihadistas continúan utilizando la táctica diseñada por el Viejo de la Montaña, lo cual viene a decir que les bastará con sus locos suicidas y ningún ejército conseguirá vencerles hasta que no utilice su misma táctica.

—Dudo que existan muchos judíos, cristianos, budistas o animistas a los que se les pueda animar a que se vuelen en pedazos con el fin de imponer sus creencias —le hizo notar quien le acompañaba a la hora del desayuno—. Ni incluso a mí, que soy musulmán y me consta que moriré en esta estúpida guerra, me apetece saber que recogerán mis restos con una pala.

—El problema no estriba en aquellos a quienes se les puede «animar», sino en aquellos que saben cómo «animarles» —se lamentó el Escritor—. Un niñato canadiense al que nadie había dado vela en este entierro viene desde el otro lado del planeta a arengar a unos pobres analfabetos a los que les tengo que redactar las cartas, asegurando que si se suicidan les espera el paraíso. Tan solo es un miserable y repelente personajillo que presentía que en su Toronto natal le aguardaba un futuro anodino, por lo que ha preferido convertirse en líder religioso de un perdido país africano… —Suilem Baladé dejó a un lado su ya vacío tazón de café-achicoria y esbozó lo que pretendía ser una sonrisa al añadir—: Bien pensado, y como no sabemos si Omar el Khebir ha conseguido sobrevivir, me parece una buena idea que intentes acabar con Sad al Mani.

—Me juego el cuello a que Omar ha conseguido sobrevivir, pero a estas alturas tanto me da uno que otro… —puntualizó su interlocutor—. El problema estriba en que no sabemos dónde se encuentran ni el uno ni el otro.

—Del primero no puedo opinar, pero de Sad al Mani sabemos que se oculta en el Adrar de los Iforas, donde en caso de verse acorralado cruzaría a Argelia, y que, como a todo buen psicópata, le encanta alardear de lo que hace.

El tuareg observó al escribiente que en esos momentos se servía un nuevo tazón de un brebaje que a su modo de ver resultaba vomitivo, frunció el ceño con gesto de evidente desagrado y tras una ligera duda acabó por admitir su ignorancia.

—No tengo muy claro lo que es un psicópata, aunque imagino que será una especie de loco maniático, y por tanto tampoco tengo ni la menor idea de a qué demonios te estás refiriendo. ¿Te importaría aclarármelo?

—A que al endiosado Sad al Mani le encanta dejar su marca en los atentados que manda cometer.

—¿Qué clase de marca?

—Una hoja de arce.

—¿Una hoja de qué..?

—De arce, un árbol que ni siquiera crece en el desierto.

—¿Y eso a qué viene?

—A que la hoja de arce es el símbolo de Canadá, por lo que los canadienses están tan indignados que su Gobierno parece decidido a enviar un batallón de sus fuerzas especiales para acabar son Sad al Mani.

—¿Pero Canadá no es ese país en el que casi siempre hace frío…? —ante el mudo gesto de asentimiento, Gacel Mugtar no pudo por menos que añadir en tono de manifiesta incredulidad—: Pues menudo papelón harían aquí sus fuerzas especiales.

—Supongo que les proporcionarían un equipamiento adecuado.

—Ningún equipamiento es adecuado si quien lo utiliza no es la persona adecuada… —puntualizó el tuareg, seguro de lo que decía—. Esto es el desierto y debemos ser los hombres del desierto los que ajustemos las cuentas a quien ha venido a jodernos desde tan lejos.

—En eso estoy de acuerdo… —admitió el Escritor, como

si aquella fuera una realidad incuestionable—. El gran problema africano estriba en que siempre vienen extraños a intentar arreglar nuestros problemas y acaban por convertirse en su mayor problema. Ingleses, franceses, alemanes, portugueses, españoles o belgas han acudido docenas de veces a «salvarnos», y docenas de veces se las han arreglado para hundirnos. Por lo visto, ahora le ha tocado el turno a los extremistas de todas las nacionalidades.

—Pues por muy extremistas que sean se enfrentarán a una situación aún más extrema, porque, si han cometido el error de ocultarse en el Adrar de los Iforas, van a tener infinidad de problemas en estos tiempos de grandes sequías. Los camellos, los coches e incluso las avionetas podrán abastecerles de armas y víveres, pero para abastecerse de agua necesitarán camiones cisternas. ¿Tienes idea de dónde se encuentra Ameney?

—En Tombuctú.

—Debí suponerlo… ¿Puedes hacer que venga?

—¿Para qué?

—Es uno de los tipos más listos que conozco, tiene muchos recursos, y si fuera necesario podría llevarme al Adrar de los Iforas.

El Escritor meditó la respuesta, se frotó varias veces la parte baja de la nariz, lo que por lo visto tenía la virtud de ayudarle a pensar, y al fin pareció tener una idea que se le antojó factible.

—Si hiciera un vuelo trayendo medicinas, no creo que los franceses le pusieran objeciones, pero me preocupa que pueda detenerle un inspector de la policía aduanera, del que me consta que se deja sobornar por los yihadistas.

—Dime quién es y dejará de preocuparte.

—¿Así sin más?

—Así sin más —fue la agria respuesta—. Nunca quise este trabajo, pero si tengo que hacerlo lo haré, y basta con que alguien colabore con los islamistas para que lo considere un enemigo.

—No es tan solo que colabore, es que además se trata de uno de los principales traficantes de niños de la región. Se los lleva prometiendo a sus padres que trabajarán de mecánicos o camareros, pero es cosa sabida que siempre acaban esclavizados en las plantaciones de cacao de Costa de Marfil.

—¿Y si sus padres lo saben por qué se los entregan?

—Porque un niño de ocho años come lo mismo que dos de tres, y este es el país con mayor índice de mortalidad infantil del mundo, o sea, que cada vez que una familia envía a un chico «al cacao» imagina que está salvando a dos de sus hermanos —Suilem Baladé hizo un gesto que pretendía indicar que resultaba un problema de imposible solución al añadir—: A los chicos que intentan escapar les cortan una mano y el dueño de la plantación alega que fue un accidente de los que ocurren a menudo debido a que son pequeños y utilizan machetes muy afilados para abrir las piñas… —lanzó un sonoro resoplido al concluir—. Si te das una vuelta por el mercado, verás algunos de los que devolvieron a sus padres porque se habían quedado mancos.

Permitió que transcurriera un largo rato antes de admitir que nadie les acechaba y decidirse a inquirir:

—¿Qué opinas?

—Que o esa serpiente es un lagarto, o estamos haciendo el ridículo, porque ya me duele el culo… —respondió Yusuf, que tampoco se había movido de su escondite—. Ese hijo de mala madre no está ahí arriba y, si lo está, prefiero que me pegue un tiro a continuar sentado sobre esta maldita piedra.

—¡Pues vamos allá! *Inshallah!*

No había nadie y, por tanto, no tardaron en sumergirse en la charca chapoteando como niños, aunque manteniendo prudentemente la cabeza fuera del agua, lo que les permitió relajarse tras largos días de tensión.

El agua no era potable, pero ambos sabían en qué proporción debían mezclarla con la que tenían con el fin de no correr riesgos, porque beber agua demasiado salada apagaba de momento la sed, pero hacía que esta pronto aumentara y su amargor les advertía del peligro de padecer un súbito ataque de disentería que les conduciría a una peligrosísima deshidratación.

Las plantas que crecían junto a la charca eran de las conocidas como *amayil* y *tibunuar,* que incluso las cabras se negaban a comer por venenosas, y sus raíces eran las que emponzoñaban el agua.

El hecho de mantener la cabeza siempre erguida había impedido que se les irritaran los ojos, y gracias a ello de lo único que tenían que preocuparse era de intentar salir con vida de aquella perdida montaña.

—¿Dónde crees que estamos…? —inquirió de improviso Yusuf como sin darle importancia a la pregunta.

—A seis o siete días de marcha de Kidal… Supongo.

—¿Has estado alguna vez en Kidal?

—Nadie ha estado nunca en Kidal… —fue la desconcertante respuesta—. Por lo menos nadie en su sano juicio, porque tiene fama de ser una de las ciudades más remotas, violentas y calurosas del planeta.

—¿Encontraremos yihadistas?

—Seguro.

—¿Y a gente del *ettebel*?

—También.

—¿Y por qué no se matan entre ellos y nos dejan en paz?

Omar el Khebir se irguió apoyándose en el codo para observar a su exlugarteniente como si le costara aceptar que hubiera hecho una pregunta tan estúpida.

—Se matan entre ellos, de eso no me cabe la menor duda —dijo—. Pero, como son de los que matan gratis, aún les sobra energía.

—¿Tú nunca matas gratis?

—No, si puedo evitarlo.

—Conozco mucha gente que merece que la maten gratis —señaló Yusuf.

—Cuestión de gustos…

Se puso en pie, comenzó a vestirse con estudiada parsimonia, observó el cielo intentando calcular el tiempo de luz que aún les quedaba y por ultimo comentó:

—Y ahora lo mejor que podemos hacer es devolvernos nuestras armas y separarnos, porque sé que llegará un momento en que me vencerá el sueño y no creo que durmiera a gusto sabiendo que estás cerca.

—¿Llevamos seis años juntos y aún no te fías de mí? —se lamentó su ofendido exlugarteniente.

—No me fío de ti porque llevamos seis años juntos,

querido —fue la descarada respuesta—. Te aprecio tanto que no quiero caer en la tentación de quedarme con tu agua, y mucho menos hacerte caer en la tentación de quedarte con la mía.

Cuando el sol rozaba el horizonte, se habían perdido de vista el uno al otro; al oscurecer Omar el Khebir apretó el paso y solo cuando ya era noche cerrada se detuvo a plantearse la nueva estrategia a seguir.

Si se trataba de disparar a larga distancia, Yusuf contaba con una clara ventaja porque estaba considerado un excelente tirador, debido a lo cual la más elemental prudencia recomendaba no ponerse a su alcance.

La guerra abierta era una cosa y la guerra de guerrillas otra muy diferente, pero en lo que ahora estaban inmersos era en una disparatada cacería humana en la que todos parecían llevar una diana en el culo.

Al pensar en ello experimentó la desagradable sensación de haberse convertido en el hombre más solitario del planeta; el más odiado, el más acosado y el único al que incluso su mejor amigo parecía decidido a matar.

Y, por si todo ello no bastara, se encontraba perdido en el corazón del mayor de los desiertos y con muy escasa provisión de agua.

Tenía, eso sí, tanto dinero que le sobraría para comprar cuanto alcanzaba a ver, pero todo cuanto alcanzaba a ver tan solo era arena, que ni siquiera estaba en venta.

Tenía tanto dinero como para pasarse varios años en Roma acudiendo cada noche a casa de Angelina, pero en aquellos momentos ese dinero no le servía ni para comprar un mísero refresco.

Llegó a una evidente y desoladora conclusión: el dinero era algo inventado por los hombres para el exclusivo uso de los hombres y, si por aquellos desolados andurriales no había un solo hombre, lo único que podía hacer con ese dinero era barquitos de papel que de nada servían, porque ni siquiera existía un triste charco en el que ponerlos a flotar.

# 13

Concederle el título de aeropuerto era tanto como haberle concedido el título de transatlántico a una barca de remos.

Con una barca de remos, suerte, paciencia y buenos brazos se podía cruzar el océano y con mucha pericia, suerte y valor se podía aterrizar en la pista de arena de Kidal sin acabar empotrado en cualquiera de las casuchas que la flanqueaban conformando un ángulo en cuyo vértice se alzaba el pequeño edificio de la terminal.

Hacía ya tres días que no había aterrizado ningún avión que no fuera de las fuerzas francesas, por lo que al anochecer el malhumorado Ibrahím Musa abandonó su oficina preguntándose cómo demonios iba a sacar adelante a su familia mientras aquel maldito embrollo continuase.

Si no había tráfico aéreo no entraban mercancías ni tenía nada que contarles a los yihadistas.

Y, si la región seguía en alerta roja, no existía forma humana de llevar niños «al cacao».

Sus competidores del sur podían continuar traficando con ellos porque les bastaba con cruzar la cercana frontera, pero Kidal se encontraba demasiado lejos de Costa de Marfil y no podía arriesgarse a alquilar un camión, que tanto los militares franceses como los malienses interceptarían de inmediato.

Conocía a gente que sabía cómo sacarle provecho a las guerras, pero él aún no había aprendido a hacerlo, y a no ser que Sad al Mani se adueñara de la ciudad y le recompensara por los servicios prestados, sus mujeres y sus hijos acabarían pasando serios apuros puesto que los alimentos escaseaban y los precios se disparaban.

En tiempos de paz llegaban de tanto en tanto aviones de organizaciones humanitarias cargados de arroz, harina, aceite, leche en polvo o medicinas, y casi siempre conseguía que algo de ello acabara en su despensa, pero desde hacía meses los franceses lo controlaban todo y un mal encarado sargento le había amenazado con azotarle en público si volvía a sorprenderle metiendo la mano donde no debía.

¡Cerdos franceses! Volvían a considerarse los dueños del país.

Se entretuvo charlando con un vecino que tomaba el fresco sentado a la puerta de su casa, y ya era noche cerrada cuando sacó las llaves para abrir el portón de la suya.

En ese momento un desconocido surgió de la oscuridad y preguntó:

—¿Ibrahím Musa…?

Asintió, y fue lo último que hizo en su vida.

Al escuchar el disparo, el prudente vecino recogió la silla y desapareció en el interior de su vivienda, porque no estaban los tiempos como para hacer preguntas y siempre había dado por supuesto que el día menos pensado le ajustarían las cuentas a un tipo tan indeseable y marrullero como Ibrahím Musa.

Aquel había sido el día elegido, porque los tiempos revueltos solían ser tiempos de venganza.

El eco del disparo aún no se había apagado y ya Gacel se había difuminado en las tinieblas, por lo que apenas diez minutos después se encontraba haciéndole compañía a la esposa de Suilem Baladé, al que aún le quedaba mucho trabajo por hacer.

Al tuareg le encantaba hablar con la delicada mujer de la vida y la muerte, con la explícita complicidad y naturalidad con que podían hacerlo quienes sabían que dicha muerte les rondaba de cerca.

Ghalia Mendala era como una flor a la que una brisa suave pero cálida y persistente hubiera ido arrancando uno a uno los pétalos hasta convertirla de nuevo en un estilizado capullo de tallo largo que no obstante conservaba toda la fascinante hermosura y el embriagador perfume de su juventud.

De piel negra como el azabache, ojos rasgados, boca perfecta y largas manos, parecía vivir avergonzada por no haber logrado ser la madre de los hijos del Escritor, convirtiéndose en una carga y no en una ayuda.

Amaba y admiraba a su marido, que no solo trabajaba y la cuidaba, sino que era capaz de pasarse horas leyéndole las fabulosas historias de *Las mil y una noches* con voces y entonaciones tan distintas que cuando cerraba los ojos sospechaba que el dormitorio había sido invadido por una compañía de fabulosos actores.

Se sentía especialmente orgullosa de su origen songhai,

pero sobre todo de su madre, que había tenido el coraje de enfrentarse a las mujeres de su aldea oponiéndose a que su hija pasara por el suplicio de la ablación.

—Hace treinta años semejante actitud estaba considerada casi como una herejía —había dicho con su voz cálida aunque apenas audible—. Pero mi madre se mantuvo firme y, cuando comprendió que mi abuela me extirparía el clítoris en cuanto tuviera ocasión, huimos para no volver nunca. Pasamos hambre, pero consiguió que cuando me hice mujer pudiera disfrutar plenamente del amor de Suilem y él del mío. ¡Que Dios la tenga en su gloria!

Fue la única persona con la que Gacel Mugtar se atrevió a hablar de lo que había sentido por Alina, y la única a la que le recitó el pequeño poema que había compuesto en honor a Zair:

«Me condujiste de la mano hasta los cielos, y con la misma mano me bajaste a los infiernos; ahora sé que jamás volveré a ninguno de ellos porque ya no estás aquí para llevarme».

—Le hubiera encantado que se lo recitaras personalmente —señaló la enferma—. A las mujeres nos gustan esas cosas.

—No a Zair… —replicó convencido—. Se hubiera reído.

—En ese caso no hubiera sido digna de tu poema —le hizo notar ella—. Y, por lo que me has contado, debe serlo. Cuando vuelvas a verla recítaselo y comprobarás que no se echa a reír.

—Preferiría no volver a verla, porque es la única que me impediría continuar luchando.

—No me habías comentado que se opusiera.

—Y no se opone.

—¿Entonces…?

—«El caravanero que pierde su tiempo recordando el oasis que dejó atrás se arriesga a no ver el siguiente.»

—Me resulta difícil entenderte debido a que mi vida se centra en un continuo mirar hacia atrás, pero lo intento… —la fabulosa mujer hizo una pausa y al fin se decidió a preguntar—: ¿Serías capaz de escribir un poema igualmente hermoso para que pueda recitárselo a Suilem?

—Suilem no necesita que le recites poemas… —fue la sincera respuesta—. Le basta con verte.

—Lo que acabas de decir también es en cierto modo un poema… —señaló ella, para añadir con un susurro—: A menudo me pregunto por qué razón, si la gente es tan desgraciada y a nosotros nos bastaba con tan poco para ser felices, el Señor se ha empeñado en llevarme a su lado demasiado pronto.

—Por celos.

Era una ancha vaguada, tal vez el cauce por el que discurriera el río Níger antes de que el vengativo leñador Tombuctú lo desviara de su curso y, sin que pudiera considerarse un auténtico oasis, puesto que carecía de palmeras, se encontraba cubierto por una espesa capa de vegetación que contrastaba con el resto del paisaje de altas dunas que parecían abrazarlo e incluso intentar ocultarlo a la vista de los extraños.

En su centro se alzaban una remendada jaima, un huerto protegido por una rudimentaria valla y el brocal de un pozo junto al que distinguió a una chicuela que parecía mantener una animada charla con una mugrienta muñeca de trapo mientras frente a ella un pequeño burro se sentaba sobre los cuartos traseros de tal forma que casi parecía una persona que estuviera escuchando atentamente.

Una treintena de cabras, cuatro dromedarios y tres burros más pastaban acosados por los tábanos, y los insectos fueron los primeros en advertir la presencia del intruso acudiendo a intentar completar con sangre humana su diario menú de sangre animal.

Incluso un individuo tan curtido como Omar el Khebir, acostumbrado a sobrevivir en las peores condiciones, no pudo por menos que preguntarse cómo era posible que alguien hubiera elegido semejante lugar para instalarse.

Aguardó unos minutos intentando hacerse una idea sobre qué clase de peligros le acecharían si continuaba aproximándose, y al fin optó por gritar llamando la atención de la chiquilla.

Esta le observó con la expresión de quien ha visto a un fantasma, comenzó a gritar a su vez y al poco hizo su aparición en la entrada de la jaima un negro gigantesco con la cara desfigurada por una ancha cicatriz, que solo se cubría con un taparrabos, pero portaba una vetusta escopeta de cañones paralelos que probablemente causaría más estragos a quien osara dispararla que a quien se encontrara frente a ella.

Omar el Khebir decidió que no era momento de enredarse en trifulcas de incierto resultado, por lo que optó por tomar asiento y extender las manos permitiendo que fuera el otro quien se aproximara.

—*Salam aleikum!*

—*Salam aleikum!*

—¿Vienes en son de paz?

—A la vista está, puesto que podrías matarme.

—¿Y qué sacaría con matarte? —fue la pregunta no carente de lógica—. Hay quien asegura que a mis antepasados les gustaba la carne humana, pero de eso hace muchísimo tiempo y la tuya no parece demasiado apetecible.

—Tengo dinero.

—Puede que mis antepasados fueran caníbales, pero nunca fueron ladrones —señaló el dueño de la jaima mientras tomaba asiento a su lado—. ¿De dónde vienes?

Omar el Khebir señaló con el dedo pulgar a sus espaldas.

—Del desierto.

—Todo a nuestro alrededor es desierto... —le hizo notar el gigante—. Pero de esa parte jamás había llegado nadie.

—Me sorprendió una tormenta y mi camello murió.

—Raro resulta que durante una tormenta el camello muera antes que su jinete, pero no soy quién para opinar. ¿Cómo puedo ayudarte?

—Vendiéndome agua, cabras y un burro.

—El agua es gratis, pero mis animales no están en venta.

Omar el Khebir extrajo de una bolsa un grueso fajo de billetes que introdujo a medias en la arena.

—Te pagaría veinte veces su valor.

El negro atrapó con un rapidísimo movimiento un tábano que intentaba picarle y lo aplastó entre sus enormes dedos al tiempo que inquiría:

—¿Y qué voy a hacer aquí con eso?

—Aquí nada... —fue la lógica respuesta—. Pero en algún lugar que conozcas podrás comprarte doscientas cabras y veinte burros.

—Estos pastos no dan para doscientas cabras y veinte burros... —le hizo notar el hombre de la horrenda cicatriz con una desconcertante sonrisa—. Se morirían de hambre.

—En ese caso puedes comprarte una jaima más grande, una escopeta nueva, lindos vestidos para tu mujer y una muñeca de las que hablan para tu hija.

Su interlocutor agitó una y otra vez la cabeza como si la propuesta le pareciera razonable y, tras atrapar otro tábano, demostrando una vez más una asombrosa habilidad, comentó:

—Eso estaría bien, aunque no creo que Kalia quiera cambiar de muñeca porque llevan juntas toda la vida. Y las muñecas que hablan lo hacen en francés, que ella no entiende.

—A lo mejor a las dos les apetece tener otra amiga... —aventuró Omar el Khebir en idéntico tono—. Y si no les gusta la pueden tirar al pozo.

—Eso no estaría bien, porque hay muchas niñas que no tienen muñecas.

—Lo que acabas de decir confirma que eres un hombre compasivo.

—Lo único que demuestra es que no acostumbro a tirar nada.... —replicó el otro antes de añadir—: ¡De acuerdo! Tal vez acepte el trato si me dices para qué quieres las cabras y el burro si a partir de aquí solo encontrarás arena.

—Para ir a Kidal. ¿Sabes por dónde queda?

El negro hizo un gesto indeterminado evidenciando que no lo tenía muy claro.

—Creo que en aquella dirección, pero muy lejos —luego dudó al inquirir—: ¿No te sería más útil un camello? El mehari blanco es magnífico y soportaría un largo viaje.

Quien se sentaba a su lado negó convencido:

—Un hombre montado en un magnífico mehari blanco llama la atención y no todo el mundo es tan honrado como tú. Sin embargo, un mísero pastor que acarrea cabras famélicas no despierta bajos instintos.

—Mis cabras no están famélicas —protestó su dueño.

—Lo estarían cuando llegáramos a Kidal.

—Eso es muy cierto; llegarían echas un asco... —se detuvo un momento y concluyó con escepticismo—: Si llegaran. A Kalia le dará mucha pena, porque las ha visto nacer y se entretiene amaestrándolas. Tiene muy buena mano con los animales y en ocasiones creo que la entienden.

—¿Quieres decir con eso que aceptas el trato?

—Con una condición.

—¿Y es...?

—Que me confieses que en realidad eres un fugitivo de la justicia e imaginas que te resultará mucho más sencillo escabullirte haciéndote pasar por un pobre pastor de cabras que por un rico salteador de caminos.

—Estás resultando ser un negro muy sensato teniendo en cuenta que vives en un lugar como este... —le hizo notar Omar el Khebir con innegable sorna.

—Precisamente vivo en un lugar como este porque soy un negro muy sensato —puntualizó quisquillosamente el otro—. Aquí los únicos que molestan son los tábanos durante tres meses al año. Fuera de aquí, la gente molesta todo el año —hizo un gesto con la barbilla hacia los billetes que continuaban semienterrados en la arena y añadió—: Si me dices de quién huyes, te traeré agua, el burro y las cabras.

Omar el Khebir se tomó un tiempo para responder, se asombró de nuevo ante la habilidad como cazador de insectos de su acompañante, intentó urdir una mentira aceptable, pero por último decidió que no valía la pena esforzarse.

—Huyo de los tuaregs, que me acusan de haber cometido todos los delitos que seas capaz de imaginar, por lo que han puesto precio a mi cabeza.

—Yo no soy tuareg.

—Lo sé, pero miembros de algunas otras tribus también quieren matarme y admito que les asiste la razón.

—De eso estoy seguro, pero por lo que a mí respecta solo eres un viajero, porque hasta ahora te has comportado con absoluta corrección...

—Demuestras ser un hombre justo.

El gigantón se puso en pie recogiendo el arma y el dinero al tiempo que comentaba jocosamente:

—En pocos minutos me has llamado honrado, compasivo, sensato y justo. Te traeré tus animales antes de que empieces a encontrarme incluso guapo...

# 14

Níger ha padecido incontables ataques terroristas, pero nunca atentados como los que han costado la vida a veintidós militares de un cuartel de Agadez, así como a un empleado de la multinacional francesa que explota la mina de uranio de Arlit. Se contabilizaron también más de sesenta heridos.

La doble explosión de coches bomba en Agadez y Arlit, que fue seguida con un tiroteo en el que murieron tres asaltantes, ha sido reivindicada por el grupo extremista que secuestró en el suroeste de Argelia a dos cooperantes españoles y a una italiana. Horas después, los yihadistas aseguraron haber supervisado los ataques dirigidos contra los enemigos del islam en Níger, a lo que el presidente francés respondió prometiendo proteger los intereses de su país y cooperar con Níger en su lucha contra el terrorismo.

París apenas tiene intereses en Malí, donde ha intervenido militarmente, pero sí los posee en Níger, donde explota las principales minas de uranio. De las minas nigerinas se extrae hoy día el ocho por ciento de la producción mundial, pero, cuando la de Imuraren funcione a pleno rendimiento, Níger se colocará en el segundo puesto entre los productores de ese mineral.

Francia es el país más nuclearizado del mundo y todo el uranio que consume proviene de Níger, por lo que reforzó su dispositivo de seguridad tras el secuestro de siete empleados; pero cuatro meses más tarde otros dos franceses apresados por los terroristas fueron asesinados cuando las fuerzas de élite galas intentaron rescatarles.

París desarrolla la Operación Serval, destinada a expulsar a los yihadistas del norte de Malí, y también ha envido soldados de sus fuerzas especiales para proteger el uranio de Níger. Pese a estas precauciones, los terroristas han sido capaces de asestar un golpe en el casi todos los muertos son nigerinos. Las primeras indicaciones apuntan a que los yihadistas entraron en Níger desde Malí.

Gacel Mugtar dejó una vez más el periódico sobre la mesa y una vez más alzó la mirada hacia Suilem Baladé, que aguardaba sus comentarios con su taza de café-achicoria en la mano.

—¿Y qué quieres que te diga…? —señaló—. Va a resultar que les estamos haciendo el trabajo sucio a los franceses.

—Como de costumbre... —admitió el Escritor—. Los franceses han sabido convencer a los países de su entorno para que no empleen energía nuclear alegando que resulta demasiado peligrosa, al tiempo que no paran de abrir una central tras otra, y cada vez más cerca de las fronteras. Hacen un magnífico negocio vendiendo energía y resulta evidente que, si una de esas centrales revienta sus radiaciones, afectarán también a sus vecinos.

—¿Acaso los Gobiernos de los países vecinos son estúpidos?

—En unos casos lo son y en otros se han dejado sobornar, eso ya no lo sé... —fue la áspera respuesta—. Nos encontramos inmersos en una endemoniada guerra en la que se enfrentan intereses económicos, políticos y religiosos, y está claro que los palos nos llueven de todas partes.

La revelación sobre la realidad de los intereses de Francia en la región obligaba a Gacel a reflexionar una vez más sobre lo irracional de cuanto estaba sucediendo y la aparente inutilidad de los crímenes que se veía obligado a cometer.

A su modo ver, aquellos a quienes había ejecutado merecían la muerte, pero no podía dejar de preguntarse por qué razón tenía que ser un pobre camionero el encargado de impartir justicia. El simple hecho de haber nacido tuareg empezaba a no parecerle razón suficiente, y así se lo hizo notar a la paciente y comprensiva Ghalia Mendala en cuanto se encontraron de nuevo a solas.

—Pertenecemos a razas diferentes, y los tuaregs y los songhais no siempre hemos estado en buena sintonía, o sea, que tal vez sea la última persona de este mundo que pueda aconsejarte —dijo ella—. Pero, si, por lo que me has contado, solo podías elegir entre tu vida y la de unos sucios mercenarios, supongo que estás libre de culpa. Es más... —añadió con una leve sonrisa—. Los inocentes a quienes habrían matado esos canallas siempre estarán en deuda contigo.

—¿Y quién puede saber algo así?

—Alá.

Gacel Mugtar reflexionó sobre lo que la excepcional

mujer acababa de decir, se maravilló una vez más por su belleza e inteligencia y acabó señalando:

—Tal vez te parezca cruel lo que voy a decir, pero en ocasiones creo que la enfermedad ha creado entre Suilem y tú unos vínculos tan fuertes como no hubieran podido crear media docena de hijos.

—Es posible… —aceptó ella—. Son unos vínculos maravillosos…, pero ¿qué ocurrirá el día que Suilem ya no tenga a quien leerle *Las mil y una noches*?

—Supongo que continuará leyéndolo en voz alta sabiendo que dondequiera que estés le escuchas.

Abandonó la habitación incapaz de soportar las lágrimas que amenazaban con brotar de aquellos fascinantes ojos negros y eso le alivió, pero sobre todo le alivió tropezarse en el pasillo con el inefable Ameney, que le saludó con sincero afecto tirándole de la barba con ambas manos.

—¿Cómo se encuentra mi tuareg favorito? —exclamó alborozado.

—Mejor ahora que veo a mi piloto favorito.

—¿A cuántos hijos de puta te has cargado en mi ausencia?

—Solo a uno.

—Pocos son, visto los que abundan… —fue el descarado comentario—. A ese paso no llegaremos a ninguna parte.

Se le advertía feliz y exuberante, porque una larga y muy activa estancia en el Tombuc-Fútbol Club parecía haber tenido la virtud de liberarle de algunos de sus muchos fantasmas, aunque cuando esa noche se reunieron con el Escritor su actitud cambió casi de inmediato.

—He traído aceite, azúcar, arroz, té y café, aunque no he conseguido demasiados medicamentos —se disculpó—.

Pero son auténticos, ya que me los han proporcionado los propios «honorables contrabandistas» con los que mantengo excelentes relaciones.

—¿A cuenta de qué…?

—En alguna ocasión he volado para ellos.

—Eso no me lo habías contado… —le echó en cara Gacel Mugtar.

—Para contarte toda mi vida necesitaría meses… —fue la burlona respuesta—. Lo que importa es que me consideran uno de los suyos y, como son muy estrictos con respecto a quién venden sus productos, me comentaron algo que me ha obligado a reflexionar.

—¿Acaso obran milagros…? —se sorprendió el tuareg.

—Déjate de bromas, que esto es muy serio —masculló el otro—. La semana pasada les extrañó recibir un gran pedido por parte de una organización humanitaria.

—Han llegado varias —puntualizó el escribiente—. Y, por lo que se comenta están haciendo una magnífica labor en los campos de refugiados…

—Lo sé… —admitió el piloto—. Pero lo lógico es que una organización humanitaria disponga de sus propias medicinas sin tener que recurrir al contrabando, por lo que temiendo que pudiera tratarse de una trampa mis amigos se pusieron en contacto con sus proveedores habituales… —hizo una larga pausa destinada a avivar el interés de quienes le escuchaban hasta que al fin uno de ellos le urgió a continuar:

—¿Y…?

—Les aseguraron que esa organización humanitaria en concreto está dirigida por egipcios simpatizantes de los

Hermanos Musulmanes, y es cosa sabida que a estos los financian emires fundamentalistas del golfo pérsico.

—No me sorprende... —se vio obligado a reconocer Suilem Baladé—. El dinero del petróleo sirve tanto para comprar yates, putas y equipos de fútbol como para financiar a la yihad islámica. En ocasiones reclutan cooperantes que ni siquiera saben para quién trabajan, por lo que algunos acaban pagando con la vida sus buenas intenciones. ¡Jodidos fanáticos...!

—Todo lo jodidos y todo lo fanáticos que quieras, pero de nada sirve perder el tiempo insultándolos... —pareció impacientarse Ameney—. Lo que importa es que un convoy saldrá de Tombuctú con destino a los campamentos de refugiados del norte y, o mucho me equivoco, o parte de su cargamento acabará en manos de Sad al Mani.

—¿Con medicamentos o sin medicamentos...? —quiso saber Suilem Baladé.

—Con medicamentos, porque mis amigos se los vendieron suponiendo que si los compran para uso propio no serán tan estúpidos como para adulterarlos. Por eso no pudieron proporcionarme más.

—¿Has visto esos camiones? —quiso saber Gacel, y ante el mudo gesto de asentimiento añadió—: ¿Cuántos son?

—Cinco enormes Mercedes-Benz cargados de harina, mijo, aceite y arroz, y dos furgonetas tipo ambulancia muy bien equipadas.

—¿Ese equipamiento incluye instrumental odontológico? —se apresuró a inquirir Suilem Baladé.

El piloto somalí le observó un tanto perplejo para acabar por responder, encogiéndose de hombros:

—¡Y yo qué sé…!

—Pues sería importante saberlo.

—¿Y eso…?

El Escritor le explicó cuanto sabían acerca de los problemas dentales de Sad al Mani, y la reacción del somalí no se diferenció mucho de la que había tenido días atrás el tuareg.

—Suena ridículo.

—Totalmente de acuerdo, pero una infección de la boca puede acabar por volverte loco y, si Sad al Mani no se atreve a salir de su escondite, lo lógico es que envíen a alguien capaz de arreglarle el problema de las muelas.

—Supongo que es lo que yo haría… —admitió Ameney sin el menor reparo—. Cuando existe alguna razón por la que no puedes acudir al médico, debe ser el médico el que acuda a tu casa.

— Y que te atrapen y te ahorquen son razones de mucho peso —reconoció a su vez Suilem Baladé—. ¿Tus amigos de Tombuctú podrían averiguar si alguna de esas furgonetas transporta material odontológico?

—Supongo que sí.

—¿Y si figura algún dentista entre su personal?

—Supongo que también.

No obstante, no fueron los prudentes amigos contrabandistas de Ameney en Tombuctú, sino las desinhibidas amigas de Ameney del Tombuc-Fútbol Club, las que le confirmaron que en los últimos días habían recibido numerosas visitas de generosos clientes «no habituales», entre los que abundaban militares de las fuerzas de intervención, funcionarios de las diversas delegaciones que habían acudido a intentar que se cerraran acuerdos de paz entre las facciones en conflicto e incluso miembros de organizaciones humanitarias que sabían que tendrían que soportar un largo período de abstinencia a partir del momento en que se internaran en el desierto.

Una de las chicas aseguraba haber pasado dos noches con un egipcio muy redicho y relamido que le había aconsejado cómo cuidar su dentadura y protegerse de las infecciones tras haber practicado el sexo oral, aunque le resultaba imposible determinar si se trataba de un militar o de un civil, puesto que solo le recordaba desnudo.


La idea de viajar sobre un burro y acompañado por diez cabras con la astuta intención de pasar por un humilde pastor, procurando de ese modo que nadie le relacionara con el grupo de mercenarios que habían masacrado a los senaudi, surtió efecto hasta el momento en que las cabras comenzaron a mostrarse en desacuerdo.

Omar el Khebir estaba acostumbrado a que sus órdenes se obedecieran en el acto, pero quienes ahora le seguían ya no eran el fiel Yusuf o los difuntos Tufeili o Almalarik, sino unas rebeldes bestias que en cuanto avistaban un arbusto corrían en su busca, y resultaban inútiles los gritos o amenazas teniendo en cuenta que la mayor parte del tiempo atravesaban zonas en las que no se encontraba ni un mal pedrusco que arrojarles.

La bucólica estampa de un paciente y curtido hombretón que sin más ayuda que su cayado, sus silbidos o sus bien adiestrados perros cuidaba rebaños que pastaban en las verdes praderas de una brumosa montaña en nada se parecía a la del sudoroso y afanado beduino cuyos animales se dispersaban en procura de un triste matojo que llevarse a la boca.

En aquella perdida llanura del noreste de Malí una cabra necesitaba mil veces más terreno para conseguir alimento que en cualquier región de Europa y, si se adentraban en los cercanos mares de dunas, diez mil veces más.

Y, por si ello no bastara, no existía ni un triste arroyuelo, pozo, charco o manantial en kilómetros a la redonda.

Los primeros días, tanto Omar el Khebir como los animales calmaban la sed con la leche de las cabras mezclada con puñados de mijo, pero pronto resultó evidente que dondequiera que se encontrase Kidal cada vez parecía estar más lejos, ya que lo que estaban haciendo no era avanzar en una dirección concreta, sino vagar sin rumbo en pos de unas briznas de hierba.

Cabría afirmar que un inteligente plan de batalla diseñado por un competente general había concluido en un rotundo fracaso debido a la total indisciplina de la tropa a su mando. Balidos y rebuznos eran las respuestas que Omar el Khebir recibía a cambio de sus imprecaciones, por lo que llegó un momento en que comprendió que con el agua y las energías que estaba consumiendo en perseguir a las hediondas bestias podría llegar solo hasta la mismísima Roma.

Al cuarto día, y aceptado su total fracaso como improvisado pastor, abandonó a su suerte a un díscolo rebaño al que no pareció preocuparle lo más mínimo su deserción, por lo que continuó subido en el borrico hasta que este también comenzó a dar muestras de agotamiento. Estaba a punto de abandonarle de igual modo cuando al coronar un altozano advirtió que a lo lejos se distinguía lo que parecía ser una pista de tierra que se perdía de vista en la distancia.

En efecto lo era y, al aproximarse y observar de cerca la cantidad de arena que se había depositado sobre las diferentes marcas de neumáticos, dedujo que algún tipo de vehículo pesado había pasado por allí hacía menos de una semana.

Se sentó a meditar sobre qué dirección tomar y le sorprendió descubrir que el burro se sentaba a su lado.

Lo lógico hubiera sido que se alejara a buscar alimentos, se quedara quieto o incluso se tumbara a descansar, pero en lugar de eso se había acomodado sobre sus cuartos traseros apoyándose en las patas delanteras y mirando al frente como si también estuviera reflexionando sobre la difícil situación en que se encontraban.

Se volvió a observarle y el animal se limitó e emitir un corto rebuzno mostrándole la reseca lengua.

—¡Pero bueno! —exclamó estupefacto—. Miles de kilómetros de desierto y tienes que venir a echarme tu repugnante aliento a la cara. ¿Qué clase de bicho eres?

Le vino entonces a la mente la escena en la que la chicuela del pozo hablaba con su muñeca mientras un burro la escuchaba sentado de igual modo, por lo que decidió que tal vez fuera él mismo o tal vez, y como aseguraba su padre, la niña tenía un extraño don a la hora de amaestrar animales.

Fuera como fuese, lo cierto es que la escena resultaba un tanto pintoresca y, al reparar en el desmesurado tamaño del pene de su acompañante, Omar el Khebir no pudo por menos que dejar escapar una corta carcajada.

—Supongo que no se te pasará por la cabeza la idea de violarme —dijo—. ¡Sería lo único que me faltaba...!

El asno se limitó a mostrarle de nuevo la rasposa lengua, por lo que, aun a sabiendas de que debía escatimar el agua, le derramó un poco en la boca mientras mascullaba:

—Toma, pero no te acostumbres. Y, si tuvieras un auténtico instinto de burro, deberías decidir si tenemos que dirigirnos hacia el norte o hacia el sur.

Como si hubiera entendido, o como si pretendiera demostrar la famosa y acreditada habilidad de los de su especie a la hora de encontrar las rutas más cortas, el animal se puso en pie y se encaminó hacia el norte siguiendo las rodadas de los vehículos.

Omar el Khebir le siguió encogiéndose de hombros, por lo que anduvieron sin prisas hasta que se puso el sol, momento en que el asno decidió tumbarse cuan largo era como dando por concluida su jornada de trabajo.

Intentó obligarle a ponerse en pie, pero resultó inútil, y en cuanto oscureció comprendió que la rebelde bestia tenía razón, porque sin visibilidad corrían el riesgo de salirse de la pista y perderse de nuevo.

Optó por tenderse a su lado al tiempo que rezongaba:

—Al final va a resultar que el más burro soy yo.

Casi al amanecer arreció como siempre el frío, por lo que se despertó temblando y le alarmó que el animal no se encontrara a su lado, pero con la primera claridad lo descubrió lamiendo con sumo cuidado el rocío que se había depositado sobre un montículo de rocas, aunque a los pocos instantes se quedó inmóvil con las orejas tiesas y la mirada fija en el punto por el que habían venido.

La columna de polvo y el rumor del motor no tardaron en confirmarle que un vehículo se aproximaba y, cuando comprobó que se trataba de uno de los gigantescos camiones que solían atravesar el desierto cargados de bultos y pasajeros, Omar el Khebir enterró bajo la arena su fusil, llamó al asno y le obligó a tomar asiento a su lado.

Ofrecían una estampa en verdad sorpresiva e hilarante y, cuando quince minutos después el bamboleante vehículo se detuvo a su lado, los pasajeros no podían contener la risa y uno de ellos se decidió a preguntar:

—¿A qué tribu pertenecéis…?

—¡Pero, primo…! —fue la descarada respuesta—. ¿Es que no nos recuerdas? Nos criamos juntos, aunque hemos cambiado mucho. Tú a peor.

El conductor había descendido desperezándose como si considerara que había llegado el momento de tomarse un merecido descanso.

—¿Qué haces aquí? —quiso saber.

—Podría responderte que soy el encargado de dirigir el tráfico, pero lo cierto es que llevaba mis cabras en busca de nuevos pastos y me he perdido. Esta maldita sequía está acabando con todo. ¿A dónde vais?

El otro hizo un gesto hacia adelante:

—A Kidal.

—¿Y a qué distancia queda?

—A unas ocho horas de marcha… —hizo una corta pausa para añadir, como si eso fuera algo que siempre había que tener en cuenta—: Si tenemos suerte.

Varios de los pasajeros habían aprovechado para saltar a tierra y hacer sus necesidades o estirar las piernas, e incluso se habían aproximado a observar de cerca el burro, que permanecía en idéntica posición como si fuera consciente de su importancia.

Un muchachito traía un puñado de mijo que le ofreció en el cuenco de la mano al tiempo que preguntaba:

—¿Cómo le has enseñado a sentarse?

—No le enseñé —respondió—. Es que ahora vienen así de fábrica... —ante el malestar del chicuelo, Omar el Khebir añadió, guiñándole un ojo—: No lo sé, hijo; lo único que sé es que es muy listo —se volvió de nuevo al conductor para inquirir, mientras le mostraba dos arrugados billetes y unas cuantas monedas—: ¿Bastará para llevarnos a Kidal...? Es todo lo que tengo.

El demandado contó el dinero y asintió, aunque no demasiado convencido.

—Como ya hemos pasado de la mitad del camino, solo te cobraré medio billete, pero te advierto que el del burro te va a costar más de lo que vale. Ya casi nadie compra burros.

—Pues hacen mal, porque si los dedicaran a la política, les sacarían grandes beneficios. ¿Tenemos derecho a agua?

—Medio cubo por cabeza, pero apresúrate, porque estamos perdiendo tiempo.

Varios viajeros le echaron una mano para subir al asno al camión, y a los diez minutos de haber reiniciado la marcha un pasajero, que había permanecido dormitando entre una pila de sacos, tocó el hombro de Omar el Khebir para comentar en voz muy baja y sin mirarle:

—Veo que ahora te relacionas con otra clase de amistades.

Al reconocer la voz, replicó en el mismo tono:

—¡Maldito hijo de una cabra sarnosa...! ¿Cómo has llegado hasta aquí?

—Del mismo modo que tú, pero sin burro.

# 15

Hacía mucho tiempo que no se celebraba una boda con tanto lujo y tan importantes invitados, debido a que el novio era hijo del dueño de los mayores yacimientos de natrón del país y, si los camellos del padre de la novia se colocaran uno tras otro, desaparecerían en el horizonte.

El natrón se extraía en grandes losas que esos mismos camellos transportaban a cientos de kilómetros de distancia, lo cual venía a significar que el éxito en los negocios del padre de la novia dependía del éxito en los negocios del padre del novio.

Y viceversa.

Los antiguos egipcios denominaban al natrón «la sal de los dioses», porque les resultaba imprescindible para momificar a sus muertos; y las viejas leyendas contaban que un faraón ordenó que partieran desde los yacimientos de Malí seiscientos camellos cargados con grandes placas y que tras casi cinco meses de viaje las embarcaran en Sudán para que el padre Nilo las condujera hasta el valle de los Reyes.

Ahora, miles de años después y con la unión de las dos familias, la totalidad del negocio quedaría en casa y el primer hijo varón se convertiría en uno de los hombres más ricos del país.

El lugar elegido para la multitudinaria fiesta había sido un pequeño oasis en el que se levantaron casi un centenar de hermosas jaimas de colores o dibujos diferentes según las tribus a la que pertenecían los invitados, y a orillas de la laguna se instaló un gran escenario en el que músicos, danzarines, ilusionistas, contadores de historias y poetas actuarían a todas hora del día y parte de la noche.

Como los novios deseaban que la ceremonia se celebrara según los ritos más ancestrales, se había prohibido la presencia de vehículos a motor, que debían aparcarse a unos dos kilómetros de distancia y bajo grandes toldos tan hábilmente inclinados que les protegían no solo del sol, sino especialmente de un viento que en aquel lugar soplaba del noreste arrastrando finos granos de arena que de otro modo hubieran acabado introduciéndose en los motores y engranajes.

Tampoco estaban permitidos los transistores, ordenadores o teléfonos móviles, y la iluminación nocturna se basaba en antorchas, hogueras de maderas aromáticas y lámparas de aceites perfumados.

Quien decidiera aceptar una invitación, cuya redacción había sido encargada a Suilem Baladé, que se las vio y deseó a la hora de no herir sentimientos o provocar susceptibilidades, sabía de antemano que debía acudir a lomos de los enjaezados dromedarios que les aguardarían en el punto en que dejaran sus vehículos, vestir las ropas ceremoniales propias de su rango, no portar armas, no consumir drogas y no discutir de política o religión durante los días que durara la fastuosa celebración.

Gracias a sus influencias y a un dinero generosamente depositado en las manos apropiadas, las dos poderosas familias habían conseguido que tanto los activistas del Azawar como el Gobierno central, las tropas de intervención y los fundamentalistas islámicos aceptaran un momentáneo alto el fuego alegando que existían circunstancias en las que la concordia, la paz y el amor debían prevalecer sobre la política, el odio y la violencia.

Tal como ordenaba la tradición, la ceremonia había sido oficiada en una mezquita de Kidal por un imán amigo de las dos familias, el respetado y bondadoso morabito Songó Babangasi, pero sin que estuvieran presentes los novios, puesto que, aunque los tiempos habían cambiado y fueran estos últimos los que hubieran elegido con quién querían casarse, a los beduinos les encantaba mantener las apariencias, aunque solo fuera como muestra de respeto hacia sus mayores.

Si sus padres les habían enseñado a sobrevivir en un entorno tan hostil como el desierto, su primera obligación era demostrar su agradecimiento, y la mejor demostración era reconocer que mientras ese desierto no cambiara, y llevaba más trazas de expandirse que de mejorar, la única herencia a tener en cuenta era la valiosísima experiencia que sus progenitores les habían transmitido.

El ritual dictaminaba que la novia y su amiga más querida ocuparán una pequeña jaima que cada mañana desmontaban para volver a levantar de inmediato aumentando su tamaño y comodidades, lo cual era una forma de demostrar que sabían hacer su trabajo de mujeres nómadas y que confiaban en que el matrimonio sería tan próspero y dichoso que cada vez necesitarían más espacio para sus muchos hijos.

Por su parte, las abuelas de los novios se ocupaban de la difícil tarea de espantar a los temibles *gri-gri*, los malos espíritus que vivían eternamente envidiosos de la felicidad de los seres humanos y para los que una boda constituía el lugar más apropiado para llevar a cabo sus pérfidos designios.

Hábiles *majarreros* habían labrado en plata infinidad de amuletos destinados a mantener lejos del oasis a tan indeseables criaturas del inframundo, de las que se aseguraba que en semejantes fechas eran capaces de volver impotentes a los hombres y frígidas a las mujeres.

Y una noche de bodas en la que una pareja no disfrutara plenamente el uno del otro auguraba un negro futuro, no solo para ellos, sino también para su descendencia.

Al fin y al cabo, los *gri-gri* tan solo eran fruto de la imaginación, y las ancianas sabían que la imaginación solía jugar malas pasadas en los momentos más inoportunos.

Los costosos amuletos y el trabajo de las ancianas habían surtido sin duda un extraordinario efecto beneficioso, puesto que al tercer día en el oasis todo seguían siendo risas y alegría, por lo que mientras hubo luz los invitados se divirtieron con carreras de camellos, algaradas en las que corría la pólvora y partidos de fútbol en los que los jóvenes jugadores del club que patrocinaba el padre del novio demostraban su habilidad con el balón incluso sobre la arena.

Al caer la noche, y tras permitir que los invitados disfrutaran de un espectacular ocaso mientras bandadas de aves migratorias cruzaban el cielo rumbo al norte, se encendieron las hogueras y, después de una pantagruélica cena en la que los corderos, los cabritos, los conejos y los pollos se asaron a la vista, la mayor parte de los asistentes se acomodaron frente al escenario aguardando impacientes la actuación de un celebrado poeta procedente de la mismísima La Meca, cuna del Profeta.

Como prolegómeno actuaron magos, humoristas, músicos y bailarinas, a continuación se concedió un descanso durante el que se sirvieron toda clase de dulces y, por fin, el hombre que disfrutaba del inmenso honor de haber nacido a la sombra de la Kaaba en la Ciudad Santa comenzó a cantar las fabulosas hazañas del más noble y más glorioso de sus reyes:

A lomos de camellos,
a lomos de caballos,
saliendo de la nada,
con nada entre las manos,
así llegaron.

Con la fe como espada,
con la verde bandera
y la limpia mirada,
así llegaron.

¿De dónde habían salido?
Del lejano pasado,
de la triste derrota,
de la muerte y el llanto.

Y van de nuevo camino
de más muerte y más llanto,
pues apenas son treinta
y ellos son demasiados.

El oro turco
compró al traidor,
el oro turco
pagó el cañón,
pero el oro turco
no compra amor,
y Arabia ama
a su señor.

A Gacel Mugtar le encantaba aquella epopeya, pero siempre se había preguntado cómo era posible que en poco más de un siglo se hubiera perdido el espíritu del hombre que había demostrado no solo una increíble inteligencia, sino que además había hecho gala de un profundo amor a la libertad, la concordia y la justicia.

Padre de casi un centenar de hijos, estos habían engendrado a su vez una pléyade de parasitarios «príncipes» que derrochaban vanamente las ingentes riquezas que les proporcionaba el petróleo, a la par que imponían en el país de su heroico bisabuelo un feroz régimen dictatorial sin tener en cuenta el legado de un excepcional antepasado al que se lo debían todo.

Los turcos son feroces
y cruel su aliado,

pero ellos no les temen
pese a ser demasiados.

Con la verde bandera
y la fe como espada,
así marcha Saud
sobre un blanco caballo.

Viene a reconquistar
aquel reino robado,
viene a recuperar
el honor mancillado.

Por allí llega Saud
sobre un blanco caballo,
y los turcos le ignoran
porque son demasiados.

Pero Saud galopa
sobre un blanco caballo
porque sus enemigos
nunca son demasiados.

En opinión de Gacel, Saud de Arabia merecía haber sido tuareg y, aunque por sus venas nunca corrió la sangre del Pueblo del Velo, de la Lanza o de la Espada, resultaba evidente que sí corría su misma forma de ver el mundo desde el prisma de la austeridad y la fraternidad que imponían el hecho de haber nacido en ambientes extremadamente hostiles. El pueblo tuareg era el único capaz de permanecer siglo tras siglo pegado a los arenales y se comportaba como la semilla del *acheb*, que se negaba a crecer en campos cultivados o junto a un pozo, pero que bajo el agua de lluvia despertaba con violencia, cubría la llanura de verde y transformaba un árido paisaje en la más hermosa de las regiones, floreciendo apenas unos días para sumergirse luego en un nuevo y largo sueño hasta la llegada del próximo aguacero que tal vez tardaría quince años en descargar.

Aquel mítico guerrero de casi dos metros de altura, que siendo apenas un muchacho se empeñó en recuperar el trono que le había sido arrebatado a su padre, merecía ciertamente haber nacido tuareg, porque había sido capaz de enfrentarse al todopoderoso Imperio otomano e incluso a los religiosos que intentaban imponerle sus rígidas ideas fundamentalistas.

No obstante, su hermoso legado se había diluido en un mar de oro negro.

La historia de un personaje del que el presidente Roosevelt había asegurado que era el mandatario más inteligente que había conocido era muy larga, por lo que, sabiendo la desmesurada extensión del poema que cantaba sus hazañas, Gacel Mugtar decidió que aquel era el momento de escabullirse fingiendo que tenía que acudir a los urinarios, pero con la intención de perderse luego en un sendero entre las dunas sin que nadie se percatara de su ausencia.

El elegante, relamido y engominado egipcio que solía recorrer aquel mismo camino dos veces diarias alegando que debía poner en marcha su automóvil o de lo contrario se le descargaba la batería se encontraba en aquellos momentos disfrutando de la fiesta y confiaba en que tuviera la sana intención de disfrutarla durante toda la noche en compañía de la exuberante matrona senegalesa que se sentaba a su lado.

Lo único que el tuareg llevaba consigo era el visor nocturno que solía acoplar a la mira telescópica de su fusil y, en cuanto consideró que se encontraba a la distancia adecuada, se tendió cual largo era en la cima de un montículo con el fin de enfocarlo hacia el punto en que los vehículos permanecían estacionados. Una vez más tuvo que echar mano de su infinita paciencia, puesto que no resultaba fácil localizar el vehículo que le interesaba, y mucho menos los puntos en que se apostaban los centinelas que vigilaban el aparcamiento.

Se grabó en la mente cada de detalle del lugar, calculando que disponía aún de mucho tiempo, por lo que decidió dar un gran rodeo aproximándose por la parte trasera, aunque tomando la precaución de detenerse de tanto en tanto a comprobar que nada cambiaba.

Cuando se encontró tras la lona que protegía del viento, apartó con cuidado las piedras que impedían que este la levantara, se deslizó al otro lado y se felicitó a sí mismo al comprobar que había calculado bien, puesto que a unos diez metros a su izquierda se encontraba aparcada la furgoneta que venía buscando.

Estaba cerrada, aunque los cristales de las enrejadas ventanillas de la parte trasera permanecían abiertos permitiendo que circulara el aire, por lo que atisbó sigilosamente hasta comprobar que un hombre descansaba sobre una alta camilla.

Se sentó a esperar.

Tal como había sucedido las dos noches precedentes, a las doce en punto comenzaron los fuegos artificiales, que constituían el colofón de las actividades de la jornada, y, tal como imaginaba, los centinelas se volvieron a admirarlos.

Envolvió con el turbante una piedra, rompió con ella una ventanilla de la parte delantera, introdujo la mano, abrió la puerta y, pese a que el hombre de la camilla continuaba durmiendo, le golpeó en la cabeza con la misma piedra.

Durante años se había ganado la vida como camionero acumulando experiencia en cuanto se refería a mecánica y, sabiendo que el espectáculo se prolongaría durante casi diez minutos, no se apresuró a la hora de elegir los cables que le permitieran poner en marcha un motor que apenas dejó escapar un suave runruneo.

Cascadas de lejanas luces de colores adornaban el cielo, el estallido de los cohetes llegaba con nitidez y los centinelas continuaban contemplando fascinados un espectáculo tan inusual en aquellos remotos lugares, debido a lo cual ninguno de ellos advirtió que a sus espaldas una furgoneta con las luces apagadas se ponía en marcha, giraba en redondo y se perdía de vista en la distancia.

Llegaron a Kidal al anochecer y Omar el Khebir se disponía a alejarse por una de sus callejuelas en el momento en que le gritaron:

—¡Eh, amigo…! ¡Te olvidas del burro!

—Te lo regalo…

—¿Y para qué quiero yo un burro…?

—Para lo mismo que yo.

Un sonriente Yusuf se aproximó conduciendo a la bestia por una oreja y se la entregó al tiempo que comentaba con manifiesta malicia:

—Deberías tener más cuidado, porque, si te has hecho pasar por un mísero pastor que entrega «hasta su última moneda que le queda» por salvar al único animal que le queda, no puedes abandonarlo a las primeras de cambio sin levantar sospechas. Recuerda que nos andan buscando.

Su antiguo jefe comprendió que tenía razón, pero aun así intentó disculparse:

—De quien quería alejarme no era de él, sino de ti, aunque al fin y al cabo viene a ser lo mismo. Sabes que llevo mucho dinero encima.

—También tú sabes lo que llevo yo... —le hizo notar su exlugarteniente mientras acariciaba una y otra vez el lomo del borrico como si con ello pretendiera transmitir confianza—. Por eso mismo creo que convendría que nos cuidáramos mutuamente en un asqueroso lugar en el que no conocemos a nadie.

—En eso puede que tengas razón —admitió quien le había dado órdenes durante años—. Y para que no tengamos que recelar el uno del otro, porque es cosa sabida que tanto más amigos son los amigos cuantos menos intereses se interponen entre ellos, creo que lo mejor sería que esta noche cada cual escondiera lo que carga donde mejor le plazca y volviéramos a encontrarnos aquí mañana.

—Cuanto menor sea la tentación, menor será el peligro —admitió su interlocutor mientras se alejaba, aunque antes de perderse de vista alzó el brazo para advertirle—: ¡Y cuida del burro, que esta noche es el único que cuidará de ti!

Omar el Khebir se quedó por tanto a solas preguntándose qué cuernos hacía en una plazoleta que ya los últimos pasajeros del camión habían abandonado, y no tardó en comprender que muy pronto cuanto le rodeaba serían tinieblas en una laveríntica ciudad en la que se había decretado el toque de queda. En cualquier momento una patrulla podía detenerle, interrogarle, registrarle con el fin de comprobar que no portaba armas y encontrarse con la difícilmente justificable sorpresa de un ancho cinturón de lona con casi doscientos mil dólares.

Lo primero que tenía que hacer era ocultar su «bien ganada fortuna», no ya por miedo a que se la robaran, sino sobre todo por miedo a que le preguntaran de dónde provenía. Si le acusaban de saqueo y pillaje, malo; y, si alegaba que la había obtenido trabajando a las órdenes del tirano Gadafi, peor.

Dijera lo que dijese no tardaría en enfrentarse a la horca, por lo que aquella noche su peor enemigo era el dinero y su único aliado un borrico que le permitía hacerse pasar por pordiosero y que parecía estar dándose un festín con las hojas de un árbol cuyas ramas caían desde un patio vecino.

Le llegó, muy tenue, el sonido de una vieja canción romántica, lo que le hizo caer en la cuenta de que hacía meses que no escuchaba música, de la misma forma que hacía meses que no dormía en una buena cama o disfrutaba de un almuerzo decente.

Las luces de unos faros iluminaron una fachada cercana y, cuando advirtió que se trataba de un vehículo militar, comprendió que no podía continuar allí por poco que le apeteciera internarse en un intrincado dédalo de silenciosas callejuelas en las que cualquier ladrón, incluido Yusuf, podía estar acechándole.

Empuñó su revólver dispuesto a disparar sobre lo primero que se moviese, y tras emitir un profundo suspiro se internó por un callejón encajonado entre altos muros de adobe, ni tan siquiera blanqueados, aunque de tanto en tanto se distinguían gruesas puertas cerradas a cal y canto. Resultaba evidente que a partir de una cierta hora en la revuelta Kidal nadie osaba asomar la nariz a no ser que le resultara absolutamente imprescindible.

No tardó en advertir que otro vehículo con hombres armados avanzaba muy despacio por una callejuela lateral, por lo que sus dólares comenzaron a convertirse en una pesada carga de la que le urgía desprenderse cuanto antes.

Se detuvo intentando orientarse o distinguir en la oscuridad algún lugar que le ofreciera cualquier tipo de protección y, al escuchar a su espalda unos sigilosos pasos amortiguados por la arena, se aplastó contra el muro dejándose deslizar hasta quedar agazapado.

Permaneció así unos instantes, presintió que el peligro estaba próximo, amartilló el arma y se volvió lentamente para enfrentarse a unos enormes ojos marrones y unos amarillos dientes sobradamente conocidos.

—¡Maldito bicho…! —susurró indignado—. ¡Menudo susto me has dado! ¿Qué coño haces aquí?

No obtuvo respuesta, como si el animal comprendiera que no era momento de hacer ruido, aunque continuó siguiéndole mansamente hasta que a los pocos minutos desembocaron frente a lo que tiempo atrás debió de ser un almacén de chatarra cuyo techo se había hundido por completo.

Era un buen lugar para pasar la noche, y sobre todo un excelente lugar para enterrar en un apartado rincón todo aquello que podía costarle la vida, incluido el revólver.

Se despertó con hambre, recuperó de «sus ahorros» unos cuantos dólares que le permitieran sobrevivir por un tiempo sin excesivos agobios, abandonó el lugar procurando no ser visto y regresó a la plazuela seguido por el asno, que de inmediato se concentró de nuevo en la tarea de mordisquear las hojas del árbol.

En un puesto ambulante que no estaba allí la noche antes adquirió unos grasientos pinchitos, un pedazo de pan y un refresco y, aunque el pan estaba duro, el refresco caliente y la carne podía ser de cualquier animal menos cordero, le supo a gloria, por lo que se acomodó sobre un muro que aún se mantenía a la sombra mientras observaba cómo cargaban de nuevo el camión en que había llegado, y que al parecer reemprendería la marcha rumbo al desierto en cuanto los legionarios franceses registraran a los pasajeros comprobando una y otra vez su identidad.

Mientras aguardaba a que concluyeran su minuciosa labor, el conductor acudió a acomodarse junto a él, le ofreció un cigarrillo y como lo rechazara lo encendió para sí al tiempo que inquiría, señalando al asno:

—¿Qué piensas hacer con él?

—Supongo que acabaré comiéndomelo.

—Si se lo vendes al viejo de los pinchitos, te ahorrará el trabajo... —fue la malintencionada respuesta—. Lo que te acabas de comer debe ser gato, y tengo entendido que la carne de burro es más sabrosa —dejó escapar un chorro de humo y a continuación lanzó un resoplido al mascullar—: Y te aconsejo que te largues de Kidal cuanto antes, porque este maldito lugar no es que sea el culo del mundo, es la última boñiga que se ha caído del culo del mundo y muy pronto Sad al Mani lo hará saltar en pedazos.

—¿Quién es Sad al Mani?

—Uno que cree que Dios hizo las cosas mal y se considera capaz de mejorarlas. ¿Nunca habías oído hablar de él? —ante la silenciosa negativa añadió—: Mejor para ti.

—¿Por qué?

—Si continúas aquí algún tiempo, lo sabrás —se puso en pie y le hizo un leve gesto de despedida con la mano al añadir—: Y ahora tengo que irme; suerte, y cuida del burro.

Al poco puso en marcha el rugiente vehículo atestado de infelices deseosos de abandonar una ciudad sobre la que parecía sobrevolar la muerte tal como giraban los buitres en torno a un animal herido y, en cuanto se disipó la nube de polvo que dejaba a su paso, hizo su aparición al otro extremo de la plaza un agitado Yusuf, que parecía muy satisfecho de sí mismo.

—¡Ven…! —pidió tirándole de la manga—. Quiero enseñarte algo.

—¿Qué…?

—Prefiero que lo veas.

—Sabes que nunca me han gustado las sorpresas.

—Esta te va a gustar.

—Lo dudo; durante el último año cada vez que me han

dado una sorpresa me ha costado un disgusto o la vida de uno de mis hombres...

Anduvieron a buen paso, siempre seguidos por el asno, que marchaba ahora casi al trote, y, cuando a los pocos minutos alcanzaron una ancha explanada, su exlugarteniente extendió la mano con gesto de triunfo al tiempo que inquiría con una sonrisa que le llegaba de oreja a oreja:

—¿La reconoces...?

# 16

Condujo despacio y sin encender las luces, con la mano derecha en el volante y la izquierda sosteniendo el visor nocturno, procurando avanzar sobre las rodadas de anteriores vehículos con el evidente propósito de entremezclar sus huellas y, solo cuando el resplandor de las hogueras del oasis desapareció a sus espaldas, cambió el rumbo dirigiéndose directamente hacia el este.

Se detuvo en varias ocasiones adelantándose a pie con intención de estudiar el terreno y elegir zonas de arena dura para evitar que el vehículo quedase atascado o una afilada roca le reventara un neumático. Los miles de kilómetros que había recorrido sobre toda clase de desiertos le habían enseñado que era preferible perder media hora en saber dónde se pisaba que medio día en lamentarse por no haber previsto dónde tendría que pisar. Y allí no contaba con la ayuda del eficaz Abdul, ni con animosos pasajeros que pudieran echarle una mano a la hora de apuntalar el vehículo, cavar un hueco bajo una rueda o cambiar un neumático en mitad de la noche.

Su único pasajero, bastante enclenque por lo que había podido comprobar, continuaba inconsciente y, cuando al cabo de un largo rato le escuchó emitir un ronco lamento, se limitó a golpearle de nuevo con la piedra como eficaz remedio a desagradables sorpresas.

Comenzaba a amanecer cuando consiguió divisar el mar de dunas que venía buscando y le alegró comprobar que, tal como había imaginado, eran las llamadas *barjanes,* porque un viento que soplaba siempre en la misma dirección las empujaba de forma inexorable, de modo que con el transcurso de los siglos acababan por sepultar oasis, pueblos, e incluso ciudades.

Un océano de *barjanes* era como un implacable monstruo que en ocasiones se extendía por casi cien kilómetros de ancho, y al que ningún ser humano había conseguido derrotar debido a que carecía de corazón, su cuerpo estaba compuesto por miles de millones de granos de arena y su fuerza provenía de un viento constante que no se detendría hasta el día que el mundo decidiera dejar de girar definitivamente.

Quienes pasaban una noche en el corazón de cualquiera de ellas captaban su única expresión de vida, una suave melodía que surgía de sus entrañas y que estaba provocada por el continuo roce de miles de millones de granos de arena. Del grosor y la composición química de dichas arenas dependía la tonalidad del sonido, que podía pasar del do mayor habitual en las grandes dunas de los desiertos americanos al sol menor de las saharianas.

La característica que diferenciaba a las *barjanes* de cualquier otra duna era su forma de C muy cerrada, con altas cimas que iban acercando sus «brazos» hasta casi unirlos a ras del suelo. Las más elevadas se mantenían estables durante décadas y en contadas ocasiones se derrumbaban a causa de un movimiento sísmico, unas gotas de lluvia o el retumbar de un trueno, aunque lo normal solía ser que al amanecer, y debido a un brusco cambio de temperatura, la parte cóncava comenzara a deslizarse como un incontenible alud que sepultaba cuanto se interponía en su camino.

Ya a pleno día, Gacel detuvo el vehículo en el centro del semicírculo de una de ellas cuya cima debía encontrarse a unos sesenta metros sobre su cabeza, comió y bebió hasta saciarse debido a que en la furgoneta no faltaba de nada y, tras rezar sus oraciones, decidió observar de cerca a su prisionero.

Probablemente se trataba del ser humano más repelente que hubiera visto nunca, no solo debido a que fuera de por sí poco agraciado por culpa de su afilada nariz y su hundido o casi inexistente mentón, sino sobre todo a que su rostro aparecía amoratado, tumefacto y con profundas ojeras, mientras que de la comisura de los labios le chorreaba un espeso líquido verdoso que apestaba a perros muertos.

Evidentemente, aquel maldito psicópata estaba sufriendo un auténtico calvario no por merecido menos doloroso, y el impresionado tuareg, a quien el término *psicópata* llamaba mucho la atención, no pudo por menos que preguntarse hasta qué punto el destino se mostraba caprichoso: un pobre camionero nacido en una diminuta aldea de Níger tenía a su merced a un sanguinario terrorista nacido en una gran capital del otro lado del planeta a causa de algo en apariencia tan trivial como unas muelas del juicio que a la mayor parte de la gente solo solían producirle algún que otro ligero malestar.

Dos de ellas, o quizás no fueran las del juicio, eso no se sentía capaz de determinarlo, se encontraban sobre una bandeja metálica, y por su desmesurado tamaño y la longitud de sus raíces se diría que parecían más propias de la dentadura de un caballo que de un ser humano, como si la sabia naturaleza hubiera decidido castigar de forma harto dolorosa a aquel a quien había proporcionado todas las oportunidades pero no había sabido agradecérselo.

Era algo tan condenadamente estúpido como si esa misma naturaleza se hubiera complacido en castigar a un campeón de ciclismo con hemorroides, pero en ocasiones tales cosas sucedían debido a que los caminos del Señor resultaban inescrutables.

El tuareg utilizó las correas de la camilla para inmovilizar a su prisionero y se sumió en un profundo sueño hasta que le despertó un bramido; Sad al Mani se retorcía intentando zafarse de sus ataduras, los ojos parecían salírsele de las órbitas, se clavaba las uñas en las palmas de las manos y lanzaba espumarajos por la nariz y la boca mientras rugía exigiendo morfina.

Tomó asiento a su lado, inclinó levemente la cabeza como si de ese modo le observara mejor y al poco inquirió con estudiada calma:

—¿Entiendes ahora lo que siente un desgraciado al que una de tus bombas le ha arrancado las piernas?

—¿Quién eres? —quiso saber el maniatado en un árabe bastante aceptable.

—Tu verdugo.

—¿Y quién te ha conferido ese cargo?

—El *ettebel*.

—Pues en ese caso haz tu trabajo.

—¡Qué más quisieras tú…! —fue la despectiva respuesta—. No me obligan a ser rápido, sino eficaz, y antes de «hacer mi trabajo» me gustaría que me aclararas por qué demonios has venido a complicarnos la vida a quienes ya teníamos suficientes problemas.

Tal como esperaba no obtuvo respuesta, por lo que se encogió de hombros limitándose a alargar la mano, seleccionar de un estante una caja repleta de cápsulas y mostrársela.

—¿Es esto lo que quieres…? —preguntó con marcada intención—. ¿Morfina? —ante el mudo gesto de asentimiento, añadió—: No me siento capaz de torturar a nadie pero como el dolor no te lo he provocado yo, no tengo la obligación de aliviarte, sin considerarme por ello torturador. Lo único que puedo hacer es inyectarte un poco de morfina, pero esa es una decisión que únicamente depende de ti.

—Desátame y te mato —masculló con un supremo esfuerzo el canadiense.

—Tú no matas, cretino; tú mandas matar, que es diferente —Gacel abrió varios cajones hasta encontrar una jeringuilla que exhibió como si se tratara de un valioso trofeo—. Aquí tengo lo que necesitas —añadió—. ¿Me dirás lo que quiero saber?

—Vine porque Alá me ordenó que viniera… —balbuceó el otro atropelladamente.

—Alá no necesita recurrir a asesinos —fue la agria respuesta—. Son los asesinos los que necesitan recurrir a Alá. Y además no estoy aquí para hablar de Dios, sino de hombres.

—Tengo sed…

—Agua es lo único que no puedo negarle ni a mi peor

enemigo… —admitió el tuareg mientras le aproximaba una cantimplora a los labios y le ayudaba a beber, añadiendo casi de inmediato y con marcada intención—: No va a servirte de mucho, porque hoy se cumplirá la sentencia que se dictó en tu contra, aunque la forma de morir que elijas es cosa tuya: puede ser rápida e indolora, o puedes sufrir la peor de las agonías.

—No existe nada peor que lo que estoy sufriendo…

—Te equivocas.

Gacel Mugtar aborrecía lo que estaba haciendo y le avergonzaba recurrir a tan inhumanos procedimientos, pero ya no era solo cuestión de obedecer órdenes, sino de salvar vidas. Aquel despojo humano que se retorcía dejando escapar roncos lamentos no era solo un terrorista que se consideraba a sí mismo dueño y señor de vidas ajenas; era el líder de un grupo de fanáticos que continuarían creyéndose dueños de vidas ajenas incluso cuando él hubiera desaparecido de la faz del planeta.

El extremismo islámico solía nutrirse por dos vías igualmente abominables: la de los llamados «lobos solitarios», enajenados que de improviso nacían como un hongo venenoso en mitad de un jardín y que acababan por inmolarse, y las células independientes, que contaban con una cadena de mandos perfectamente estructurada.

Matar a sangre fría al canadiense podía estar bien o mal, dependiendo del punto de vista de cada cual, pero matarle sin intentar averiguar quién le sucedería en el mando constituiría una insensatez, porque el tuareg sabía que por el hecho de ejecutar a Sad al Mani no iba a acabar con la violencia yihadista del norte de Malí, ya que en cuanto tuvieran conocimiento de su desaparición cualquiera de sus lugartenientes reclamaría el liderazgo.

—Necesito que me des los nombres de tu gente en Kidal… —dijo al fin.

En esta ocasión solo obtuvo una mirada de desprecio, por lo que tras meditarlo de nuevo se decidió a obligar a su prisionero a que girara la cabeza mostrándole el muro de arena que comenzaba a unos veinte metros de distancia.

—¿Ves esa duna…? —inquirió—. Digas lo que digas y hagas lo que hagas se convertirá en tu tumba, pero puedes optar entre que lo sea cuando ya estés muerto o que toda esa arena caiga sobre ti enterrándote en vida… —hizo una pausa durante la que afirmó varias veces con la cabeza antes de puntualizar—: Te aseguro que sé cómo arreglármelas para conseguir que te quede aire suficiente como para que agonices durante dos o tres días.

El temor a quedar sepultado en vida en el interior de una furgoneta en la que se iría asfixiando poco a poco pareció vencer al dolor, puesto que el canadiense musitó trembloso:

—No te atreverías… Alá te enviaría directamente al infierno.

—Alá tiene ya sobrados motivos para hacerlo, o sea, que uno más no importa —le respondió su verdugo con evidente indiferencia—. Es gente como tú la que me ha empujado a estos extremos, por lo que si me das un nombre te inyectaré una dosis de morfina; otro nombre y un poco más, y con el tercero supongo que se te calmará por completo el dolor… —hizo una pausa para concluir con una firmeza que no dejaba dudas sobre su sinceridad—: Te prometo que tras el cuarto nombre todo habrá acabado.

El terrorista tardó en responder, apretó los puños intentado vencer un nuevo latigazo que llegaba directamente
de su destrozada dentadura, se volvió a observar la altura de
la duna y, por último, musitó:

—El zapatero Shalim.

Gacel Mugtar cumplió su promesa, le inyectó una pequeña parte de la cápsula y Sad al Mani aguardó con los ojos
cerrados a que comenzara a hacer su efecto dejando escapar
un hondo suspiro.

Al poco añadió:

—Un tal Bachar, del que solo sé que es barbero.

La nueva dosis pareció tener la virtud de aliviarle casi
por completo.

—Ibrahím Musa, que trabaja en el aeropuerto —dijo
evidentemente relajado.

—Ese no me vale... —fue la rápida respuesta—. Solo
era un chivato y ya está muerto.

—¿Lo mataste tú?

—Modestamente... ¿Quién más? Y dame nombres
importantes o rompo el trato.

—Songó Babangasi.

Ahora fue el tuareg el que pareció quedarse en blanco e
incluso necesitar morfina para soportar el inesperado golpe.

—¡No es posible! —exclamó incrédulo.

—Lo es...

—¿Songó Babangasi...? ¿El imán?

—Ese es el peor, una rastrera sabandija que está deseando sucederme en el mando.

—¡Eso si que no me lo esperaba! —masculló Gacel
mientras terminada de introducir lo poco que aún quedaba

en la jeringuilla—. ¡Vaya con el bueno de Babá! ¿Quién lo diría?

—Te agradecería que acabaras con él por hipócrita y servil.

—Se hará lo que se pueda... Falta uno y, si es el que imagino, lo cual demostrará que no mientes, todo habrá acabado.

El hombre que se sabía al borde de la muerte, y que al parecer lo único que deseaba era que llegara antes de que regresara el insufrible dolor, resopló de nuevo, se encogió de hombros como queriendo indicar que ya todo le daba igual y acabó por señalar:

—Mulay Massuri...


Allí estaba, aparcada no lejos de dos aparatos de las fuerzas de intervención, por lo que no pudo evitar que se le escapara un reniego.

—¡Hija de la gran puta!

Hizo ademán de aproximarse, pero Yusuf le retuvo señalando al grupo de paracaidistas que montaban guardia en la pista.

—¡Ni se te ocurra...! —le aconsejó—. Disparan contra todo el que se acerca y ni siquiera dan el alto, porque saben que en la ciudad abundan los extremistas que estarían dispuestos a inmolarse si con ello consiguieran destrozarles los aviones.

—¡Pero algo tenemos que hacer...! —se lamentó.

—No es más que una avioneta.

—En eso tienes razón —admitió Omar el Khebir, al que

la visión del aborrecido Cessna había sacado de sus casillas—. No es más que una avioneta, pero su piloto no debe andar lejos y daría dos años de vida por matar a ese cerdo.

—Lo dices porque sabes que no te quedan dos años de vida... —fue la irónica respuesta—. Pero te prometo que lo mataremos, aunque sea lo último que hagamos.

Recordaban que quien les tendiera la sucia trampa del falso accidente era muy negro, muy alto y muy flaco, pero no habían logrado acercarse a él lo suficiente como para poder distinguir sus facciones, y en Kidal, al igual que en el resto de Malí, el número de negros superaba en mucho al de los blancos.

Y también les constaba que Kidal era en aquellos momentos una de las ciudades más peligrosas del mundo, no solo para los ciudadanos honrados, sino sobre todo para los delincuentes. Las patrullas de las fuerzas de ocupación francesa exigían identificarse a todo aquel que se les antojara sospechoso de colaborar con los yihadistas y, pese a que tanto Omar el Khebir como su exlugarteniente nunca hubieran colaborado con ellos, tenían sobrado aspecto de sospechosos.

Por si ello no bastara, habían sido condenados a muerte por los tuaregs y aquella era una de las pocas condenas que no respetaban fronteras, e incluso entraba dentro de lo posible que el escurridizo verdugo encargado de ejecutarlas tampoco anduviera lejos.

Perseguidos, indocumentados y desarmados en una bochornosa ciudad desconocida y controlada por elementos hostiles, la situación no resultaba en absoluto idónea a la hora de intentar asesinar a un desconocido, por lo que deci-

dieron alejarse de los paracaidistas con el fin de acuclillar-
se a la sombra de una tapia a meditar sobre sus escasas
opciones de conseguir vengarse, mientras el asno, que ya
había devorado todo cuanto mínimamente comestible había
encontrado a su paso, tomó asiento a su lado de la peculiar
forma que tenía por costumbre.

—¿Pero qué coño pretendes…? —le reprendió su amo
al tiempo que le propinaba un coscorrón del que los peor
parados fueron sus nudillos—. ¿Llamar aún más la atención?
¡Acuéstate como un burro normal!

Siguiendo la ancestral costumbre de los de su especie el
animal no le hizo el menor caso, a la vista de lo cual Yusuf
no pudo por menos que sonreír mientras agitaba negativamente la cabeza.

—Quién te ha visto y quién te ve… —comentó—. Hasta
los borricos te han perdido el respeto.

—Prefiero que me lo pierda un borrico a que me lo
pierda una persona —fue la áspera respuesta—. Al fin y al
cabo, que yo recuerde, nunca he matado a ninguno de los
suyos y supongo que él lo sabe.

—¿Acaso imaginas que los animales piensan?

—Este sí, de eso no me cabe la menor duda, aunque
creo que más que pensar lo que hace es sentir. Si se crio en
una familia en la que nadie le hacía daño, no existe razón
para que tenga miedo.

—¡Bien…! —admitió su exlugarteniente fingiendo aceptar la explicación—. Aquí estamos, asumiendo que nos pueden ejecutar sin juicio previo en cualquier momento pero
manteniendo una interesante e ilustrativa charla acerca de
los sentimientos de un animal supuestamente irracional.

Imagino que existirá una palabra que exprese el significado de esta situación, pero por desgracia la desconozco.

—¿Absurda...? —apuntó Omar el Khebir no muy seguro de lo que decía.

—Es más que eso, pero no viene al caso, porque tenemos que decidir si continuamos siendo el hazmerreír de los transeúntes, porque la picha de ese bicho atrae todas las miradas, o nos vamos a matar a quien se cargó a nuestros compañeros.

—Como este no lo mate a coces, no tenemos con qué... —le recordó Omar el Khebir, que al poco añadió, convencido de lo que decía—: Y, bien mirado, el hecho de que llame tanto la atención es la mejor forma de pasar desapercibidos.

—Eso es muy cierto... —admitió el otro sin el menor empacho—. A nadie se le ocurriría que semejante par de imbéciles pueden ser peligrosos, y si algo he aprendido de esta profesión es que más vale parecer imbécil siendo peligroso que parecer peligroso siendo imbécil, o sea, que...

Se interrumpió porque un muchacho se había acuclillado en la esquina, cubriéndose las piernas con el jaique en un vano intento por disimular que estaba orinando en plena calle y que, mientras lo hacía, había depositado en el suelo una pequeña radio de la que surgían gritos y disparos mientras un nervioso y casi afónico locutor intentaba hacerse oír sobre tanto estruendo.

—¿Qué ocurre...? —quiso saber indicando el aparato.

—Ha habido un golpe de Estado y han derrocado al presidente Mursi —respondió el chicuelo.

—¿Mursi...? ¿El de Egipto? —intervino sorprendido Omar el Khebir—. ¿Cómo es posible? Lleva menos de un año en el poder y le eligieron democráticamente. ¿Quién lo ha derrocado?

—¿Y yo qué sé…? —respondió con brusquedad quien había terminado de hacer sus necesidades, echaba un poco de arena sobre el charco de orines y recogía la radio—. Por lo visto, metió en el Gobierno a demasiados Hermanos Musulmanes y ya se sabe que esos putos extremistas la joden dondequiera que vayan. Matan para conseguir el poder y cuando lo han conseguido la cagan.

Se alejó dándole patadas a una lata; en cuanto hubo desaparecido tras la siguiente esquina, Yusuf inquirió:

—¿Recuerdas cuando Gadafi nos entrenaba como las fuerzas de élite que algún día ayudarían a los Hermanos Musulmanes a derrocar al presidente Mubarak con el fin de instaurar una «democracia islamista» en Egipto…? —como su interlocutor asintiera sin la menor vacilación, añadió en un tono entre incrédulo e irónico—: De eso hace tres años y ahora Gadafi está muerto, Mubarak en la cárcel, la democracia islamista de los Hermanos Musulmanes se derrumba y las supuestas fuerzas de élite se enteran de lo que ocurre gracias a que un guarro se mea en la calle. ¡Las vueltas que da la vida…!

—Cuando algo da vueltas puede suceder que vuelve al punto de partida, cosa que nunca ocurre si marcha siempre en línea recta —sentenció Omar el Khebir como si aquella fuera una verdad incuestionable—. Cierto que nos encontramos en el peor lugar y en el peor momento, pero cierto es también que cuanto nos rodea es caos, y se supone que somos profesionales habituados a las situaciones caóticas.

## 17

—¿Qué quieres decir con eso de «ha desaparecido»?

—Lo que he dicho; tanto la furgoneta como Sad al Mani han desaparecido y no tengo ni la menor idea de cómo ocurrió o dónde pueden estar. Probablemente aprovecharon...

Mulay Massuri advirtió que se le aflojaban los esfínteres y tuvo que correr al baño dejando a su interlocutor con la palabra en la boca; cuando regresó, su rostro aparecía de un color ceniciento y cabría imaginar que había envejecido como si todos los espíritus malignos, los tenebrosos *gri-gri* que hasta aquel momento había conseguido mantener alejados, se hubieran precipitado en masa sobre el pequeño oasis anulando cualquier esperanza de felicidad para los novios.

Lo peor que pudiera haber ocurrido había ocurrido, porque les habían confiado la seguridad de un destacado líder de la yihad islámica, lo «habían perdido» y, si no lograban encontrarlo, sus vidas valdrían menos que los excrementos que acababa de expulsar preso del pánico.

—Que el Señor se apiade de nosotros... —murmuró entre dientes, para alzar luego un poco más la voz al inquirir—: ¿Qué ha pasado?

—Aún no lo sé… —fue la sincera y casi quejumbrosa respuesta—. Cuatro hombres de absoluta confianza estaban de guardia, y el dentista, ese presuntuoso egipcio, que dicho sea de paso dedica más tiempo a las mujeres que a su paciente, me aseguró que Sad al Mani se encontraba sedado y no debía ser molestado durante toda la noche.

—¿Tú le viste…?

—Dormido, y te juro que parecía un monstruo. Para una intervención de ese calibre se precisaba un buen quirófano y no una furgoneta, y por lo visto el resultado está siendo una vergonzosa carnicería.

—¿Y qué opciones teníamos? —quiso saber el cada vez más abatido Mulay Massuri—. ¿Enviarlo a Bamako, Dakar o Argel? En cuanto hubiera puesto los pies en un aeropuerto, le habrían capturado y en su estado no habría tardado ni un minuto en contar cuanto sabe.

El respetado imán Songó Babangasi, más conocido por el cariñoso apodo de Babá, tomó asiento entre unos cojines de la espléndida jaima, se apoderó de la boquilla de un narguile como si tuviera intención de fumar pero cambió de idea y se quedó con ella entre los dedos en el momento de preguntar con intención:

—¿Y cuánto crees que tardará en contárselo a los que se lo han llevado?

—Dependerá de quiénes sean.

—En ese caso, lo primero que tenemos que hacer es consultar la lista de invitados y comprobar la identidad de los que faltan.

—¿Es que te has vuelto loco…? —casi se enfureció su interlocutor—. ¿Acaso imaginas que puedo confesarle a mi hijo, mi nuera o al animal de mi consuegro que nos hemos gastado millones en organizar la boda más fastuosa que se haya celebrado nunca en Malí no porque seamos muy espléndidos, sino porque le dolían las muelas a un maldito «caracuervo» que antes de venir debería haber vendido nariz para comprar mandíbula?

—¡Recuerda que estás hablando de Sad al Mani!

—Y tú recuerda que nunca te gustó que un jodido lunático converso viniera a explicarle a un imán que peina canas cómo interpretar el Corán. Tu obligación era pararle los pies, pero te aterroriza.

—Es que es un salvaje —se justificó el apodado Babá—. Y sabe rodearse de bestias aún más salvajes.

—Lo admito, porque que a mí también me aterroriza y me temo que lo vamos a pagar muy caro —fue la sincera confesión de culpa—. Me gasté una fortuna en amuletos que ahuyentaran a los malos espíritus de la boda de mi hijo mientras era yo quien los estaba convocando... ¡Pobre muchacho!

—No es hora de lamentarse, sino de buscar soluciones —puntualizó el abatido religioso en un intento de sobreponerse a tanta desgracia—. ¿Nunca sospechaste de ningún asistente?

—¿Y qué podía sospechar? Kafir no me pidió referencias sobre los invitados de mi familia y no me pareció correcto pedírselas sobre la suya —el dueño de la jaima se limpió el sudor con el dorso de la mano antes de inquirir—: ¿Qué opina el egipcio de todo esto?

—Que a él únicamente le contrataron con el fin de intentar realizar un milagro en unas condiciones absolutamente inapropiadas y que su trabajo es sacar muelas, no buscar a sus pacientes cuando se extravían. Lo único que quiere es largarse.

—¿Y a ti qué te parece?

El bondadoso y respetado imán Songó Babangasi, del que sus fieles nunca se hubieran atrevido a imaginar que pudiera tratarse de un fanático de los que aceptaban que los fundamentalistas paquistaníes incendiaran un autobús con veinte niñas dentro por el simple hecho de atreverse a ir a la escuela, decidió encender el narguile quizás imaginando que fumar le ayudaría a poner en orden sus confusos pensamientos.

Cierto era que jamás había sentido la menor simpatía por el advenedizo jovenzuelo que parecía complacerse en dictarle órdenes cada vez más crueles como si estuviera tratando de averiguar hasta qué punto podía poner a prueba su paciencia, pero cierto era también que siempre había confiado en que, en cuanto se cansara de jugar a matar gente y decidiera regresar a su Canadá natal, le dejaría consolidado como líder de la yihad islámica en la región. En ese momento, respaldado por el dinero que le había prometido su buen amigo Mulay Massuri, y, si sabía ingeniárselas a la hora de neutralizar a los tuaregs, podría aspirar a la presidencia de una nueva república independiente en el norte de Malí.

Sin embargo, el maldito terrorista «caracuervo» había desaparecido, lo cual significaba que muy pronto se vería obligado a rendir cuentas ante instancias muy superiores.

Su pasada influencia, su futura presidencia e incluso su plácida existencia empezarían a correr serio peligro si no reaccionaba con rapidez, por lo que, tras morderse repetidas veces la parte superior de la tupida barba, sentenció:

—Creo que lo mejor que podríamos hacer es permitir que el egipcio se marche, pero que no llegue.

—¿No llegue a dónde?

—A dondequiera que pretenda llegar... —fue la cínica respuesta—. Si llegara a alguna parte, lo que en estos momentos es un secreto que solo compartimos tres personas se convertirá en noticia de relevancia mundial: «Al conocido líder islamista Sad al Mani se lo tragó la tierra durante una boda en un oasis de Malí». Y a los primeros que vendrían a pedir explicaciones sería a los organizadores de esa boda; es decir, a ti y a mí.

—Y a mi consuegro.

—Kafir no sabía nada, se sentiría ofendido, y recuerda que es un tuareg que se ha hecho rico a base de conducir caravanas hasta los mismísimos infiernos, o sea, que probablemente obligaría a sus dos mil camellos a pasarnos por encima —Babá Babangasi golpeó levemente el cojín que tenía a su lado como invitando a su «socio» a que se acomodara lo más cerca posible, porque sabido era que en el interior de una jaima no resultaba oportuno comentar ciertas cosas en voz alta, y añadió—: Deberíamos intentar solucionar esto sin que nadie más se entere, o darnos por muertos...

El anciano beduino había aguardado pacientemente su turno, pero, en cuanto Suilem Baladé le indicó que podía tomar asiento, lo hizo con rapidez, aunque con el respeto propio de quien se siente fuera de su mundo.

Era un nómada de cabello casi blanco, manos callosas y piel oscura, que permaneció unos instantes como desconcertado, más dispuesto a dar media vuelta y desaparecer que a permanecer en la silla, pero que tras algunas vacilaciones lo primero que hizo fue depositar sobre la mesa un billete de mil francos* al tiempo que murmuraba con manifiesta timidez:

—Espero que baste para pagar sus servicios, porque no puedo gastar más.

—Eso dependerá de a quién desee escribir.

—No lo sé.

Ahora fue Suilem Baladé el que pareció desconcertarse, se tomó un tiempo para reaccionar simulando que se limpiaba las gafas y por último inquirió, como si temiera haber oído mal:

—¿De verdad no sabe a quién quiere escribir?

—Por eso le pido que me aconseje, señor, y por eso no sé si ese dinero bastará para pagar por su consejo y por la carta.

—¿De qué trataría esa carta y quién sería el remitente?

—¿El qué…?

—El «remitente»; es decir, el que la envía.

—Ese es el problema, señor; no quiero que se sepa.

—Pues en ese caso no puedo ayudarle, nunca escribo anónimos.

—¿Nunca escribe… qué? —quiso saber el beduino.

—«Anónimos»… —le aclaró quien se sentaba al otro

_____

* Francos CFA, moneda maliense. Mil francos equivalen a 1,50 euros.

lado de la mesa intentando armarse de paciencia—. Cartas sin firma que contengan insultos o amenazas.

—Pero es que yo no trato de insultar o amenazar a nadie, señor… —replicó un tanto ofendido el pobre hombre cuyo nerviosismo iba en aumento—. Todo lo contrario.

El dueño del despacho empezaba a cansarse de una conversación que carecía de sentido, pero los largos años de oficio le habían enseñado a tener paciencia con quienes se sentían cohibidos ante una máquina de escribir.

—¡Bien…! —dijo como si fuera la última concesión que se sintiera dispuesto a hacer—. Cuénteme lo que le ocurre y veré lo que puedo hacer.

—Pues verá, señor… —fue la respuesta—. Yo suelo pastorear cerca de la frontera con Níger pero decidí venir a traerles algo que llevarse a la boca a mis nietos, porque, aunque allí las cosas están mal, aquí están peor, y los pobres chicos se mueren de hambre.

—Entiendo, la familia es lo primero.

—La familia y los amigos… —puntualizó quisquillosamente el nómada—. Antes de la gran sequía los senaudi permitían que mi ganado abrevara en su pozo y mi hija me ha contado que los han asesinado y que mucha gente anda persiguiendo a los culpables.

—Es cierto, los buscan a ambos lados de la frontera —reconoció el escribiente, que de improviso se mostró vivamente interesado por el nuevo giro que tomaba la conversación—. ¿Acaso sabe algo sobre alguno de ellos…?

—No estoy seguro, señor, pero cuando venía hacia Kidal se subió al camión un nigerino contando que se había perdido durante una tormenta de arena y, aunque me extrañó que se encontrara en un lugar tan dejado de la mano de Dios, no le di mayor importancia. Sin embargo, al día siguiente, otro nigerino que aseguraba ser pastor, y por Alá que no lo era, porque sé reconocer a los de mi oficio, también se subió al camión y, aunque fingieron que no se conocían, sospecho que sí se conocían, y además cuando llegamos a la ciudad se fueron juntos.

—¿Y eso le ha hecho suponer que puedan pertenecer al grupo que atacó a los senaudi?

—Yo solo soy un pobre viejo que no pretende acusar a nadie ni implicarse en algo que no le atañe, señor, pero creo que, aunque solo sea por agradecimiento a quienes me regalaban su agua, debo comunicar a quien corresponda, que no sé quién podrá ser, que es posible que alguno de esos salvajes se encuentre en Kidal.

El Escritor le devolvió el billete al tiempo que replicaba:

—Como está haciendo lo correcto, no puedo cobrarle, pero me ocuparé de poner al corriente a aquellos que puedan contribuir a castigar a esos malnacidos —tomó lápiz y papel al inquirir—: ¿Podría describirlos?

—¿Describirlos…? —repitió el otro un tanto perplejo—. ¿Qué quiere decir con eso? Eran dos beduinos, ni altos ni bajos, ni gordos ni flacos, y vestían tal como vestimos cuantos vivimos en el desierto.

—¿Tuaregs…?

—No alcancé a oírles hablar entre ellos.

—¿Llevaban amuletos de los que acostumbran a usar los tuaregs?

—Ninguno que recuerde.

—¿Armas?

—No a la vista.

—¿Y no le extrañó?

El demandado observó a su interrogador como si de nuevo se estuviera arrepintiendo de haber acudido a pedirle ayuda y, tras sacar del bolsillo un sucio pañuelo y sonarse sonoramente, replicó:

—En aquella perdida región por no haber ya no hay ni hienas, señor, o sea, que ningún animal puede atacar a un ser humano, y en la frontera, que nunca se sabe exactamente por dónde diablos cruza, ir armado con un fusil es la mejor manera de conseguir que un estúpido soldado muerto de miedo te pegue un tiro antes de preguntarte para qué lo quieres.

La explicación resultaba de una lógica aplastante debido a que la mayoría de las líneas divisorias de los distintos países de la zona habían sido trazadas hacía muchísimos años en Europa, y la mayoría de las marcas que en su día se colocaron sobre el terreno solían permanecer ocultas bajo montañas de arena.

Si el viejo nómada, que prefería no dar su nombre, tal vez por miedo a las represalias o por no tener que dar explicaciones a unas autoridades que tenían la mala costumbre de hacer demasiadas preguntas, llevaba su ganado a abrevar al pozo de los senaudi, y por lo tanto conocía bien la región, probablemente sus suposiciones fueran acertadas y alguno de los mercenarios de Omar el Khebir hubiera conseguido subirse a un camión que le llevara a Kidal.

Suilem Baladé meditó sobre todo ello un largo rato y por último extrajo de un cajón cincuenta mil francos que introdujo en un sobre y se lo alargó a un beduino al que de inmediato los ojos se le abrieron como platos.

—Esto es para sus nietos… —dijo.

—Pero es que yo no lo hago por dinero —protestó el pastor, al que se advertía como un niño que dudara entre aceptar o no una golosina.

—Lo sé, pero de vez en cuando hacer lo correcto tiene su recompensa. Y no se preocupe; si lo que me ha dicho resulta de utilidad, el Gobierno me devolverá ese dinero.

—¿Los Gobiernos devuelven dinero…? —se asombró el otro—. Nunca lo hubiera creído.

—No se preocupe; si no es el Gobierno, serán los amigos de los senaudi.

# 18

¿Cómo matar a un hombre inconsciente o cómo dejar con vida a un asesino de niños?

Eran preguntas que le planteaban un dilema al que jamás hubiera deseado enfrentarse, porque, si difícil le había resultado apretar el gatillo la primera vez, al menos entonces sabía que se trataba de mercenarios profesionales que si se dejaban sorprender merecían su fin por ineptos.

Pero ahora ni tan siquiera cabía semejante disculpa, puesto que su prisionero se había sumido en un profundo sopor y aún permanecía atado a la camilla incapaz de realizar un solo movimiento.

¿Qué hacer?

¿Qué haría cualquier ser humano en semejante situación?

Sentado a la sombra de la furgoneta y contemplando la alta duna que se cernía sobre su cabeza como la sombra de una guadaña, Gacel Mugtar admitió que no le importaría que decidiera derrumbarse de improviso sepultándole y evitando de ese modo que continuara dudando.

Estaba cansado.

Muy cansado.

Demasiado cansado.

La noche había sido larga, dura y en cierto modo angustiosa, y lo que había transcurrido del día, amargo y terriblemente desagradable.

¿Quién era él para decidir sobre la vida y la muerte?

¿Pero quién era aquel psicópata para decidir sobre la vida y la muerte?

Al menos él, que carecía de estudios, estaba convencido de la culpabilidad de quien, pese a tenerlos, había decidido asesinar a docenas de inocentes.

Como tuareg había recibido la orden de matar a quien se lo mereciera y allí, al pie de aquella impresionante montaña de arena, la ley tuareg debía prevalecer sobre cualquier otra.

Pensó en Zair y en lo que sabría aconsejarle.

La hermosa muchacha de los pies descalzos había leído infinidad de libros y tal vez esos libros le habrían enseñado a diferenciar lo que estaba bien de lo que estaba mal pese a que probablemente su juicio se viera empañado por el durísimo golpe que había significado el atroz final de su hermano.

También pensó en lo que le dirían su madre o la dulce Ghalia Mendala, y le sorprendió descubrir que había recurrido a intentar imaginar la opinión de tres mujeres cuando era de suponer que en cuestiones de violencia deberían ser los hombres quienes tuvieran la última palabra.

Sin duda se debía a que le constaba que eran los hombres los que ejercían la violencia y las mujeres las que la sufrían.

¡Cómo le hubiera gustado poder escucharlas!

Si tan solo una de ellas hubiera dicho «merece la muerte», no le hubiera temblado el pulso, porque le constaba que, si hubiera consultado a un hombre, le hubiera respondido «mátalo».

Él era un hombre, pero no le costó reconocer que en aquellos momentos se estaba comportando como una mujer, más propensa al perdón que a la venganza.

¿Pero era venganza o era justicia?

La invisible línea que separaba ambos conceptos solía cruzarse con demasiada frecuencia, y no se sentía capaz de determinar si había actuado desde un lado u otro a partir de la malhadada noche en que inició su carrera de verdugo.

«Al fin y al cabo no fui yo quien tomó la decisión, sino unos *imajeghan*» a los que no podía oponerme.»

Aquella era una justificación tan mala como cualquier otra cuando lo que se veía obligado a hacer era ejecutar a un hombre indefenso atado a una camilla.

Las dudas continuaban librando una dura batalla en su interior cuando advirtió cómo una columna de polvo se desplazaba en la distancia.

Tal vez se tratara de los guardaespaldas de Sad al Mani que venían en su busca o tal vez no, pero el mero hecho de pensar en la posibilidad de que semejante alimaña pudiera volver a asesinar le obligó a acelerar su decisión.

¿Con qué cara se enfrentaría el día de mañana a los familiares de sus nuevas víctimas para confesarles: «Estuvo en mis manos evitarlo, pero le dejé escapar permitiendo que continuara con sus atrocidades».

No; jamás lo diría, por mucho que le repugnara lo que se veía obligado a hacer.

Se puso en pie como si el cuerpo le pesara mil kilos,

penetró en la furgoneta, que se había convertido en un horno, y observó al desfigurado terrorista que boqueaba como un pez fuera del agua.

Costaba aceptar que aquella babosa amorfa y desfigurada hubiera conseguido convencer a alguien para que se inmolara en nombre de Alá, pero así era, y resultaba imprescindible impedir que tuviera la menor oportunidad de volver a convencer a nadie.

Se apoderó de la pistola que había encontrado en la guantera del vehículo, colocó sobre el aborrecido rostro un cojín contra el que apoyó el cañón del arma con objeto de acallar el estampido y apretó el gatillo.

Las muelas que tanto habían hecho sufrir a Sad al Mani saltaron en pedazos.

Arrojó lejos el arma y regresó al exterior, donde no tardó en advertir que la columna de polvo se alejaba hacia el norte.

Quienesquiera que fuesen merecían su agradecimiento, puesto que le habían ayudado a tomar una difícil decisión en uno de los momentos más amargos de su vida.

Descansó durante otra hora y comprendió que no podía continuar junto al cadáver de quien acababa de ejecutar por lo que recuperó el arma y se apoderó del agua que quedaba en el vehículo y algunas provisiones.

Por último, puso el motor en marcha, lo colocó frente a la base de la duna, presionó con la caja de herramientas el acelerador, metió la marcha y saltó a tierra alejándose precipitadamente.

El violento choque quedó amortiguado por la masa de arena, pero, tal como suponía, muy pronto esta comenzó a deslizarse con un suave lamento de bestia agonizante sepultando cuanto se encontraba bajo ella.

Aquel mar de arena continuaría su lento avance hasta que algún día, dentro de varios siglos, dejara al descubierto el cadáver momificado de un canadiense al que nada se le había perdido en el corazón del desierto.

—¿Cuánto hace que no te bañas?

—¿Acaso te imaginas que hueles a rosas…? —fue la instantánea respuesta de quien se sentía justamente ofendido.

—No es por molestarte… —puntualizó Omar el Khebir indicando el rústico letrero que apenas alcanzaba a leerse sobre el dintel de una puerta que se abría al otro lado de la calle—. Es que ahí dice que podemos bañarnos, despiojarnos, cortarnos el pelo y comprar ropa limpia.

Yusuf le dirigió una mirada al letrero y luego se volvió a observar las enredadas greñas de su compañero de fatigas, la espesa capa de mugre que le cubría las partes visibles del cuerpo y el lamentable estado de su ropa cubierta de lamparones.

A continuación se observó a sí mismo y comentó en tono pesimista:

—No me parece una buena idea; quitarnos toda esta mierda de encima llevaría horas…

—No tenemos nada mejor que hacer y nos vendría bien cambiar de aspecto e intentar pasar desapercibidos; se nota a la legua que no somos de aquí.

—Eso también es verdad. ¿Dejarán entrar al burro?

—Lo dudo, aunque, bien mirado, está más limpio que nosotros.

Estaba, en efecto, mucho más limpio, pero el propietario de la casa de baños se mostró muy estricto al respecto obligándoles a dejarlo en la puerta. A continuación, y sin permitir que se aproximaran a menos de dos metros del mostrador, para lo cual había dibujado una línea en el suelo, les indicó que se dirigieran al otro extremo del patio, donde bajo un techo de cañas se distinguían cuatro rústicas «bañeras» de cemento de un agua aceptablemente limpia pero ligeramente salobre y que olía a desinfectante.

—Tenéis que dejar vuestros objetos personales sobre el muro y colocar toda la ropa, ¡absolutamente toda!, en aquellos barreños. Luego meteos en el agua, frotaos bien con estropajo y jabón y procurad mantener la cabeza sumergida el mayor tiempo posible para que se vayan ahogando los bichos.

El establecimiento era en verdad humilde, pero ciertamente bien organizado y escrupuloso, puesto que hasta que sus dos mugrientos clientes no llevaban un buen rato en remojo el encargado no se aproximó, y lo primero que hizo fue poner a hervir los barreños que contenían sus ropas, añadiéndole un chorro de jugo de raíz de *amayil*, que tenía la virtud acabar con todo rastro de vida aunque las dejara impregnadas de un irritante olor que tardaba horas en desaparecer.

Luego les proporcionó espejos, tijeras y sobre todo maquinillas, más apropiadas para trasquilar ovejas que para cortarles el cabello a seres humanos, aconsejándoles que las emplearan a conciencia, puesto que, si pretendían abandonar su local libres de parásitos, la mejor forma de hacerlo era con la cabeza tan lisa como una bola de billar y la barba tan suave como el culo de un niño.

—Esta es una ciudad en donde las enfermedades se ceban por culpa de la guerra, el calor y la falta de higiene —dijo—. El sida, la sarna, el tifus, las diarreas y la tuberculosis están causando tantos estragos como los atentados extremistas, o sea, que procurad no intercambiar vuestros piojos, pulgas, ladillas y chinches con los de desconocidos…

Cuando al cabo de un rato los contempló limpios y totalmente rasurados, pareció regodearse con el ridículo espectáculo que ofrecían, ya que semejaban enormes fetos recién salidos del útero de su madre, pero se limitó a señalar:

—Si no se os ha perdido nada importante en Kidal, os aconsejo que procuréis largaros cuanto antes.

—¿Cómo…? —quiso saber Omar el Khebir—. Para subirte a un autobús o un camión los franceses te piden la documentación y nosotros solo somos humildes pastores que nunca han tenido papeles.

—Si vosotros sois pastores, yo soy capitán de barco, porque esas cicatrices no son propias de humildes pastores a no ser que ahora las cabras utilicen fusiles, pero, como no me gusta meterme en los asuntos ajenos, si queréis saber algo más sobre «papeles», preguntadle al gordo que juega al ajedrez en el cafetín de la plaza del mercado. Es el dueño y conoce a mucha gente —chasqueó lo dedos como si de improviso experimentara la necesidad de quitárselos de encima, visto que podría tratarse de delincuentes de los que cabía esperar cualquier cosa—. En aquellos estantes encontraréis ropa limpia —añadió—. Es usada, pero, si preferís recuperar la vuestra, tendréis que esperar hasta que se airee, porque el desinfectante irrita la piel.

Visto que habían pasado de melenudos mercenarios a parecer rapados monjes tibetanos, optaron por cambiar también de «estilo», eligiendo pantalones anchos, blusones de colores y diminutos gorritos de los que utilizaban los nativos, a tal extremo que cuando al fin abandonaron el establecimiento ni siquiera el burro les reconoció, por lo que al poco Omar el Khebir se vio obligado a volver atrás para increparle:

—¿Qué haces ahí parado? ¿Estás esperando a que te trasquilen? ¡Vamos!

El pobre animal tardó en reaccionar, puesto que jamás había sido testigo de semejante transformación y ni siquiera le quedaba el recurso de recurrir a su fino olfato, debido a que instintivamente había apartado la cabeza en cuanto percibió un levísimo tufo del repelente olor de unas ropas que habían sido desinfectadas con el venenoso jugo de la raíz de *amayil*.

Dudó entre quedarse donde estaba o acatar la orden de una voz que sí era capaz de reconocer, y al fin optó por seguir a prudente distancia a dos hombres que a su modo de ver poco tenían en común con los que le habían dejado en la puerta, que solo hedían a sudor y a camello.

Deambularon sin rumbo por entre las callejuelas hasta que de improviso Yusuf se detuvo lanzando un rugido al tiempo que alzaba las manos clamando al cielo en un incontenible gesto de rabia e impotencia.

—¡Maldita sea...! ¡Ha volado!

Omar el Khebir observó a su acompañante con cierta alarma, pero casi al instante siguió la dirección de su mirada, comprendió cuál era el motivo de su desesperación y, demostrando una vez más que era un hombre que sabía mantener la calma en momentos difíciles, se limitó a comentar:

—¿Y qué esperabas? Es una avioneta.

—Ya te dije yo que eso de bañarse no era buena idea. Ese negro hijo de puta ha aprovechado para largarse.

—Ese negro hijo de puta no sabía que estuviéramos en Kidal, que le buscáramos y mucho menos que se nos ocurriera darnos un baño —fue la serena respuesta de su exjefe—. O sea, que deja de lamentarte y empieza a pensar en qué vamos a hacer, porque esta ciudad se ha convertido en una cárcel en la que acabarán cortándonos la cabeza.

—Pero es que habíamos prometido vengar a nuestros compañeros —le hizo notar un cada vez más afligido Yusuf.

Omar el Khebir continuó haciendo gala de reconocida calma, aferró a su compañero por el brazo y le empujó hasta tomar asiento a la sombra de un grupo de árboles, lo que constituía una norma de comportamiento habitual en quien pretendiera mantener una tranquila conversación a aquellas horas y en semejantes latitudes.

—¡Escúchame bien! —dijo una vez acomodados—. Somos lo que somos y a estas alturas deberíamos haber aprendido a aceptarlo, porque, si pretendiéramos «vengar a nuestros compañeros», tendrías que matarme por haberme cargado a Tufeili, al igual que yo tendría que matarte por haberte cargado a Ahmed. ¿Es cierto o no?

—Eran situaciones extremas: necesitábamos agua para sobrevivir.

—El agua suele ser una buena razón para justificarlo casi todo, pero este no es el caso. Me encantaría abrirle las tripas a ese sucio piloto, no solo por mis compañeros, sino porque se burló de nosotros, pero soy lo suficientemente profesional como para saber que en ocasiones la venganza suele ser el atajo más corto hacia el desastre... —se entretuvo en acariciar el lomo del asno, que al fin había decidido aproximarse, antes de concluir—: Y, como ya estamos lo suficientemente cerca del desastre como para escoger atajos, lo mejor que podemos hacer es buscar a ese gordo que juega al ajedrez a ver qué puede hacer por nosotros.

El viaje de regreso con abundante agua y provisiones, descansando de día, avanzando de noche y sabiendo perfectamente dónde se encontraba Kidal, constituyó casi un agradable paseo durante el cual Gacel dedicaba las horas de más calor a buscar una sombra y sentarse a meditar sobre cuanto había acontecido y sobre cuanto podría acontecer durante los próximos meses.

Sad al Mani había quedado sepultado bajo un océano de arena, lo cual significaba que a partir de ahora había un enemigo menos del verdadero islam que predicaba la paz, la igualdad y la justicia, pero su muerte apenas significaba un grano menos de esa arena teniendo en cuenta que los enemigos del verdadero islam proliferaban en exceso.

No le había sorprendido que el canadiense confesara que el poderoso e influyente propietario de una gran cantidad de minas de natrón, Mulay Massuri, fuera uno de sus colaboradores, puesto que eso era algo que por lo visto Suilem Baladé sospechaba hacía tiempo, pero sí le sorprendió que mencionara al morabito Songó Babangasi, al que hasta aquel momento había considerado un ejemplo de bondad, concordia y moderación.

Mientras observaba cómo caía la tarde y el mar de dunas iba cambiando de color continuamente, recordó que los seguidores del Viejo de la Montaña estaban autorizados a mentir, engañar e incluso afirmar que no profesaban la fe musulmana siempre que dicha actitud les permitiera conseguir sus objetivos, y a la vista de ello no pudo por menos que preguntarse si no resultaría preferible enfrentarse a violentos lunáticos de la calaña de Sad al Mani que a sibilinos embaucadores del estilo de Babangasi.

A los primeros había aprendido a tratarlos a tiros, y no tardó en decidir que esa sería también la mejor forma de tratar a los segundos, porque a las serpientes había que eliminarlas como a serpientes, visto que jamás dejarían de comportarse como serpientes.

No obstante, en cuanto llegó a Kidal y le comunicó al siempre mesurado Suilem Baladé su intención de acabar con el imán, este no se mostró en absoluto partidario de actuar de una forma tan drástica.

—Ejecutar a Sad al Mani ha debido significar una experiencia demoledora, por lo que deberías serenarte... —le miró a los ojos como si se negara a admitir que un «hombre de Dios» al que siempre había admirado pudiera pertenecer a la yihad islámica—. ¿Seguro que te dijo que Babangasi era uno de los suyos? ¡Me cuesta creerlo!

—Y a mí... —replicó con innegable pesar el tuareg—. Hablé varias veces con él durante la boda y, a mi modo de ver, rezumaba bondad... —hizo una casi imperceptible pausa antes de concluir—: Aunque reconozco que embaucar a alguien como yo no tiene mérito.

—No intentes parecer más tonto de lo que eres porque te enfrentarías a una labor titánica... —puntualizó el otro sin poder contener una malvada sonrisita—. Pero te advierto que, si tú has hablado varias veces con Babá, yo lo he hecho dos o tres veces por semana durante años y jamás imaginé que estuviera fingiendo cuando se refería «a su ineludible obligación de amansar a unas ovejas que se habían transformado en lobos».

—Por ello creo que debemos eliminarle en primer lugar —al tuareg se le advertía seguro de su argumentación al insistir—: No tiene familia ni nada que le ate a Kidal, o sea, que, en cuanto les ocurriera algo a Bachar, Shalim o, sobre todo, a Mulay Massuri, se esfumaría al sospechar que Sad al Mani les delató.

Era un argumento que Suilem Baladé se veía obligado a aceptar, aunque cabía señalar que sobre dicha aceptación pesaba el hecho de sentirse engañado por alguien a quien realmente apreciaba y en quien siempre había confiado.

El amable y servicial imán acostumbraba acudir a reconfortar a Ghalia Mendala en sus peores momentos, mostrándose tan afable, humano y afectuoso que a menudo conseguía dejarla en paz consigo misma aceptando con resignación la pesada carga que el Señor le había enviado.

En ocasiones se quedaba a dormir en la habitación de invitados, pero antes de acostarse solían sentarse a charlar en el patio trasero comentando las incidencias del día y lamentándose por la marcha de un mundo en el que una mitad parecía haberse acelerado locamente mientras la otra se estancaba y en ocasiones incluso retrocedía.

—El mes pasado me encontraba en un campamento de refugiados cuando me telefoneó un amigo para decirme que estaba asistiendo al Gran Premio de Montecarlo —le había comentado Babangasi durante una de aquellas charlas—. Se me antojó inverosímil que estuviera escuchando simultáneamente el rugir de los motores en Mónaco y los gemidos de una niña que se estaba muriendo de hambre a miles de kilómetros de distancia... —el imán había hecho una agria pausa antes de añadir cerrando con firmeza un puño—: ¡Esas injusticias tienen que acabar! Nuestra obligación es ayudar a construir un futuro mejor y más equilibrado...

Al escribiente no le quedaba ahora otro remedio que reconocer que, si, tras aquellos nobles pensamientos, aquel semblante sereno y aquella firmeza de convicciones, se ocultaba un ladino hipócrita que alentaba a los terroristas a la hora de provocar masacres, merecía un castigo ejemplar.

La inolvidable fiesta de esponsales había acabado, los novios habían iniciado su viaje de luna de miel, los invitados habían regresado a sus lugares de origen y la tregua había llegado a su fin, por lo que en cualquier momento un nuevo coche bomba podría estallar en cualquier punto de la ciudad.

—De acuerdo... —susurró, temiendo que su mujer pudiera oírle—. Acabaremos con ese farsante, pero no quiero que Ghalia sepa qué clase de cerdo le ha estado reconfortando. Se sentiría humillada y con razón —se diría que el Escritor rumiaba su ira y su frustración por haber sido engañado durante tanto tiempo, aunque al poco pareció serenarse al añadir, alzando la mano—: Estoy de acuerdo siempre que sea yo quien le mate.

Gacel Mugtar se opuso de inmediato.

—Me consta que podrías hacerlo, pero yo nunca podría hacer tu trabajo, ya que jamás se me hubiera pasado por la cabeza que una boda fuera la excusa perfecta para conseguir que un dentista egipcio atendiera a un terrorista canadiense en mitad del desierto.

—No se te habría ocurrido porque a nadie se le habría ocurrido pedirte que te ocupases de redactar las invitaciones —fue la elemental respuesta de su interlocutor—. Cuando algo empieza a oler mal, lo primero que tiene que hacerse no es averiguar «a qué demonios huele, sino de dónde proviene el olor», porque de esa manera consigues tres confirmaciones: la vista, el tacto y el olfato. Nací en Kidal, siempre he vivido en Kidal, conozco a todo el mundo en Kidal, detecto cuando algo no se ajusta a las normas de Kidal y, como quien me encargó las invitaciones fue Mulay Massuri, del que nunca me he fiado, algo no me cuadraba —lanzó un sonoro resoplido al concluir, como si lo que decía fuera dogma de fe—: Como según las más estrictas reglas sociales la unión de dos de las familias más poderosas de la región no se organiza de la noche a la mañana, a no ser que la novia esté embarazada, y que yo sepa no lo estaba, lo único que me quedaba por hacer era atar cabos.

—Yo no tendría ningún cabo que atar, porque no sé mucho de esta ciudad, sus gentes, sus costumbres o sus ideologías —le hizo notar el tuareg—. O sea, que no nos intercambiaremos los papeles, porque tu tarea consiste en aportar información y la mía en matar. Y, además, tú tienes que preocuparte por dos vidas, la tuya y la de Ghalia.

—Aun así, sigo creyendo que deberías mantenerte al margen, porque representas al *ettebel*, y a muchos de sus miembros no les gustaría que hubieras ejecutado a un «hombre de Dios» basándote únicamente en la confesión de un terrorista agonizante.

—Es a la hora de morir cuando se dice la verdad.

—¡O no! —replicó el escribiente, al que se le advertía cada vez más preocupado por las posibles repercusiones de tan espinoso asunto—. Una cosa es liquidar a Sad al Mani, lo que todo el mundo aplaudirá, y otra muy distinta asesinar a un respetado morabito a quien algunos consideran un santón. Debemos buscar una fórmula que no ofenda a los nuestros corriendo el riesgo de dividirlos.

# 19

Le gustaban los camellos de pura raza, altos, de fina estampa, con largas patas que les permitían correr como gacelas y lustrosas jorobas repletas de compacta grasa que evidenciaban que disponía de grandes reservas para realizar un largo viaje.

A Kafir Tarak, que había nacido y se había criado entre ellos gracias a que su padre había sido camellero, le encantaba este tipo de bestias, pero era cosa sabida que rara vez las compraba.

En el mercado se aproximaba a los corrillos de vendedores, que ni siquiera se molestaban en cantar las alabanzas de sus animales dando por hecho que quien pagaba en el acto y sin regatear tan solo se quedaba con los ejemplares que elegía y que a menudo otros clientes no aceptarían ni aunque se los regalasen.

Si se hubiera tratado de caballos, podría decirse que Kafir Tarak no buscaba briosos purasangres con los que competir en un hipódromo, sino fuertes y mansos percherones capaces de recorrer cientos de kilómetros sin alterar el paso ni cocear a los conductores.

Sus caravanas necesitaban bestias sumisas, pacientes y

resistentes, por lo que, en cuanto seleccionaba una, de inmediato marcaba en el lomo de la bestia el peso exacto con el que se debía cargar.

—A menudo, diez kilos de exceso significa la diferencia entre que se sienta cómoda y camine todo el día sin rechistar o que tire la carga cada tres horas retrasando al resto —argumentaba—. Quien crea que todos los camellos son iguales es tan estúpido como quien cree que todos los hombres son iguales. Si se consigue determinar qué trabajo debe hacer cada cual y no se le agobia, todo funciona mejor.

Con semejante filosofía y un demostrado coraje que le había llevado a adentrarse en los desiertos más inhóspitos abriendo nuevas rutas y dedicándose ocasionalmente al contrabando, cosa que no estaba en absoluto mal vista en una región eminentemente fronteriza, Kafir Tarak había amasado una sólida fortuna y se había ganado el respeto de sus conciudadanos, y en aquellos momentos se sentía especialmente feliz porque su hija mayor estaba recorriendo Europa en compañía de su flamante esposo y muy pronto le convertiría en abuelo, lo cual significaba que la sangre de los Tarak se perpetuaría por los siglos de los siglos.

Había adquirido ya una treintena de animales a los que le constaba que tendrían que cuidar y alimentar durante semanas antes de enviarlos a recorrer el desierto en compañía de cientos de sus congéneres, por lo que se disponía a disfrutar de su habitual descanso en un apartado banco a la sombra de una acacia cuando se sorprendió al advertir que estaba ocupado por un miembro del Pueblo del Velo, que le indicó con un casi imperativo gesto que se acomodara a su lado.

—*Metulem, metulem!* —fue lo primero que dijo el molesto intruso—. Razmán Yuha te envía sus saludos.

—*Metulem, metulem!* —le respondió él tomando asiento—. ¿Cómo se encuentra mi viejo amigo? Lamenté profundamente la muerte de su hijo; conocía a Turky desde que no levantaba un palmo del suelo.

—No consigue recuperar la paz de espíritu, y esa es una de las razones por las que me he visto obligado a abordarte de una forma tan poco apropiada. Me ha rogado que te comunique que a algunos *imajeghan* no les agrada tu pasividad respecto a lo que está ocurriendo en Malí.

—Nunca me ha interesado la política —fue la agria objeción del caravanero—. Lo único que sé hacer es trabajar o dar trabajo, y mis hombres tienen orden de no disparar más que sobre salteadores de caminos. De ese modo, las facciones en conflicto, que ya no sé ni cuántas son ni qué diablos pretenden con tanta matanza, me respetan y me dejan en paz, porque les consta que puedo ser un mal enemigo.

—¿Y no te importa que los fanáticos masacren inocentes? —quiso saber Gacel Mugtar—. Están convirtiendo el mundo en un infierno.

—Me importa… —replicó el otro con manifiesta sinceridad—. ¡Y mucho! Pero ¿qué puedo hacer cuando ni las grandes potencias consiguen evitarlo? Cincuenta años recorriéndolos me han enseñado que los inmensos desiertos son mucho menos peligrosos que el diminuto cerebro de un fanático, y la prueba está en que Sad al Mani ha acabado con más gente en medio año que el Sáhara en medio siglo.

—Sad al Mani ya no acabará con nadie más.

Kafir Tarak observó de medio lado a su interlocutor, confundido no solo por sus palabras, sino por la convicción con que las había pronunciado.

—¿Qué has querido decir con eso?

—Lo que he dicho.

—¿Ha vuelto a Canadá?

—No ha vuelto a ninguna parte.

—¿Está muerto?

—Bastante.

—¿Cómo lo sabes?

—Le maté yo.

El caravanero había sido siempre un hombre parco en palabras, pero en esta ocasión tal parquedad devino en carencia absoluta, por lo que permaneció un rato tan aturdido como si hubiera recibido una patada en la boca del estómago. Al fin, tras carraspear un par de veces, inquirió casi con admiración:

—¿Intentas decirme que eres uno de los ejecutores del *ettebel*? —ante el gesto de asentimiento se rascó la frente y de nuevo se quedó sin palabras, por lo que se puso en pie y le dio una vuelta completa a la acacia hasta situarse de nuevo frente a su interlocutor con la aparente finalidad de estudiarle, como si se tratara de un ser de otro planeta o un espécimen de animal desconocido—. ¿A cuántos hombres has matado? —acertó a inquirir.

—A más de los que hubiera deseado y menos de los que se lo merecían.

—No sé quiénes serían los otros, pero está claro que esa cabra sarnosa de Sad al Mani se lo merecía. ¿Cómo lo encontraste? Si fuiste a buscarle al Adrar de los Iforas, tuviste mucha suerte, porque conozco bien aquel territorio y es un intrincado laberinto.

—No, no le encontré en el Adrar... —Gacel Mugtar alargó más de lo debido la pausa consciente del efecto que iban a causar sus palabras—, le encontré en la boda de tu hija.

—¿Pero qué dices? —masculló el indignado caravanero echando mano a la gumía que llevaba a la cintura—. Retíralo o te saco las tripas por muy ejecutor del *ettebel* que seas.

—Lo siento, pero no puedo hacerlo, porque es la verdad... —el tuareg hizo de nuevo un gesto para que tomara asiento a su lado sabiendo que lo iba a necesitar—. Los fanáticos que según tú tanto te respetan, tu consuegro Mulay Massuri y tu gran amigo el imán Songó Babangasi, te utilizaron de la forma más rastrera que nadie sería capaz de imaginar...

A continuación le hizo un breve resumen de cuanto había acontecido durante la fiesta de la boda de su hija, sin extenderse en los brutales métodos que se había visto obligado a utilizar para obtener del canadiense los nombres de sus colaboradores. Al concluir, golpeó con afecto el antebrazo de un infeliz al que se diría que se le habían venido encima todos los planetas del firmamento.

—Lo siento... —dijo.

No obtuvo respuesta, puesto que al humillado Kafir Tarak le resultaba imposible reaccionar y había girado la cabeza como si temiera que se le escapara una lágrima impropia de uno de los caravaneros más valientes del Sáhara.

—Esa es la forma de actuar de unos extremistas capaces de anteponer su ideología a cualquier otro concepto —añadió al poco Gacel Mugtar—. Si están traicionando a Dios, no debe extrañarnos que traicionen a sus amigos e incluso a sus familiares. Es como una enfermedad para la que aún no se ha sabido encontrar remedio.

—Tú lo has encontrado.

—Te equivocas; matarlos no es un remedio, solo una solución. Cierto que acaba con los enfermos, pero no con la enfermedad.

—En ese caso mataré a los enfermos para evitar que sigan propagando la enfermedad.

—Me parece justo, y si te he contado algo que sabía que te iba a ofender es porque me consta que, si tú mataras a Mulay Massuri, acabarías teniendo problemas con tu yerno, mientras que, si yo matara a Songó Babangasi, acabaría teniendo problemas con los *imajeghan* —el tuareg abrió las manos como intentando demostrar que no escondía nada en ellas, y añadió—: Por tanto, lo más lógico sería...

«El gordo que jugaba al ajedrez» era uno de los pocos gordos con papada de Kidal, probablemente debido a que se pasaba horas repantingado en un sillón de su cafetín, como una enorme araña a la espera de un incauto dispuesto a perder unos francos retándole a jugar.

En la ciudad ya apenas quedaban incautos a los que no hubiera desplumado, por lo que no dudó en dedicar una de sus más seductoras sonrisas a los dos forasteros que se aproximaban, al tiempo que indicaba el tablero:

—¿Os apetece...? Mil francos la partida.

—Apenas sabemos jugar... —se disculpó Omar el

Khebir—. Pero el dueño de la casa de baños nos ha dicho que nos puedes conseguir ciertos documentos.

El sudoroso barrigón dudó, lanzó una inquieta ojeada a su alrededor, frotó con el dedo índice el borde de la cabeza del rey blanco como si acabase de descubrirle una mota de polvo y al fin señaló desganadamente:

—Si es para hablar de «papeles», uno de vosotros tiene que marcharse.

—Es que el tema nos interesa a los dos.

—Pero solo hablaré con uno…

—¿Y eso…? —intervino Yusuf, visiblemente molesto.

—Porque, si hablo con uno y se va de la lengua, mi palabra vale tanto como la suya, pero, si hablo con dos y se van de la lengua, mi palabra tan solo vale la mitad —sonrió mefistofélicamente al inquirir—: ¿Me he explicado con claridad?

—Desde luego.

—En ese caso, aléjate —hizo una corta pausa antes de añadir con marcada intención—: El burro puede quedarse.

Omar el Khebir indicó en silencio a su exlugarteniente que convenía que obedeciera y se acomodó al otro lado de la mesa al tiempo que le propinaba un pescozón al asno ordenándole que se mantuviera en pie sobre sus cuatro patas y no llamara la atención haciendo una de sus gracias.

—Bonito animal… —comentó el jugador de ajedrez.

—Más animal que bonito, y empiezo a cansarme de él —fue la rápida respuesta—. ¿Qué hay de esos papeles?

—Si fuerais malienses, os los podría proporcionar, pero por el acento deduzco que sois nigerinos, libios o chadianos, y eso complica las cosas, porque una mujer asegura que su padre llegó a la ciudad en un camión al que también se habían subido dos de los mercenarios que masacraron a los senaudi.

—¿Y tú te lo has creído?

—Lo que yo crea o deje de creer solo importa a la hora de mover una de esas piezas, pero lo que sí sé es que fusilarán en el acto a quien ayude a esos mercenarios.

—Pagamos bien.

—Las balas que necesita un pelotón de ejecución no cuestan mucho, y en mi caso no se desperdiciarían, porque dada mi constitución hasta un ciego me acertaría —negó una y otra vez como si quisiera dejar claro a los posibles testigos que estaba rechazando cualquier tipo de trato, pero añadió, bajando la voz—: Ni me arriesgaré a proporcionaros documentos ni conozco a nadie dispuesto a hacerlo, aunque sí conozco a alguien que necesita mercenarios.

—¿Qué quieres decir con eso?

—Que, «si por casualidad fuerais mercenarios», cosa que ignoro y que prefiero seguir ignorando, hablaré con un amigo que estaría interesado en contratar vuestros servicios. A cambio de tales «servicios», sean los que sean, que tampoco me importa, os pagará bien y os ayudará a salir de la ciudad. ¿Me he explicado con claridad? —repitió como si se tratara de una muletilla.

—Absoluta.

—En ese caso vuelve al atardecer, pero ni te acerques ni me saludes —hizo un imperativo ademán con la mano instándole a marcharse cuanto antes al añadir—: Si mi amigo decide que trabajéis para él, le indicaré quiénes sois; de lo contrario, os deseo suerte, porque vais a necesitarla.

Omar el Khebir le arrebató al asno el alfil que comenzaba a mordisquear, lo dejó en su lugar en el tablero, se levantó y atravesó la plaza sintiéndose tan vulnerable como nunca se había sentido con anterioridad.

La forma de hablar y comportarse del esquivo gordo le obligaba a reafirmarse en la idea de estar vagando sin rumbo por un territorio en el que su vida pendía de un hilo, y bastaba con que cualquier transeúnte le señalara como «sospechoso de terrorismo» para que una muchedumbre ansiosa de sangre, y especialmente de sangre extranjera, se le echara encima sin concederle la oportunidad de defenderse.

En Kidal, los odios raciales, nacionalistas, políticos y religiosos estaban tan a flor de piel que ni siquiera hacía falta una chispa para que el fuego prendiera debido a que ese fuego ardía en cada rincón de cada casa.

La sucia cristalera del escaparate de la humeante «casa de comidas» que se alzaba en una esquina le devolvió borrosamente la tragicómica imagen de un hombre de enormes orejas, rapado, escuálido, ojeroso y vestido de una forma tan ridícula e inapropiada que se avergonzó de sí mismo.

Maldijo entre dientes la estúpida idea de darse un baño y, aunque cierto era que por primera vez en mucho tiempo llevaba todo el día sin tener que rascarse o andar a la caza de piojos y garrapatas, cierto era también que el precio que se estaba viendo obligado a pagar se le antojaba excesivo.

Siempre había sido un guerrero tuareg, renegado o no, por lo que su imagen debía responder a una personalidad que parecía haberse diluido junto a una pastilla de jabón y solo confiaba en que su acreditado valor no se hubiera ahogado junto a sus incontables parásitos.

Yusuf intentó aproximarse, pero se desvió de su camino al tiempo que le hacía un imperativo ademán para que se mantuviera a distancia, hasta que alcanzaron una solitaria esquina en la que, tras comprobar que no les habían seguido, le hizo un somero resumen de su conversación con el grasiento personaje de la enorme papada.

—Volveremos a la plaza al atardecer... —concluyó—. Pero por separado.

—¿Y si nos tienden una trampa?

—Caímos en esa trampa cuando los libios se alzaron contra Gadafi —le recordó—. Desde ese mismo momento lo único que hemos hecho es intentar escapar pero los dos sabemos que en cualquier momento acabará cerrándose.

Se separaron con la amarga sensación de haber llegado al final del largo camino que habían elegido cuando decidieron ponerse al servicio del difunto dictador, admitiendo con el fatalismo propio de su azarosa profesión que quien aceptaba dedicarse a matar por dinero debía aceptar que le mataran por dinero.

Si el poco fiable jugador de ajedrez les vendía a las autoridades, a los extremistas, a los tuaregs o a los amigos de los senaudi, lo único que estaría haciendo sería pagarles con su propia moneda.

Cada uno eligió un lugar en el que descansar o meditar sobre lo que llevaba trazas de convertirse en el final de su larga evasión, y en cuanto amainó el bochorno se encontraron de nuevo en la plaza.

El gordo seguía en el mismo lugar y casi en la misma posición, como si no se hubiera movido ni para ir al retrete, concentrado en jugar con un anciano de barbas de chivo, pero cuando los vio se limitó a alargar la mano y mover una torre con estudiada lentitud.

No volvió a alzar ni una sola vez la cabeza, lo que hizo suponer a Omar el Khebir que no había conseguido hablar con quien tuviera algún interés en contratar mercenarios, pero cuando se disponía a abandonar la plaza se le aproximó un hombre con un cigarrillo en la mano rogando que se lo encendiera.

Al responder que no tenía fuego, el desconocido se limitó a comentar:

—Pues, si te desvías por la calle que tienes a tu izquierda, al llegar a la fuente encontrarás a quien te dirá dónde puedes encontrarlo —a continuación dio media vuelta y se aproximó a otro transeúnte insistiendo en su demanda de lumbre.

Omar el Khebir se alejó por la calle que le había indicado el desconocido, Yusuf le siguió a prudente distancia y, al llegar a una herrumbrosa fuente de la que probablemente no había manado agua en años, una arrugada mujeruca les indicó una entreabierta puerta que daba paso a un patio repleto de trastos viejos.

Entraron para enfrentarse a cuatro hombres que les apuntaban con relucientes fusiles AK-47 y que les introdujeron en una vetusta casa de adobe y techo de paja, al fondo de la cual nacía una escalera que descendía a un profundo sótano cuyas paredes se encontraban casi totalmente empapeladas con mapas de la región cubiertos por infinidad de marcas e inscripciones.

Les indicaron por gestos que tomaran asiento uno a cada extremo de una larga mesa, por lo que Omar el Khebir y su exlugarteniente se resignaron a la idea de acabar sus días bajo tierra cuando siempre habían dado por supuesto que lo harían bajo el sol del desierto.

Tras un tenso silencio, quien parecía comandar el grupo, un hausa de nariz aguileña y ojos de búho, se limitó a inquirir:

—¿O sea, que sois mercenarios? —ante el mudo gesto de asentimiento, añadió con cierta sorna—: ¡Con esos camisones de colorines y esos ridículos gorritos jamás lo hubiera imaginado! ¿Podéis demostrarlo?

—¿Y cómo pretendes que lo hagamos…? —quiso saber en un tono un tanto agresivo Omar el Khebir—. Nadie extiende un carné de mercenario.

—¡Muy fácil…! —fue la inquietante respuesta—. Solo estoy dispuesto a contratar a uno, o sea, que el que mate al otro demostrará ser un profesional de los que no cuestionan las órdenes.

—¿Y quién tendrá que matar a quién?

—Podéis echarlo a suertes —señaló el hausa con naturalidad—. Solo se necesita una moneda.

—No me parece justo… —protestó Yusuf evidentemente molesto—. Como bien has dicho, somos mercenarios, llevamos muchos años juntos y, si ha llegado el momento de decidir cuál de los dos es mejor, no debería ser una simple moneda la que lo decidiera.

—¡De acuerdo! —admitió el extremista de los ojos de búho como si fuera el tipo de respuesta que estuviera esperando—. ¿Cómo os gustaría morir?

—Decídelo tú.

El demandado indicó a sus compañeros que se aproximaran, cuchichearon unos instantes y cuando se volvió obligó a Omar el Khebir a que extendiera una mano, le colocó algo en la palma y se la cerró con fuerza.

A continuación hizo lo mismo con Yusuf mientras comentaba:

—Aseguran que en vuestro oficio el que menos duda a la hora de disparar suele ser el mejor... ¿Es cierto eso?

—Puede que no sea el mejor, pero sí el que más posibilidades tiene de llegar a viejo —fue la irónica respuesta—. Aunque, como reza la famosa canción: «Si has llegado a viejo es que no has sido un buen mercenario».

—Os falta bastante para llegar a viejos, o sea, que aún estáis a tiempo de demostrar vuestra calidad... —el hausa hizo una corta pausa con la evidente intención de aumentar la tensión entre quienes iban a enfrentarse—: En cuanto dé un golpe en la mesa, el primero que cargue el arma y acabe con el otro se quedará con el trabajo —se interrumpió de nuevo con la intención de advertir—: Y recordad que solo tenéis una bala cada uno y nosotros somos cuatro, o sea, que no se os ocurra tomarnos por idiotas.

—Ni siquiera se nos había pasado por la cabeza...

Uno de sus secuaces colocó un revólver descargado frente a Omar y otro idéntico ante Yusuf.

—¿Erais muy amigos? —quiso saber el hausa, una pregunta que no se antojaba propia del momento.

—A veces sí, y a veces no.

—¿Lamentaréis lo que vais a hacer?

—Uno probablemente sí, y el otro probablemente no, porque si está muerto no podrá lamentarse de nada.

—Os veo demasiado tranquilos pese a saber que podéis salir de aquí con los pies por delante —masculló el extremista, al que se le advertía un tanto irritado por su aparentemente despreocupada actitud.

—Supongo que no serás tan inepto como para sacarnos con los pies por delante —replicó Omar el Khebir con absoluta desconsideración—. Si tienes que subir un cadáver por una escalera tan empinada, resulta mucho más práctico hacerlo con la cabeza hacia arriba —y sonrió casi con desprecio al sentenciar—: El cadáver sangra menos.

—Veo que le echas coraje al asunto. ¿Tan seguro estás de sobrevivir?

—No, porque Yusuf es muy bueno con las armas. Pero ¿qué esperabas? ¿Vernos temblar? ¿Contratarías a alguien que temblase en el momento de morir?

—Supongo que no.

—En ese caso, déjate de estúpida palabrería y acabemos con esto.

El hombre de la nariz aguileña pareció ofenderse, fue a decir algo, pero se lo pensó mejor y se limitó a dar un golpe en la mesa con el cañón de su arma..

Omar el Khebir y su exlugarteniente se miraron con casi obsesiva fijeza.

# 20

Mulay Massuri solía decir que a la misma hora en que su consuegro Kafir Tarak compraba camellos él compraba hombres y, aunque tal frase no se ajustara exactamente a la realidad, algo de cierto había en ella.

Y es que lo primero que hacía cada mañana era sentarse en el balcón que daba a la parte posterior de su casa, desde donde dominaba un pequeño campo de deportes en el que medio centenar de muchachos llevaba ya un par de horas ejercitándose.

Dotar de vestuarios, duchas y un rústico gimnasio a un terreno en el que jamás había nacido un triste matojo había constituido una de las mejores inversiones que el avispado Mulay Massuri realizara en su vida.

Durante uno de sus viajes a Europa descubrió que el fútbol había pasado de ser un simple deporte a un especulador negocio que movía millones y atraía como moscas a los poderosos a base de una «materia prima» que crecía en cualquier parte.

Para encontrar oro, un buen diamante, una esmeralda o un zafiro resultaba indispensable invertir un gran capital en un país cuya geología fuera adecuada, pero, para descubrir a un muchacho capaz de darle patadas a un balón y por el que excéntricos millonarios rusos, pedantes jeques árabes o ambiciosos empresarios europeos pagaran cien veces más que por cualquier diamante, solo hacía falta un campo baldío, un muchacho y un balón.

Desde el mismo momento en que un chico firmaba un casi indescifrable contrato, se comprometía por veinte años con la Escuela Massuri y recibía a cambio entrenamiento, desayuno, almuerzo y la promesa del diez por ciento de lo que percibiera su dueño el día que decidiera «venderle».

Por término medio su período de estancia en el club-escuela no superaba los seis meses, que solía ser el tiempo que el entrenador necesitaba para determinar si prometía convertirse en una estrella o se trataba de una patata cuyo destino final serían las minas de natrón o emprender cuanto antes «la ruta del cacao».

Debido a tan limitado arco de opciones de cara al futuro —deslomarse cargando lajas de natrón o cortarse una mano abriendo piñas de cacao—, los muchachos se dejaban la piel en el campo, sobre todo en cuanto les enseñaban revistas en las que se veía a jugadores de extracción tan humilde como la suya que disfrutaban de lujosas mansiones, coches deportivos y hermosas muchachas que les perseguían con las bragas en la mano.

África se estaba convirtiendo en la gran cantera del fútbol europeo y en algunos de sus equipos más prestigiosos casi la mitad de la plantilla provenía del continente negro, aunque a menudo el hecho de dejarse la piel en el campo solo sirviera para pasar de mano en mano por equipos de tercera división y acabar de aparcacoches en cualquier ciudad de mala muerte.

Como en todo negocio de compraventa, el mercado marcaba las pautas, pero el paso de los años había demostrado que la inversión en futuros «gladiadores» de los tiempos modernos resultaba mucho más rentable que la inversión en Bolsa.

Malí había visto nacer a jugadores de la talla de Keita, Tigana, Kanouté o Diarra y, aunque hasta el momento Mulay Massuri no había descubierto un auténtico diamante de los que permitían ganar fortunas, contaba con media docena de promesas que le hacían concebir esperanzas, especialmente un espigado portero con los reflejos de una mangosta.

Solía disfrutar observando con cuánta habilidad detenía los penaltis, y en ello estaba la mañana en que algo brilló durante una décima de segundo al otro lado del campo; casi de inmediato experimentó un insoportable dolor en el pecho y ni siquiera tuvo fuerzas para llevarse la mano a la herida.

Fue el propio portero quien dos penaltis más tarde advirtió que su presidente estaba muerto.


Songó Babangasi se despertó a la hora de costumbre, fue al baño como de costumbre, rezó sus oraciones de costumbre y se encaminó al comedor dispuesto a desayunar como de costumbre, pero en esta ocasión no se encontró frente a la anciana sirvienta de costumbre, sino frente a la última persona con la que hubiera deseado encararse en este mundo, y que de inmediato le ordenó secamente:

—¡Siéntate!

Obedeció por dos razones: la primera, porque hubiera resultado inútil negarse, dado que el intruso exhibía un arma; y la segunda, porque las piernas le temblaban de tal forma que, de no haberse sentado, se hubiera derrumbado sin acertar a dar un solo paso.

—¿Dónde está Abuya?—inquirió con un hilo de voz.

—Alguien le advirtió que hoy no le convenía venir.

Siguió un largo silencio, porque al imán no se le ocurría nada que decir y Kafir Tarak se limitaba a observarle como si aún se resistiera a creer que aquel «hombre de Dios», por el que habría puesto la mano en el fuego, hubiera tenido la osadía de profanar la sagrada ceremonia de la boda de su hija.

Los caminos del Señor se le antojaban en verdad insondables, pero aquel resultaba tan vil, sinuoso y abominable que se negaba a aceptar que Alá pudiera tener nada que ver con ello y que debía ser obra del mismísimo Shaitán.

—¿Por qué lo hiciste? —inquirió al fin.

—Me obligaron.

—¿Quién?

—Sad al Mani.

—Mientes, porque esa maldita rata de cloaca no conocía tan a fondo nuestras costumbres, y me consta que fuiste tú quien organizó la boda con ayuda de Mulay, que, por cierto, ya ha pagado su culpa.

—¿Lo has matado?

—Yo no, pero para el caso es lo mismo; si te apresuras, podrás alcanzarle y entraréis juntos en el infierno.

—Yo nunca iré al infierno porque Alá entiende mi lucha y la bendice.

—Si vuelves a decir una herejía de ese calibre, te mandaré a comprobarlo antes de tiempo... —le advirtió quien parecía absolutamente dispuesto a hacerlo—. O sea, que limítate a contestar, porque cada respuesta acertada te comprará unos segundos más de vida. ¿Dónde está el egipcio?

—¿Qué egipcio?

—El dentista que atendía a Sad al Mani.

—Muerto.

—No te he preguntado por su estado de salud, puesto que ya daba por sentado que lo habíais mandado matar; te pregunto dónde está enterrado.

—En algún lugar del desierto, supongo. Los hombres del Sad al Mani se lo llevaron.

—Pues, como sean tan ineptos como a la hora de proteger a su jefe, cualquier día su cadáver saltará de la tumba —fue el irónico comentario del caravanero, aunque ciertamente no se encontraba de humor para hacer bromas, por lo que al poco cambió el tono al inquirir—: ¿Qué crees que le ocurrió a ese lunático canadiense?

—Lo ignoro... —replicó el religioso, y todo inclinaba a admitir que decía la verdad—. Te juro que no sé qué pudo ocurrir aquella noche, porque fue como si la tierra se hubiera tragado la furgoneta.

—Y así fue —respondió su oponente con tranquilidad—. ¡Más o menos! Y para que no te vayas de este mundo en la ignorancia te aclararé que está muerto.

—Eso lo daba por supuesto.

Ahora cabría asegurar que Kafir Tarak disfrutaba de lo que iba a decir, porque sonrió abiertamente al añadir:

—No obstante, y dado que muy pocos saben que ya no

está entre nosotros, a nadie le extrañará que antes de desaparecer cometa un abominable crimen que indignará a los ciudadanos de Kidal.

El rostro de Songó Babangasi se había tornado ceniciento desde casi el primer momento, pero ahora cabría imaginar que casi hasta el cabello se le estaba encaneciendo, cosa que según contaban solía suceder cuando una persona pasaba por momentos de insoportable pánico.

—¿Qué clase de crimen? —musitó casi sin mover los labios.

—Uno que conseguirá que su memoria y la de sus seguidores sea odiada por los siglos de los siglos... —mientras hablaba, el caravanero había extraído de un bolsillo un pedazo de papel en el que aparecía dibujada una hoja de arce que colocó ante el religioso—. ¿Reconoces este símbolo? —quiso saber y, como el otro ni siquiera se atreviera a responder, lo golpeó repetidamente con el dedo al recalcar—: Es la firma que acostumbraba a dejar esa mala bestia cuando organizaba una matanza, y no me digas que no lo sabías.

Al religioso no le quedó más remedio que asentir, y no resultaría aventurado asegurar que no le sobraban fuerzas para mucho más.

—Lo sabías, lo consentías y supongo que incluso le aplaudías... —continuó un Kafir Tarak del que no se podía saber si se sentía más indignado que abatido por la difícil situación a la que se enfrentaba—. ¿Cómo te atrevías a mirar a la cara a los niños que venían a besarte la mano sabiendo que tal vez al día siguiente serían despedazados por semejante animal?

—El triunfo de la verdadera fe exige sacrificios.

—Siempre que los sacrificados sean otros...

—Yo estoy dispuesto a morir por mis creencias.

—¡A buenas horas...! —fue la irónica respuesta—. Con un pie en la tumba aspiras a convertirte en mártir y te garantizo que lo vas a conseguir, pero no a mayor gloria de aquello en lo que crees, el islamismo extremista de degenerados como Sad al Mani, sino a mayor gloria de aquello en lo que no crees, el islamismo pacífico y compasivo que predicaba Mahoma.

Ahora no solo las piernas del religioso temblaban; se agitaba de pies a cabeza, porque su cerebro se negaba a aceptar lo que empezaba a intuir:

—No te entiendo... —balbuceó—. ¿Qué vas a hacer?

—Resulta obvio, viejo amigo en el que tanto confiaba; antes de desaparecer definitivamente sin que nadie llegue a saber nunca en qué rincón del averno se oculta, tu adorado Sad al Mani asesinará a sangre fría a un morabito al que todo el mundo amaba por su humildad, su bondad y sus incontables sacrificios en beneficio de los más pobres... —el caravanero hizo una melodramática pausa antes de inquirir—: ¿Imaginas quién será su última víctima?

—¡No es posible!

—Sí que lo es; su última víctima conocida será el muy querido y nunca suficientemente alabado imán Babá Babangasi y, para añadir el escarnio a su maldad, tendrá la desvergüenza de dejar su firma sobre el cadáver de quien será enterrado como un santón a cuya tumba acudirán a rezar todos aquellos que odian la violencia y aman la paz... —en esta ocasión Kafir no pudo disimular su auténtica satisfacción al concluir—: ¿No resulta un irónico contrasentido? No serás recordado por lo que eres, sino por lo que no eres, aunque supongo que siempre será mejor que los peregrinos se arrodillen ante un falso santón que ante un auténtico demonio.

Al religioso se le advertía ahora ausente, como si se encontrara ya en el otro mundo al que le constaba que le enviarían de un momento a otro, y resultaba imposible determinar si tan solo le agobiaba la realidad de su inmediato fin o si a ello se añadía la idea de convertirse en icono de cuanto aborrecía.

Años de verse obligado a contener sus palabras, acariciar niños o visitar campos de refugiados aferrando las manos de hediondos enfermos y esqueléticos moribundos que podían contagiarle sus asquerosos males estaban a punto de convertirse en un derroche de esfuerzo inútil justo cuando la noche antes se había ido a la cama sabiéndose el sucesor de Sad al Mani y el interlocutor válido a la hora de sentarse a negociar con los Hermanos Musulmanes.

Aquella era sin lugar a dudas una cruel burla del destino y se resistía a creer que su desaparición pudiera causar un daño irreparable a la causa por la que tanto había luchado. Su vida se convertiría en una farsa que se prolongaría durante siglos, puesto que generaciones de beduinos acudirían a postrarse ante la tumba de un santón que había dado ejemplo de convivencia y amor al prójimo.

Se limitó a mover de nuevo la cabeza como si se hubiera convertido en un muñeco mecánico que lo único que sabía hacer era negar, incapaz de tener una sola idea que no fuera resistirse a aceptar que los cielos le habían enviado tan inmerecido castigo.

Por su parte, Kafir Tarak parecía estar librando una difícil batalla personal, porque por un lado se sentía satisfecho por la forma en que se estaba vengando de quien tan vergonzosamente le había ofendido y, por otro, le repugnaba la idea de tener que apretar el gatillo.

—¿Por qué tenéis que conducirnos a estos abismos…? —inquirió de improviso en un tono que evidenciaba la intensidad de su amargura—. ¿Por qué no podéis dejar que cada cual viva en paz con sus creencias? Siempre me he considerado un buen creyente, pero ahora me invaden las dudas, porque, si para ser un buen creyente es necesario mentir y asesinar prefiero unirme a esos camelleros animistas que aseguran que la fe no es más que una carga inútil que provoca conflictos y retrasa la buena marcha de las caravanas.

—Alá fulminará a todos los infieles.

—Si así fuera, no entiendo por qué se molestó en crear a los seres humanos a sabiendas de que tendría que fulminar a la inmensa mayoría que ni siquiera conocen su existencia. Y, como cuanto más hablemos de ello más entiendo a esos camelleros y empiezo a temer por mi fe, lo mejor es acabar de una vez.

Amartilló el arma, pero su víctima pareció tener de improviso una brillante idea, por lo que alzó la mano tomando el libro que descansaba sobre una estantería.

—¡Espera! —casi sollozó—. ¡Espera un segundo, por favor! ¡Mira esto!

—¿Qué es…?

—El Corán.

—Ya se te ha pasado el tiempo de recurrir al Corán.

—Es que no es un Corán cualquiera —fue la ansiosa

respuesta—. Es un incunable de casi setecientos años de antigüedad.

Kafir Tarak observó el extraño ejemplar encuadernado en una suave piel de cordero que había sido arrancado del vientre de su madre antes de nacer y, aunque no entendiera gran cosa de libros, comprendió que se trataba de una obra de arte de un valor que se consideraba incapaz de calcular.

—¿De dónde lo has sacado? —quiso saber.

—Cuando los paracaidistas franceses obligaron a Sad al Mani a retirarse de Tombuctú, trajo consigo algunos de los libros y documentos más valiosos de sus bibliotecas y como tanto él como Mulay han muerto soy el único que sabe dónde los escondieron. Si me dejas vivir te lo diré y serás muy rico, pero si me matas nadie los encontrará y están considerados patrimonio de la humanidad.

—Ya soy lo suficientemente rico y me importa un bledo que se considere patrimonio de la humanidad a unos viejos libros mientras no se considere patrimonio de la humanidad a los miles de niños que mueren de hambre cada día a menos de cincuenta kilómetros de aquí… —el veterano caravanero lanzó una especie de resoplido alargando mucho los labios y acabó refunfuñando con marcada desgana—: No creo que valga la pena, pero, si insistes, te puedo dar algo a cambio de esa información.

—¿Qué…? —quiso saber el condenado atisbando una esperanza de salvar el pellejo.

—Una hora.

—¿Una hora…?

—Una hora; si me cuentas lo que sabes sobre esos libros, te prometo que te dejaré vivir una hora más, pese a que signifique un trastorno, puesto que mi mujer me espera, pero, si te callas o lo que me cuentas no me convence, acabamos en este mismo momento y llegaré a tiempo de almorzar.

—¡Pero una hora no es nada!

—¿Estás seguro? Miles de millones de difuntos contarían cuanto saben por el simple hecho de volver a vivir una hora… ¿O no?


Al escuchar el golpe, Omar el Khebir y Yusuf se miraron con casi obsesiva fijeza, pero no hicieron nada.

Los extremistas permanecían atentos, se diría que ansiosos por acabar de una vez con aquel par de sucios mercenarios que parecían no tomarse en serio sus amenazas, pero la curiosidad venció al afán de acribillarles, por lo que continuaron estudiando cada uno de sus gestos, apostando mentalmente acerca de cuál de ellos se decidiría a iniciar el ataque.

Pero tanto Omar el Khebir como Yusuf continuaron sin hacer nada.

Se limitaban a mirarse casi sin pestañear, como si se hubieran convertido en estatuas, y cuando se escuchó un palpitar demasiado acelerado resultó evidente que no se trataba del corazón de ninguno de ellos.

Transcurrieron casi dos minutos.

El hombre de cara de búho comenzó a inquietarse, pero, cuando uno de sus compañeros, aquel a quien realmente le saltaba el corazón en el pecho por culpa de la mal contenida emoción, levantó su arma colocando la boca del cañón a un palmo de la sien de Yusuf, alzó la mano conminándole a que esperara.

Pasó un largo minuto.

Luego otro.

Los contendientes se observaban impasibles.

Al fin, el hausa no pudo contenerse y acabó barbotando:

—¿Pero qué pasa? ¿Acaso os queréis tanto que no sois capaces de mataros? Si es cuestión de amor, os enterraremos juntos.

Fue entonces cuando Omar el Khebir decidió dignarse a alzar la cabeza y girarla un poco lanzándole una larga y casi humillante mirada.

—¿Y a ti qué te pasa, imbécil…? —inquirió en el tono más duro que se sintió capaz de emplear—. ¿Es que nos has tomado por estúpidos? ¿Cómo pretendes que nos matemos si las armas son del treinta y ocho y la munición del cuarenta y cuatro? ¿Qué esperas que hagamos, pedazo de cretino? ¿Tirarnos las balas a la cabeza?

—¡Malditos hijos de un macho cabrío estéril…! —exclamó de inmediato el otro echándose a reír—. ¡Va a resultar que sois realmente buenos en vuestro oficio!

—No hace falta serlo para conocer el calibre de una bala por el tacto.

—La mayor parte de los soldados no las reconocen.

—Un buen soldado es capaz de desmontar, volver a montar y cargar su arma con los ojos vendados, pero lo consigue porque siempre utiliza la que le proporciona el ejército. Sin embargo, nosotros nos vemos obligados a utilizar las que tenemos a mano y debemos reconocerlas a ciegas, incluida la munición —dejó la bala sobre la mesa al tiempo que mascullaba—: Y acabemos con esto de una vez, ¿necesitas gente o no?

—La necesito —fue la sincera respuesta.

—¡Bien...! En ese caso hay un par de cosas que deben quedar muy claras; nosotros no trabajamos por ideologías, bien sean de carácter político, social o religioso, pero ejecutamos cualquier orden por dura que parezca, excepto la de inmolarnos, porque resulta estúpido desaprovechar tanta experiencia reduciéndola al hecho de tirar de la anilla de una granada de mano.

—Para eso tenemos a los mártires —le tranquilizó quien había tomado asiento con la aparente intención de discutir los términos de un peculiar contrato—. Nuestros héroes saben que debido a la grandeza de su sacrificio volarán directamente al paraíso, pero por desgracia no saben cómo se coloca una mina anticarro en el lugar adecuado.

—Nosotros no tenemos espíritu de héroes ni de mártires, nos limitamos a hacer lo que nos mandan, y eso de colocar minas anticarro solemos hacerlo bien.

El hausa de los ojos de búho ordenó a sus hombres que les dejaran solos y, en cuanto hubieron desaparecido en la parte alta de la escalera, comentó:

—Me consta que esta es una pregunta muy difícil, pero juro por Alá que la respuesta no saldrá de aquí... —se diría que en verdad le costaba hacerla, pero al fin se decidió a preguntar—: ¿Pertenecéis al grupo que arrasó el campamento senaudi; el que comandaba Omar el Khebir?

—Yo soy Omar el Khebir.

Quien había hecho tan comprometedora demanda permaneció como clavado en su asiento, y se tomó un cierto tiempo antes de emitir un leve silbido y señalar:

—Si me lo hubieras dicho antes, nos habríamos ahorrado este circo.

—No lo preguntaste, y como comprenderás no es algo que se deba pregonar, porque, si cuantos pretenden matarnos se pusieran en fila, le darían la vuelta a la ciudad.

—¿Y qué se siente?

—Una cierta preocupación, porque al precio que están las balas matarlos nos costaría los ahorros de toda la vida, —puntualizó Yusuf en un tono que rezumaba sorna.

—¡Solamente Alá decide cuándo debe morir un hombre! —dogmatizó el yihadista absolutamente seguro de lo que decía.

—Lo malo es que a menudo lo decide de repente y sin pensar... —le hizo notar Omar el Khebir, que parecía ir recuperando poco a poco la confianza en sí mismo, pese a que al observar el ridículo aspecto que ofrecía Yusuf parecía estar viéndose reflejado en el escaparate de la casa de comidas—. Y ahora, cuando ya sabes quiénes somos y de lo que somos capaces, me gustaría que me aclarases qué esperas de nosotros y cuánto nos vas a pagar.

—Del precio no tendréis queja, pero debemos esperar, porque quien toma las decisiones está herido.

—¿Sad al Mani...? —ante el casi imperceptible gesto de asentimiento, Omar el Khebir insistió—: ¿Qué le ha ocurrido?

—Parece ser que le han disparado, pero ya está fuera de peligro —el hausa se puso en pie como dando por cerrado el acuerdo—. Pronto entraremos en acción y va a ser duro, porque esos infieles son como los escorpiones: atacan cuando menos lo esperas —golpeó afectuosamente el hombro de Omar al concluir con un inesperado gesto de humor—: Aquí descansaréis seguros, pero te aconsejo que vigiles a ese burro que te sigue a todas partes porque puede que se trate de un Cebra disfrazado...

# 21

La noticia de la muerte del bien amado imán Babá Babangasi a manos del aborrecido Sad al Mani, que para mayor escarnio había tenido la desfachatez de dejar su firma, indignó a la mayoría de los habitantes de una ciudad demasiado golpeada por las desgracias.

Al insoportable calor, la guerra, la sequía, el hambre, el sida y las epidemias, venían a sumarse las insensatas atrocidades de un endemoniado extranjero que parecía dispuesto a acabar con lo poco bueno que quedaba en Kidal, por lo que nadie se extrañó de que muy pronto estallaran tumultos y de que alguien, nunca se supo exactamente quién, decidiera tomarse la justicia por su mano degollando al zapatero Shalim y al barbero Bachar, que siempre habían sido considerados simpatizantes de la yihad.

Al igual que estaba ocurriendo en Siria, Libia, Túnez, Egipto y otros países musulmanes, la sociedad de Kidal se estaba dividiendo entre quienes mataban por una razón y quienes mataban por la opuesta, aunque en el fondo la razón por la que mataban seguía siendo la muy particular interpretación de cada uno de ellos acerca de las palabras de un profeta cuya primera lección había sido muy clara: todos sus discípulos tenían la obligación de estar unidos en torno a sus enseñanzas.

No obstante, en torno a esas enseñanzas se extendía ahora un arco de trescientos sesenta grados y resultaba evidente que cada cual las contemplaba desde el punto de vista que más le interesaba.

Viendo que, según todos los indicios, la veda de fanáticos había quedado definitivamente abierta, medio centenar de vecinos de Kidal deseosos de conservar sus pescuezos se apresuraron a huir rumbo a la cercana Argelia, pero, como compensación al número de yihadistas que optaron por la ausencia, otros ciudadanos que se habían mantenido lejos de Kidal por miedo a esos mismos yihadistas decidieron regresar con la esperanza de no vivir con el continuo temor de escuchar el retumbar de una explosión que tal vez había convertido en despojos a un familiar.

La experiencia demostraba que la violencia de una guerra en la que se conocía la identidad tanto del amigo como del enemigo resultaba mucho más soportable que la tensión de una continua amenaza de tipo terrorista, porque el miedo a lo desconocido siempre había sido el más insoportable de los miedos.

Por su parte, el atribulado Suilem Baladé tuvo que armarse de infinito valor a la hora de comunicarle a su cada vez más delicada esposa que su excelente amigo y consejero, Songó Babangasi, había sido asesinado, viéndose obligado a engañarla por primera en su vida al tener que fingir un dolor y un desconsuelo que estaba muy lejos de experimentar.

El Escritor temía que, si le confesaba a Ghalia Mendala que quien tantas veces le había ayudado en momentos de crisis, y a quien sin duda habría hecho partícipe de algunos de sus más íntimos sentimientos, era en realidad un terrorista, un asesino y un farsante, jamás se recuperaría de tan inesperado y demoledor mazazo.

Resultaba preferible que viviera el poco tiempo que le quedaba imaginando que el día que Alá la llamara a su lado aquel «hombre santo» la estaría esperando para abrirle de par en par, y tal como se merecía, las puertas del paraíso.

No pudo evitar, no obstante, que la sensible mujer sufriera un notable bajón en su ya abatido estado de ánimo, no solo por la pérdida de quien tanto la había consolado en vida, sino por la injusta oleada de calamidades que continuaban cayendo sobre la ciudad que la vio nacer y en la que muy pronto sería enterrada.

—¿Hasta cuándo va a continuar la yihad cebándose en los más débiles? —quiso saber en un tono de evidente desesperación—. Aniquila a cientos de inocentes por cada culpable que consigue eliminar, y gasta mil veces más en armas con las que luchar contra sus supuestos enemigos que en alimentos con los que remediar los males de aquellos a quienes considera amigos.

—No tardará en desaparecer… —le respondió su esposo, convencido de lo que decía—. Por mucho que sus caducos dirigentes se esfuercen en continuar manteniendo a los jóvenes en la ignorancia, las nuevas generaciones empiezan a comprender que su desfasado extremismo es un camino sin futuro. Al igual que en la Edad Media el cristianismo pasó de torturar y quemar herejes a un súbito y esplendoroso renacimiento artístico y cultural, los musulmanes pasaremos de asesinar niñas por el mero hecho de ir a la escuela a unos nuevos tiempos de progreso, concordia y lucidez que recuerden los siglos de gloria de Córdoba o Damasco.

—¿Tú lo verás?

—Los dos lo veremos.

—Si me mientes en lo que se refiere a mí, no podré creerte en lo que se refiere a ti… —le advirtió ella con una de sus arrebatadoras sonrisas—. Pero me conformaré si me aseguras que algún día ocurrirá, aunque ninguno de los dos lo veamos.

—¡Ocurrirá!

—Con tu palabra me basta… ¿Qué opina Gacel?

—Es poco dado a opinar, bastante tiene con enfrentarse a sí mismo cada mañana y sospecho que está a punto de rendirse.

Sabía muy bien de lo que hablaba debido a que, tras acabar de una forma tan innoble con el terrorista canadiense, abatir de un lejano disparo a Mulay Massuri o degollar a Shalim y al barbero, el tuareg se sentía como una de aquellas pieles de serpientes que el viento arrastraba por el desierto hasta que un matojo las detenía y acababan deshaciéndose en jirones.

Había perdido la cuenta de las ejecuciones que había llevado a cabo por cuenta del *ettebel* y aborrecía verse obligado a hacer de policía, fiscal, juez, torturador, carcelero, verdugo y enterrador, por lo que una noche que, como de costumbre, disfrutaban de la brisa nocturna en el patio trasero, decidió confesar a sus amigos que pensaba abandonar la desagradable misión que le habían encomendado.

Suilem Baladé aún no había querido contarle que, según un viejo pastor beduino, tal vez dos de los miembros del grupo de Omar el Khebir habían llegado a la ciudad, y con muy buen juicio consideró que tampoco era ocasión de decírselo, por lo que se limitó a señalar:

—Te puede costar la vida…

—¿Qué vida…? —objetó el otro con manifiesta amargura—. ¿Acostarme recordando a quién he matado esa tarde o levantarme pensando a quién tendré que matar esa mañana? Los *imajeghan* han conseguido que me aleje de mi familia, mi trabajo y mis ilusiones, pero ni ellos ni nadie conseguirán que me aleje de la sensación de vergüenza que me agobia. Me asquea actuar como un carnicero al que lo único que le falta es girar la cabeza de sus víctimas hacia La Meca antes de cercenarles la yugular.

—Escucha, bienquerido… —puntualizó Suilem Baladé—. Entiendo que te remuerda la conciencia, pero todos sabemos que la conciencia es una condenada egoísta que solo va a lo suyo sin importarle el resto de tu persona. Cuando te rompes una pierna a la conciencia no le duele, le duele a la pierna; y, cuando un policía te patea los huevos buscando información, la conciencia se queda de lo más tranquila e incluso se siente orgullosa de tu silencio, pero, en cuanto la conciencia se siente afectada en lo más mínimo, consigue que te duelan desde la raíz de las uñas a la punta de los pelos.

—No entiendo lo que pretendes decir —se lamentó el tuareg.

—Pretendo decir que eso de morir con la conciencia limpia suena muy bien, pero la mayor parte de las veces no sirve de nada. Lo que te obligan a hacer es muy duro, pero, si lo dejas, siempre habrá quien considere que has desertado y ordenará que te peguen un tiro.

—¿Desertado de qué…? —se lamentó Gacel Mugtar—. ¿Acaso esto no vuelve a ser una mera disputa entre dos formas de entender al mismo dios, sean chiíes contra suníes o católicos contra protestantes?

—Exactamente… —reconoció con un innegable deje de amargura el Escritor—. Casi siempre es así, porque lo que realmente importa no es Dios, sino una disculpa para matar a alguien o morir por algo.

—Pues yo he llegado a un punto en que me siento mucho más dispuesto a morir por algo que a matar a alguien…

—No hay nada por lo que merezca la pena morir… —intervino con su dulzura habitual Ghalia Mendala—. De eso entiendo bastante y muy pronto entenderé aún más, pero recuerda que el tiempo de sembrar y cosechar suele ser corto, pero el de arrancar malas hierbas nunca acaba. A ti te ha tocado arrancar malas hierbas y debes continuar haciéndolo.

—Jamás pretendí convertirme en agricultor.

—Tampoco yo en escribiente —puntualizó Suilem Baladé mientras le rellenaba el vaso de té—. Entiendo que no es lo mismo redactar una carta que degollar a un ser humano, pero no nos ofrecen otra opción —acarició con el amor que siempre demostraba el cabello de su esposa, y añadió—: Ghalia intentaba ser una buena enfermera con la esperanza de ser algún día una buena doctora, pero políticos corruptos se quedaron con el dinero destinado a un hospital que carecía de las mínimas condiciones higiénicas. Te quejas por tener que acallar las voces de esos fanáticos que sostienen que debemos continuar siendo ineptos e ignorantes, y por tanto vulnerables a que nos contagien cualquier enfermedad, pero te juro que algún día ocuparé con gusto tu puesto y me sentiré orgulloso de aplastarlos.

Al tuareg le constaba que lo decía en serio y que, en cuanto el infeliz Escritor no tuviera que estar pendiente a todas horas de aquella frágil criatura, que parecía haber sido creada especialmente para él, dejaría a un lado la máquina de escribir para empuñar un fusil con el que acabar con todos los Sad al Mani y todos los Songó Babangasi del planeta.

Un comando compuesto por media docena de hombres fuertemente armados había asaltado en plena noche un campamento de refugiados en la frontera con Argelia, decapitando a un cooperante y llevándose consigo a otros seis, entre ellos un médico italiano y una enfermera belga.

Poco después colocó en las redes sociales un vídeo casero en el que se afirmaba que dentro de dos semanas ejecutarían a uno de ellos cada día a menos que los paracaidistas franceses dejaran de torturar a su líder Sad al Mani y le pusieran de inmediato en libertad.

La voz cantante de la grabación la llevaba un desafiante muchacho de rostro descubierto que aparecía con el pecho atravesado con una canana de granadas de mano y que juraba sobre el Corán que no se separaría de los rehenes y que se sentiría inmensamente feliz inmolándose junto a ellos si alguien tenía la estúpida ocurrencia de intentar liberarlos.

La noticia causó un gran revuelo mediático pese a que la captura de rehenes con el fin de intercambiarlos por prisioneros solía ser una práctica habitual, pero sobre todo cayó como una bomba entre los mandos del ejército francés, debido a que ignoraban que sus paracaidistas hubieran llevado a cabo el mencionado secuestro. Cierto que llevaban meses intentando eliminar a Sad al Mani, y cierto que no hubieran dudado en torturarle con el fin de obligarle a contar cuanto sabía, pero, por desgracia, nada más lejos de la realidad que tan gratuita aseveración sobre su participación en unos hechos en los que les hubiera encantado involucrarse.

Recientemente, los yihadistas habían secuestrado en pleno centro de Kidal a dos conocidos periodistas de Radio France Internationale en el momento en que salían de entrevistar a líderes tuaregs, y sus cadáveres habían aparecido a las pocas horas acribillados a balazos, pese a que uno de ellos era una mujer.

Debido a ello, en cuanto un alto funcionario del ministro de Asuntos Exteriores telefoneó al coronel que estaba al mando de los paracaidistas preguntándole muy diplomáticamente sobre dónde coño se encontraba aquel maldito hijo de puta canadiense, este se limitó a responder de una manera firme, educada y protocolaria que dejara de tocarle los cojones, ya que no tenía ni la más puñetera idea sobre cuanto se refería a aquel maldito hijo de puta canadiense.

Y al indignado militar le asistía toda la razón, puesto que solo una persona de este mundo, un anónimo tuareg, sabía dónde se encontraba exactamente «el maldito hijo de puta canadiense», y solo dos más, Suilem Baladé y Kafir Tarak, sabían que en realidad estaba muerto.

Y justo sería decir que a los tres la noticia también les heló la sangre, porque seis inocentes iban a ser decapitados a no ser que consiguieran resucitar a un muerto o, en su defecto, ofrecer un cadáver cuyo rostro se encontraba desfigurado a causa de haber sido eliminado de un balazo en la boca.

Con mucha suerte las huellas dactilares habrían servido para confirmar la autenticidad del difunto, pero por desgracia esas huellas se pudrían bajo millones de toneladas de arena, y era cosa sabida que a la hora de enfrentarse a dunas de setenta metros de altura, cuanta más arena se fuera extrayendo, más se venía encima.

Gacel Mugtar había calculado bien al suponer que transcurrirían siglos hasta que el pausado mar de dunas se dignara pasar sobre la furgoneta, con lo cual se enfrentaba a un problema de compleja solución: no se podía contar con un terrorista vivo con el que negociar, pero tampoco se podía contar con el cuerpo de un terrorista muerto que ofrecer en desagravio.

—Lo único que puedo hacer es contar la verdad... —dijo.

—Opino lo mismo... —le replicó con un palpable deje de ironía Suilem Baladé—. Pero ¿quién te creería? Medio mundo, incluida Ghalia, a la que me he visto obligado a mentir, ha aceptado como válida una versión según la cual el sanguinario Sad al Mani asesinó al bondadoso imán Songó Babangasi... —ensayó una mueca como si intentara tocarse la nariz con la punta de la lengua, lo que lógicamente no consiguió, y al poco remachó—: No obstante, ahora aparece un tuareg medio loco asegurando que cinco días antes de la muerte de Babangasi se había cargado a su supuesto asesino y ni siquiera sabe dónde lo enterró.

—Sí que lo sé.

—Como si no lo supieras, puesto que resulta imposible sacarle de allí —el escribiente le miró fijamente a los ojos al insistir—: Repito, ¿quién te creería?

—Supongo que nadie —admitió su interlocutor, al que se advertía descorazonado, puesto que las cosas cada vez se complicaban más y de una manera más absurda—. Pero ¿qué otra cosa puedo hacer? Esos salvajes asesinarán a seis desgraciados cuyo único delito ha sido ayudar a quienes se mueren de hambre.

Suilem Baladé, que en aquellos momentos disfrutaba del raro placer de una taza del auténtico café que Ameney había traído de Tombuctú, lo que le permitía descansar unos días de la habitual achicoria, replicó, tras consumir hasta la última gota:

—Basta con leer los periódicos para comprobar que cada día esos mismos salvajes asesinan a docenas de inocentes en los más remotos lugares del mundo sin tan siquiera necesitar la excusa de exigir la libertad de uno de sus líderes. En mi opinión, lo mejor que podrías hacer es consultar a Kafir Tarak, porque ese astuto caravanero siempre ha demostrado ser un tipo muy sensato y tal vez se le ocurra algo.

Pero sentado en el banco de la acacia, al sensato Kafir Tarak tampoco se le ocurría nada que pudiera servir a la hora de intercambiar un inaccesible cadáver por personas vivas.

—Contar la verdad resultaría contraproducente —fue lo primero que dijo—. Si admites en público que le disparaste a Sad al Mani cuando estaba inconsciente, quedarás como un canalla y los yihadistas aprovecharán la ocasión para organizar una desenfrenada cacería de tuaregs... ¿O no?

—Sin duda, pero mi obligación es intentar salvar a los rehenes. ¿Se te ocurre alguna idea sobre dónde pueden haberlos ocultado?

—¿Acaso tienes tú idea del tamaño de Malí? —fue la agria respuesta—. Sí, probablemente la tienes, pero yo he recorrido este país de punta a punta y me consta que existe un millón de lugares en los que ocultar a seis personas no ya durante dos semanas, sino incluso durante veinte años.

—¿Quieres decir con eso que debemos darlas por muertas? —inquirió su desesperanzado interlocutor.

—A ellas y otras muchas, porque esos locos nunca admiten un no por respuesta y, en cuanto les hayan cortado la cabeza y exhibido sus fotos, se apoderarán de otros rehenes e insistirán en sus demandas.

—¡Que Alá nos proteja!

—Es el único capaz de hacerlo, pero empiezo a temer que ni siquiera él puede enfrentarse a los demonios que por alguna extraña razón que se me escapa ayudó a crear en su momento.

Permanecieron largo rato en silencio, meditando sobre lo que constituía una dura afirmación que rayaba la herejía, al tiempo que contemplaban cómo los mercaderes compraban y vendían camellos, pero, cuando Gacel se puso en pie y se alejó como si cargara sobre sus espaldas a la más pesada de aquellas bestias, el caravanero le detuvo.

—Espera... —pidió—. Se me ha ocurrido algo.

El otro regresó al instante y tomó asiento observándole

como el náufrago que distingue en lontananza lo que parece ser una isla.

Tras un nuevo silencio durante el que se diría que Kafir Tarak dudase de la validez de lo que pensaba, acabó por señalar, con evidente desgana:

—Antes de morir, Songó Babangasi me enseñó un ejemplar del Corán que Sad al Mani había saqueado de las bibliotecas de Tombuctú, asegurando que se había llevado otros muchos y que Mulay Massuri los ocultó en uno de sus yacimientos abandonados en una zona que los nativos llaman El Saleb.

—¿Y por qué no has ido a buscarlos? Por lo que he oído decir son muy valiosos.

—Por eso mismo... —fue la respuesta que a todas luces respondía a una lógica aplastante—. Si ahora los recupero y los devuelvo, cualquier funcionario o las tropas de intervención podrían quedárselos y nunca volverían a aparecer. Muertos Sad al Mani, Mulay y Babangasi, soy el único que conoce su paradero y me consta que están seguros, porque es un lugar de muy difícil acceso —entrecruzó los dedos de ambas manos como si aquel gesto de unión respaldara sus palabras—. Te juro por mis futuros nietos, y que Alá no me los conceda si no lo cumplo, que en cuanto las cosas se normalicen yo mismo iré a buscarlos, los llevaré a Tombuctú y se los devolveré a sus legítimos propietarios.

—Te creo, pero no entiendo qué tiene que ver eso con los rehenes.

—Que un yacimiento de natrón abandonado puede convertirse en un lugar perfecto para ocultar libros, pero también personas, aunque, si los han llevado a El Saleb, dudo que sobrevivan, porque se trata de uno de los tres o cuatro lugares más calurosos del planeta.

—¿Has estado allí?

—Yo no, pero algunos de mis camelleros sí. ¡Y lo odian!

De regreso a la casa, Gacel Mugtar le rogó a Suilem Baladé que le contara cuanto supiera sobre los yacimientos de natrón.

El escribiente poseía una gran biblioteca y con ayuda de fotografías y dibujos intentó explicarle cómo, cuando los expertos creían haber localizado un punto que consideraban apropiado, excavaban una zanja de unos seis metros de largo por cuatro de ancho; y si habían elegido el lugar correcto muy pronto alcanzaban el natrón, que aparecía en forma de placas superpuestas de entre diez y treinta centímetros de espesor. Tras comprobar que se trataba de material de buena calidad, las extraían en lajas rectangulares que rara vez superaban los veinte kilos con el fin de hacerlas más manejables y que los camellos pudieran cargarlas sin desequilibrarse.

—Es un trabajo muy duro que hasta no hace mucho solo ejecutaban los esclavos —puntualizó—. Ahora ya no todos son *akli*, pero como si lo fueran.

—¿Y por qué no se emplea maquinaria pesada?

—Porque no se trata de uranio, oro, hierro o cobre; tan solo es natrón, y además nunca se sabe si el yacimiento se va a agotar en un mes o en un año.

—¿Cuántos calculas que existen?

—¿En los desiertos del norte de Malí…? —quiso saber en un tono de evidente asombro el escribiente—. Nadie podría saberlo teniendo en cuenta que se explotan desde hace siglos, estamos hablando de una superficie mayor que Francia y constituye la zona menos poblada del planeta exceptuando el Ártico o la Antártida.

—¿Sabes dónde queda El Saleb?

Suilem Baladé abrió un mapa y ayudándose con una lupa buscó hasta rodear un punto con el dedo índice.

—Más o menos por aquí… —dijo—. A unos doscientos kilómetros al noroeste.

—¿Y a qué distancia del campamento en que secuestraron a los rehenes?

—Yo diría que más o menos a otro tanto.

—¿O sea, que entra dentro de lo posible que los oculten en la misma zona que esos libros?

Suilem Baladé se tomó un tiempo antes de responder, salió de la estancia y regresó al poco con un cuentahílos de gran aumento que colocó sobre el mapa estudiándolo con detenimiento para acabar por asentir:

—Tiene aspecto de haber sido una gigantesca salina invadida por la arena que tan solo ha respetado algunas depresiones, y es en esas depresiones donde se encuentra el natrón.

—¡De acuerdo…! —musitó Gacel Mugtar como si estuviera hablando consigo mismo, y de hecho podría creerse que lo hacía pese a que le constara que le estaban escuchando—. Para esos secuestradores, Sad al Mani era un líder al que consideraban superior al resto de los mortales —se volvió hacia su acompañante al inquirir—: ¿Me sigues?

—Creo que sí.

—Pues imagínate que en un momento dado uno de ellos le oyó comentar que el mejor sitio para ocultar unos libros que valen millones era un yacimiento abandonado en la recóndita zona de El Saleb... ¿Me sigues?

—Ahora más bien te acompaño... —fue la espontánea respuesta—. Lo lógico sería que ese hombre diera por sentado que el mejor lugar para ocultar a los rehenes era el elegido por aquel a quien tanto admiraba.

—Lo cual reduciría de forma sustancial la zona en que deberíamos buscar...

—Veo que la cabeza te sirve para algo más que para enrollarte el turbante.

—¡Ciertamente...! ¿Cuándo vuelve Ameney?

—Cuando termine un «transporte» que está haciendo por encargo de los «honorables contrabandistas», ya que, debido a la excesiva demanda, los precios del Tombuc-Fútbol Club han subido mucho últimamente.

# 22

El camión apenas se diferenciaba de cuantos recorrían a diario miles de kilómetros transportando hombres, animales, agua, combustible o provisiones de un extremo a otro de un desierto que ocupaba la mitad de uno de los mayores continentes del planeta.

No obstante, un atento observador habría advertido que en él no viajaban mujeres, ancianos o niños, debido a lo cual se echaba en falta la familiar estampa que solían conformar cabras, gallinas y conejos, limitando la representación humana a cinco pasajeros y la representación animal a un desvergonzado borrico dado al exhibicionismo.

Yusuf, que llevaba largo rato observándole desde lo alto de una pila de sacos, no pudo por menos que comentar:

—No sé cómo has convencido a ese sucio hausa cara de búho para que te permita traerlo, pero tendrías que haberlo dejado en Kidal, porque por el camino que llevamos me temo que acabará muriéndose de hambre.

—En Kidal le habrían convertido en pinchitos y para eso siempre estaremos a tiempo.

—¿Te comerías a quien está demostrando ser uno de tus mejores amigos?

—Y a ti si fuera necesario… —fue la tranquila respuesta de Omar el Khebir—. Reza para que no me vea obligado a hacerlo.

—¡Capaz te creo…! —Yusuf dejó pasar un largo rato antes de preguntar—: ¿Tienes idea de a dónde nos llevan?

—¿Y eso qué importa? —fue la sincera respuesta—. Lo único que importa es que cargamos con agua y provisiones para dos meses, y a la vista de cómo se están poniendo las cosas me conformaría con que sea esa mi fecha de caducidad.

Su exlugarteniente pareció dar por válida la respuesta debido a que la semana anterior no hubiera imaginado un futuro a tan largo plazo, por lo que se volvió a contemplar un árido paisaje en el que grandes dunas se sucedían sin interrupción, tan semejantes unas a otras que le asaltaba la sensación de estar pasando siempre por el mismo punto.

Era como si estuvieran atravesando una infinita playa repleta de inmensas muchachas desnudas que mostraran provocativamente sus nalgas, muslos, pechos e incluso rasurados sobacos, tumbadas a la espera de gigantescos argonautas que vinieran a poseerlas llegando de otros mundos.

El camión avanzaba entre ellas como un diminuto ratón que olfateara en busca de los tesoros que ocultaban en la entrepierna, pero nunca los enseñaban, como si reservaran su virginidad para tan imaginarios extraterrestres.

En ocasiones, y tal como sucedía con las míticas sirenas que cantaban con el fin de atraer a los marinos, las dunas también lo hacían, aunque ese canto era su canto del cisne, puesto que significaba su total desaparición.

En su punto máximo, cuando aquel tipo de mujeres-dunas alcanzaban su mayor esplendor, una última ráfaga de viento hacía las veces de gota que rebosara el vaso, provocando un incontenible y estruendoso alud de toneladas de arena chirriante y transformando lo que hasta minutos antes simulaban ser hermosos traseros en colgantes pellejos desgarrados por las zarpas de un oso.

Aquel constituía el agónico estertor de seres inanimados que nacían y morían a merced de los caprichos del viento, sin la firmeza y la consistencia de los mares de dunas *barjanes* que tardaban años en cambiar de aspecto.

En la zona por la que transitaban, unos vientos en exceso caprichosos agitaban continuamente la arena obligando al suelo a perder consistencia, por lo que llegó un momento en el conductor optó por detenerse al tiempo que señalaba:

—Hasta aquí podemos llegar sin que nos trague la tierra.

Pasaron las horas de mayor bochorno bajo un toldo, a la caída de la tarde comenzaron a descargar el vehículo y con las primeras sombras hicieron su aparición, surgiendo de entre un dédalo de dunas, tres silenciosos beduinos que conducían a una veintena de malhumorados camellos.

Los cargaron bajo los focos del camión, comprobando una y otra vez que sobre todo las *girbas* de agua quedaban bien sujetas, y poco antes de la medianoche reemprendieron la marcha adentrándose aún más en el corazón del *erg*.

Omar el Khebir marchaba en último lugar llevando del ronzal a un asno que parecía más partidario de dedicar la noche a dormir que a viajar y, aunque le molestaba tener que azotarle, lo hacía a sabiendas de que, si no le obligaba a avanzar, acabaría tumbándose. Al oscurecer le había parecido escuchar aullidos de hiena y un burro tan burro como aquel no sabría cómo enfrentarse a las bestias más agresivas del desierto.

—¡Arrea o te deslomo…! —le amenazaba con una rama de acacia—. Si tienes que servir de cena, al menos que sea a quien pagó por ella.

Al cabo de casi una hora, y cansado de tanta lucha, ató el ronzal a la cola del más robusto de los camellos mientras comentaba malévolamente:

—Y ahora, o aprietas el paso, o este te llevará arrastrando hasta que te arranque la piel mientras te caga encima.

Jean-Pierre Courbet era un hombre alto, narigudo, de gran presencia física, dotado del vozarrón propio de alguien acostumbrado a dar órdenes, y evidentemente orgulloso de su rango, ya que en cuanto penetró en la estancia se abrió ostensiblemente la chilaba dejando a la vista su uniforme.

A continuación se derrumbó sobre una quejumbrosa silla, que a punto estuvo de darse por vencida ante el primer asalto, y extendió las palmas de las manos sobre el hule de la mesa en lo que constituía un gesto autoritario con el que parecía dar por sentado que a partir de aquel momento tomaba el mando de la situación.

—¡Bien…! —dijo—. He aceptado acudir a este lugar en plena noche disfrazado de encantador de serpientes debido a que el señor Ameney me lo ha suplicado, y no sé por qué absurda tradición se supone que los pilotos debemos confiar los unos en los otros… ¿Cuál es el problema?

—Sad al Mani.

Se diría que los brazos del militar se tensaban, dispuesto a apoyarse en ellos, ponerse en pie y abandonar de inmediato el humilde comedor-cocina, pero se limitó a rechinar los dientes en un gesto de ira antes de rugir estentóreamente:

—Mi Gobierno ya ha declarado no tener conocimiento sobre su paradero o esas supuestas torturas a las que le hemos sometido, por lo que se me antoja una estúpida provocación hacerme venir para hablar de tan deleznable individuo.

Gacel Mugtar le suplicó con un gesto que se calmara, extrajo del bolsillo una cajita de plata de las que los beduinos solían utilizar para guardar amuletos, la abrió con sumo cuidado y la alargó sobre la mesa al tiempo que comentaba:

—Esto es cuanto queda de Sad al Mani.

Jean-Pierre Courbet se inclinó para estudiar a la luz de la única bombilla de la estancia las dos enormes muelas que contenían la caja, para concluir jocosamente:

—¡Mucho se me antoja tratándose de semejante renegado hijo de puta! ¿Dónde está el resto?

—Bajo millones de toneladas de arena.

—No es mal sitio, a fe mía, pero desearía que me aclarara cómo diablos puedo comprobar que tan míseros despojos humanos pertenecen a tan miserable despojo humano.

—Existen dos posibilidades… —fue la tranquila respuesta—. La primera, perder un tiempo precioso enviando estos «despojos humanos» a la policía canadiense y esperar a que con suerte puedan comparar su ADN con los de sus familiares. Y la segunda, aceptar que le descerrajé un tiro en la boca, ya que no ganaría nada mintiendo.

—Podría intentar reclamar la recompensa…

—No pienso reclamarla, porque no quiero que sus seguidores tomen represalias sobre tuaregs que nada han tenido que ver con todo esto. Lo que le he dicho no debe salir de aquí.

El altivo coronel Courbet cambió radicalmente de actitud, se llevó la mano a la cabeza como buscando instintivamente su gorra, pero al comprender que debía seguir en su despacho se limitó a rascarse la frente mientras observaba uno por uno a los tres hombres que se sentaban en torno a la mesa.

—Soy militar, no político, o sea, que me molesta perder un tiempo del que además no dispongo —puntualizó en tono abiertamente conciliador—. Agradezco al señor Ameney, aquí presente, que haya hecho honor a nuestro «código del aire», pero me encantaría saber de qué estamos hablando exactamente.

—De unos rehenes que serán cruelmente decapitados en cuanto se haga público que lo único que se ha conseguido recuperar de Sad al Mani son dos muelas —le hizo notar Suilem Baladé mientras jugueteaba con una de ellas—. Los extremistas continuarán culpando a sus paracaidistas, y le recuerdo que uno de esos rehenes es francés.

—¡Bien! ¡Bien, bien, bien…! —repitió insistentemente Jean-Pierre Courbet al tiempo que se frotaba las palmas de las manos como si le aquejara un hormigueo que le impulsaba a ponerse en marcha de inmediato—. Me hago cargo de la situación, y mandaremos al carajo a los «cagafirmas»… ¿Qué más tenemos?

—¡Un momento…! —le interrumpió Gacel Mugtar sinceramente confundido—. ¿Quiénes son esos?

—¿Los «cagafirmas»? —repitió el interrogado—. Los incapaces de tomar iniciativas, que solo actúan cuando existe una orden aprobada, sellada y rubricada por un superior. Se alimentan de firmas y, por lo tanto, cagan firmas, pero, como en mi regimiento no queda ninguno, dentro de una hora podemos estar operativos. ¿Alguna idea acerca de dónde pueden ocultar a esos infelices?

—Una que se nos antoja bastante válida… —intervino por primera vez el piloto somalí, que acababa de encender unos de sus malolientes habanos—. Pero sabemos que, en cuanto ese muchacho que luce granadas de mano como si fueran trofeos viera a uno de sus paracaidistas saltar de un avión, se inmolaría junto con los rehenes, y en ese caso ya no se recuperarían ni sus cabezas.

—Hemos tenido en cuenta ese riesgo, porque según nuestros psicólogos se trata de un descerebrado tan ansioso de gloria que preferiría una masacre a la liberación de Sad al Mani. Pero aún no han respondido a mi pregunta, ¿tienen alguna idea de dónde los ocultan?

—En una mina de natrón.

—También nosotros lo hemos pensado… —admitió el militar, al que de improviso se le advertía visiblemente decepcionado debido a que tal vez confiaba en obtener una información mucho más precisa—. Pero existen tantas que nos llevaría años encontrarlos. Por ese camino no llegaremos a ninguna parte.

—Nosotros no opinamos lo mismo —objetó Suilem Baladé con absoluta convicción—. Tenemos razones para suponer que la que buscamos se encuentra en una zona muy concreta.

—¿Y cuáles son esas razones? Como comprenderá, no me arriesgaré a actuar sin conocer a fondo los detalles.

El Escritor consultó con la vista a sus amigos, que negaron al unísono.

—Eso no puedo a decírselo, dado que implicaría a personas que desean mantenerse al margen debido a que pondrían en peligro a su familia... —sentenció con firmeza, y añadió con malévola intención—: Si acepta nuestras condiciones, de acuerdo, pero, si empieza a comportarse como un «cagafirmas», no hay más que hablar.

—Me está bien empleado por bocazas... —masculló el francés, a todas luces molesto consigo mismo—. ¿Cuál es su plan?

—Antes de revelárselo debe prometer que no informará a sus superiores —le hizo notar Ameney—. De piloto a piloto.

—De piloto a piloto juro sobre la Biblia que no diré una palabra.

—La Biblia no nos sirve a los musulmanes —le dijo el somalí—. Y menos aún que jure sobre el Corán.

—¡Oh, vamos, carajo! —explotó el paracaidista perdiendo la paciencia—. Lo juro por la madre que me parió, y no perdamos más tiempo. ¿Qué cojones pretenden?

Por toda respuesta, Suilem Baladé extendió sobre la mesa un mapa y colocó el cuentahílos sobre un punto concreto.

—Suponemos que los han ocultado aquí, lo cual simplifica la búsqueda.

Jean-Pierre Courbet se inclinó para observar detenidamente el punto indicado, permaneció largo rato en tan incómoda posición y, cuando al fin se incorporó, se llevó la mano a la cintura lanzando un sonoro reniego.

—¡El Saleb! Ya veo —masculló—. Ahora no se trata de una extensión del tamaño de Francia, sino tan solo del tamaño de Córcega. ¡Algo vamos ganando!

—Si se fija, advertirá que la mayor parte de El Saleb se encuentra cubierta de dunas de las llamadas *seif* y las crestas tienen forma de alfanje.

—¿Y eso qué demonios tiene que ver con el natrón?

—Que los yacimientos de natrón solo se encuentran en partes bajas y en suelos compactos, por lo que resulta imposible localizarlos si se han formando dunas encima —puntualizó Gacel Mugtar—. Hace muchos años se extraía natrón de esa zona, pero cuando se prohibió la esclavitud se abandonó, porque los costes superaban los beneficios, y además es de muy difícil acceso.

—¡Bien…! ¡Bien, bien, bien…! —repitió el militar como si semejante cantinela le ayudara a aclarar sus ideas—. Admito que discutir con un tuareg sobre la forma de las dunas sería tan inútil como discutir con mi abuela sobre el mejor pescado para la bullabesa, por lo que el objetivo se centra bastante. ¿Qué quieren de mí?

—Que envíe el grueso de sus tropas al Adrar de los Iforas.

—¿Cómo ha dicho?

—Que lance sus paracaidistas sobre el Adrar.

—Pero, si los rehenes no están allí, sino en El Saleb, haríamos el ridículo —se escandalizó su interlocutor.

—Seis vidas humanas bien valen un pequeño ridículo, y le aseguro que la gloria del rescate recaería en sus paracaidistas, mientras que la vergüenza del fracaso quedaría en el anonimato.

—No acabo de entenderle.

—¡Es fácil! Si finge que está empleando la mayor parte de sus recursos en registrar un laberinto de cuevas que se encuentra a trescientos kilómetros de distancia de donde suponemos que esconden a los rehenes, es posible que los secuestradores bajen la guardia y tengamos alguna opción de sorprenderlos.

—¿O sea, que se trata de una maniobra de distracción? —inquirió con una amplia sonrisa el militar—. ¡Bien! ¡Bien, bien, bien…! Usted sería un excelente oficial paracaidista.

—Lo dudo, porque no me lanzaría en paracaídas ni aun sabiendo que iba a caer en el paraíso.

—Esa es la sensación que se tiene al saltar, aunque luego acabes sobre un cactus… —el coronel se interrumpió con los ojos casi fuera de las órbitas, alzándose como si le hubiera impulsado un resorte—. ¡Dios bendito! —exclamó mientras se cuadraba militarmente.

El resto de los presentes se volvió alarmado hacia la puerta, en donde acababa de hacer su aparición Ghalia Mendala, que se mostró tan desconcertada que apenas se atrevió a musitar:

—¡Buenas noches…! Siento molestarte, querido; no sabía que tuvieras visita.

—Tú nunca molestas, cielo… —replicó Suilem Baladé acudiendo de inmediato a su encuentro—. Te presento al coronel Courbet, que intenta ayudarnos a encontrar a esos rehenes —se volvió al militar con el fin de concluir las presentaciones—: Coronel, mi esposa, Ghalia.

El aludido, que permanecía con la boca entreabierta por el demoledor impacto que le había producido tan inesperada aparición, tardó en reaccionar y al fin acertó a farfullar atropelladamente:

—¿Su esposa...? Con todos mis respetos me gustaría decirle que es la mujer más increíblemente hermosa que he visto nunca.

—Gracias... —respondió ella con una sonrisa que resaltó aún más su exquisita belleza—. Resulta evidente que es usted francés.

—Aunque fuera marciano, señora; aunque fuera marciano. Es digna de haber sido pintada por mi glorioso antepasado, el gran Gustave Courbet.

—También resulta evidente que exagera, pero se lo agradezco de igual modo... —la mujer de los inmensos ojos negros se volvió a su marido, y se advertía que le costaba un gran esfuerzo hablar al añadir—: ¿Podrías venir un momento, querido? No encuentro mis pastillas.

Cuando hubieron abandonado la estancia, el paracaidista se dejó caer con su ímpetu acostumbrado sobre la maltratada silla y, tras un corto silencio, musitó, aún admirado:

—Es una criatura deslumbrante.

—Pues trate de imaginársela cuando no estaba enferma —señaló Gacel Mugtar.

—¿Es grave...? —ante el mudo gesto de resignación el militar añadió—: Mañana puedo enviarla en uno de nuestros aviones a París y, al tratarse de la esposa de alguien que colabora con el ejército, mi Gobierno se haría cargo de todos los gastos. Les garantizo que tendría la mejor atención imaginable.

—Muy generoso… —reconoció con absoluta sinceridad Ameney—. Pero me temo que es demasiado tarde.

—¡Insisto! Siempre hay que conservar la esperanza, sobre todo cuando se trata de alguien tan excepcional.

—Su auténtica excepcionalidad no está en lo que ha visto… —comentó el tuareg, seguro de lo que decía—. Está en lo que ya nunca tendrá oportunidad de ver.

Al amanecer desembocaron en el antiguo lecho de un mar interior o un lago salado, recuerdo de los felices tiempos, miles de años atrás, en los que aquella parte de África aún era un lugar generoso y habitable por el que correteaban infinidad de animales salvajes.

La naturaleza continuaba siendo excepcionalmente caprichosa, puesto que, pese a tratarse de una planicie de unos cinco kilómetros de anchura que serpenteaba encajonada entre altas dunas, en su interior apenas soplaba el viento, por lo que el silencio llegaba a resultar agobiante.

Los guías les concedieron unos minutos de descanso que Omar el Khebir aprovechó para liberar de su atadura a un agotado borrico que parecía a punto de derrengarse, proporcionarle un poco de agua y acariciarle con afecto la cabeza.

—A mal lugar hemos llegado, pequeño… —dijo—. Me temo que de aquí no salimos ni aunque aprendas a hacer el pino.

Le contestó un quejumbroso rebuzno, el animal tomó asiento a su lado y juntos aguardaron a que un exhausto Yusuf se aproximara lanzando resoplidos.

—¿A qué demonios hemos venido a este puto lugar? —se lamentó—. Aquí no hay nada.

—Lo hay... —le contradijo Omar—. O por lo menos lo había.

—¿Natrón...? —ante el mudo gesto de asentimiento su rostro evidenció que no le parecía una respuesta válida, por lo que añadió—: Dudo que lo que estos locos busquen sea natrón.

—Desde luego que no; lo que buscan no es natrón, sino el vacío que ha dejado —le indicó una serie de puntos que apenas se distinguían en lontananza y añadió—: Fíjate en aquellos montículos de piedras; se trata del cascajo que se extrajo cuando se excavaba un yacimiento y, o el sol me ha recalentado el cerebro, o en uno de ellos vamos a ocultar cuanto hemos traído.

—¿Para qué...? —Yusuf alargó al instante la mano con la palma extendida como si se hubiera arrepentido de la pregunta—. ¡No! No me lo digas. Prefiero no saberlo...

—Por mí, de acuerdo.

—¿Estamos abasteciendo a los secuestradores...?

—Acabas de decir que preferías no saberlo.

—¡Naturalmente! No me gusta mezclarme con semejante gentuza; suelen traer muchos problemas y nos van a echar encima a todo el ejército francés.

—¿Y qué más da un pequeño enemigo adicional...? —le hizo notar con muy poco oportuno sentido del humor su compañero de fatigas—. Al fin y al cabo, lo que importa es la bala que te ha matado, no quién la fabricó.

—Te equivocas; lo que importa no es la bala, ni quién la fabricó, sino el hijo de perra que fue capaz de metértela en el cuerpo habiendo tanto espacio libre a tu alrededor...

Se puso en pie porque les estaban indicando que era hora de reemprender la marcha, y así lo hicieron, aunque aún no habían transcurrido dos horas cuando volvieron a detenerse y los guías comenzaron a retirar las redes que camuflaban el acceso a un antiguo depósito de «la sal de los dioses».

—Hay que darse prisa… —señaló uno de ellos en tono perentorio—. Tenemos que salir de aquí antes de que el calor apriete.

Bajo tierra ese calor resultaba algo más soportable, pero, aun así, sudaron a chorros transportando y almacenando agua y provisiones a lo más profundo de las galerías. Ninguna era excesivamente larga, pero aun así se veían obligados a moverse en penumbras, por lo que en ocasiones tropezaban, se arañaban o se golpeaban la cabeza en lo que constituía un trabajo en verdad angustioso, ya que el aire enrarecido y salitroso no les llegaba con naturalidad a los pulmones.

No obstante, lo peor de la dura jornada llegó cuando al regresar a la superficie advirtieron que dos de los caravaneros se alejaban conduciendo a la totalidad de los camellos, por lo que ahora su única compañía la constituía el tercero, un hosco mauritano que no solía abrir la boca más que para eructar.

—¿Por qué se van sin nosotros…? —inquirió un alarmado Yusuf, que al no recibir respuesta insistió—: ¿Cuándo volverán…? —al obtener idéntica reacción pareció perder la paciencia haciendo ademán de echar mano a su gumía. Omar el Khebir le contuvo.

—¡Calma…! —pidió—. Se han ido y ya no hay remedio,

o sea, que lo que tienes que hacer es ayudarme a improvisar una escalinata para bajar al burro, porque, si lo dejamos aquí fuera, se le van a derretir las ideas.

Sabía de lo que hablaba, porque en semejante lugar ni las serpientes, los lagartos, los escarabajos o incluso las acorazadas y casi indestructibles hormigas de lomo plateado conseguían sobrevivir una hora a pleno sol de mediodía.

El suelo se recalentaba hasta alcanzar casi los setenta grados y solo existía un punto en el planeta, Azizia, en Libia, en el que se hubieran registrado temperaturas ligeramente superiores.

Ya a la sombra, resultó más fácil conseguir que el mauritano pronunciara una sola palabra, puesto que, cuando le preguntaron en tono amenazante qué hacían allí, tuvo la gentileza de responder:

—Esperar.

—¿Esperar qué?

El otro elevó lo brazos al cielo, lo cual lo mismo servía para indicar que confiaba en el descenso de un arcángel o que lo ignoraba, por lo que los dos mercenarios, que creían haberlo vivido todo, se vieron obligados a reconocer que aquella era una situación que escapaba a su control.

Durmieron en la más profunda de las galerías hasta que anocheció y solo entonces decidieron a abandonar su refugio, al igual que lo estaba haciendo la mayoría de los animales que poblaban el desierto, dando gracias a Alá por haber sido tan compasivo como para crear la noche tras haber sido tan inteligente como para crear el día.

En el resto de la tierra el sol proporcionaba vida y la luna solo era una cosa redonda sobre la que fantasear, pero allí el sol significaba muerte y la luna se convertía en la gran aliada que alumbraba el paisaje mostrando los caminos que permitían escapar de semejante infierno.

El suelo tardó unos veinte minutos en expulsar parte del calor acumulado y permitir que lo tocaran sin provocar ampollas, y a medida que se enfriaba también lo hacía el aire, cuya densidad cambiaba conforme transcurrían las horas.

Comieron, bebieron y sobre todo respiraron sin miedo a que sus pulmones se abrasaran y al poco incluso se encontraron con fuerzas para hablar, y fue Omar el Khebir el primero en hacerlo.

—Estoy hasta el mismísimo turbante del desierto —dijo—. Siempre he creído que moriría en él, pero empiezo a cambiar de idea.

—Solo Alá decide dónde moriremos —musitó el mauritano completando por primera vez una frase de cinco palabras.

—Más a mi favor, porque yo podría estar equivocado y él nunca lo está; con suerte, a lo mejor ha decidido que muera en Roma.

—Te apuesto cien mil francos a que no —intervino Yusuf.

—Acepto, porque si muero aquí de poco me servirán, y, si muero en Roma, antes habré pasado unas noches de fábula...

Se escuchó el aullido de una hiena que hizo que el asno diera un salto irguiendo las orejas, por lo que su dueño intentó calmarle.

—No te preocupes, pequeño... Si se te acerca, le muerdes el rabo y no se lo sueltas hasta el amanecer. En cuanto salga el sol, echará a correr.

—¿Es que te has vuelto loco? —quiso saber su sorprendido exlugarteniente.

—¡En absoluto! —le contradijo—. A un tío de mi padre le atacó una hiena y se salvó porque no pueden girarse y morder a quienes les agarran por el rabo.

—No lo digo por eso, que ya lo sé, sino porque intentes explicárselo a un burro.

—Será la costumbre, porque llevo años intentando explicarte cosas mucho más simples y nunca lo consigo.

El mauritano, que les observaba perplejo, agitó la cabeza como si le costara trabajo aceptar que estaba siendo testigo de tan incongruente conversación e hizo ademán de ponerse en pie para alejarse de semejante par de desquiciados, pero de improviso se limitó a llevarse el dedo a la boca exigiendo silencio.

—¡Ya vienen! —dijo.

# 23

Apenas llevaban dos horas de vuelo cuando repitió por cuarta vez la pregunta.

—¿Seguro que quieres hacerlo?

—Seguro.

—Es una locura...

—De muchacho me pasaba horas haciéndolo.

—No es lo mismo —pretendió obligarle a razonar el somalí—. Ya no eres un muchacho ni se trata de un juego; lo más probable es que te mates.

—Querrás decir lo más seguro, pero sabes muy bien que no queda otro remedio. ¿Cuánto falta para avistar El Saleb?

—Unos diez minutos.

—En ese caso no podemos avanzar más o nos arriesgamos a que nos vean y vuelen en pedazos a esa pobre gente antes de tiempo; aproxímate a aquel grupo de dunas de la izquierda.

El larguirucho negro mostró una vez más su desacuerdo con un ronco gruñido al tiempo que prendía fuego a un habano como si el hecho de fumar le ayudara a concentrarse a la hora de realizar tan arriesgada maniobra, debido a que los instrumentos indicaban que estaba volando a menos de cincuenta metros de altitud y tan despacio que corría el riesgo de entrar en pérdida.

El extenso conjunto de dunas *seif*, a las que el tuareg se refería, se alzaba frente al morro del aparato como si en verdad se tratara de una serie de imaginarios alfanjes entrelazados, con cimas tan estrechas que una cabra no hubiera conseguido avanzar por su filo manteniendo el equilibrio, pero era ese tipo de dunas el que hacía disfrutar a los muchachos cuando se deslizaban por ellas como si estuvieran esquiando sobre pistas de nieve en polvo.

Con frecuencia los había visto subir fatigosamente hasta sus cimas para dejarse caer dentro de un saco que aferraban a la altura de la barbilla y, si conseguían mantener el equilibrio, llegaban hasta el fondo sanos y salvos, pero, si el ángulo de caída resultaba demasiado pronunciado alcanzaban tal velocidad que rodaban aparatosamente o terminaban con el trasero escocido.

—En ocasiones nos protegíamos con un pedazo de neumático —le había confesado Gacel Mugtar—. Pero o te frenaba, o te lanzaba por los aires; era muy divertido.

—Lo supongo, pero una cosa es trepar a lo alto de una duna y otra muy diferente lanzarte sobre ella desde un avión en marcha… —especificó con buen criterio el somalí—. Volaré todo lo bajo que pueda, pero la inercia te estrellará contra la arena y te romperás la espalda.

—Si ves que me la he roto, le pides al coronel Courbet que lance a sus hombres sobre El Saleb, pero si sobrevivo me dejas esos tres días de plazo —fue la respuesta de quien intentaba demostrar una calma que a decir verdad estaba lejos de sentir—. Creo que la mejor es aquella que se curva hacia la derecha; no debe tener más de cuarenta metros y el desnivel parece aceptable.

—Te advierto que desde aquí arriba todo se ve diferente... —puntualizó el piloto—. Y no hay nada que sirva de punto de referencia.

—Ni tiempo para buscarlo —sentenció quien se sentaba a su lado—. Vamos allá, que sea lo que tenga que ser y, si me mato, por favor, no te culpes.

Se aproximaron con el tren de aterrizaje casi rozando las cimas de las dunas y cuando sobrevolaban la elegida el tuareg lanzó al vacío la bolsa de lona que contenía cuanto se suponía que iba a necesitar durante los próximos días.

Pudieron advertir cómo caía durante poco más de veinte metros mientras la inercia la obligaba a desplazarse hacia la pared de arena contra la que acabó estrellándose violentamente, luego permaneció unos instantes quieta y como indecisa y, por último, comenzó a deslizarse para acabar deteniéndose en la parte más baja.

—Funciona... —exclamó Gacel Mugtar alborozado—. Te dije que funcionaría.

—Naturalmente que funciona —masculló el negro—. Todo cae, pero un golpe como ese te destrozará o te reventará el hígado. Sigo opinando que el paracaídas es más seguro.

—Acabaría estrellándome de igual modo y enredado entre las cuerdas —el tuareg negó convencido, para añadir, seguro de sí mismo—: Prefiero tirarme.

—Pero...

—¡No hay peros que valgan! —casi se enfureció Gacel—. A esa pobre gente le queda muy poco tiempo de vida y no quiero acortárselo arriesgándome a que sus secuestradores nos oigan o nos vean si tienes que ganar altura para lanzarme. Recuerda que tomamos esta decisión conociendo sus riesgos y ahora no es momento de arrepentirse.

—No lo es, en efecto, pero empiezo a sospechar que si continúo descendiendo saldré malparado, porque este viejo cacharro ya no está para tanto trote...

Completó el giro observando con gesto pesimista cómo el tuareg sacaba medio cuerpo fuera del aparato, enfiló la cresta de la duna a riesgo de tocarla y redujo otro punto la velocidad, pese a que había comenzado a sonar la alarma de colisión.

En cuanto Gacel Mugtar se lanzó al vacío, metió gas a fondo al tiempo que tiraba con fuerza de la palanca de mandos y la veterana Cessna hizo una vez más honor a su fama remontando el vuelo, aunque tan a duras penas que, cuando su piloto tuvo oportunidad de volver a ver al que hasta poco antes se encontraba a bordo, lo descubrió tendido en la parte baja de la duna alzando el dedo pulgar con un ademán con el que pretendía indicar que se encontraba en perfecto estado.

El negro Ameney realizó otro giro completo con el fin de comprobar que su pasajero comenzaba a levantarse y parecía intacto, le devolvió el saludo mientras mascullaba para sus adentros que resultaba un milagro que hubiera sobrevivido a tan brutal caída y, por último, puso rumbo al sureste, de regreso a Kidal.

No obstante, en cuanto la avioneta se perdió de vista, el tuareg se dejó caer de nuevo, porque le dolía el pecho, apenas podía mover la mano izquierda, las piernas se negaban a sostenerle y se sentía como si se hubiera lanzado desde una avioneta en marcha chocando a casi cien kilómetros por hora contra la ladera de una duna.

Muy a su pesar admitió que el somalí tenía razón y vistas desde el aire las cosas le habían parecido diferentes, puesto que la duna había resultado ser mucho más alta de lo calculado, su pendiente mucho más pronunciada y, sobre todo, su arena mucho más dura.

Como resultado de todo ello, el golpe contra lo que se le antojó poco menos que un muro de hormigón le había dejado aturdido, por unos instantes llegó a creer que perdería el conocimiento y, mientras comenzaba a escupir sangre, reconoció de nuevo que lanzarse al vacío de aquel modo había constituido una temeridad rayana en la estupidez.

Se consoló argumentando que seis inocentes, cuyo único delito había sido ayudar a otros inocentes, estaban a punto de ser decapitados, y apenas veinte horas antes el propio coronel Courbet había reconocido que, estando como estaban en manos de fanáticos dispuestos a inmolarse, ni aun la totalidad del ejército francés tenía opción de salvarles.

—Nos lo estamos jugando todo a una carta… —había protestado en un primer momento conformándose, muy a regañadientes, con la poco honrosa tarea de actuar como señuelo.

—Es que es la única que tenemos… —le había hecho notar Ameney—. Cuantos más hombres envíe a El Saleb, más oportunidades tendrán los secuestradores de descubrirlos y que esta historia acabe en masacre. ¿Está dispuesto a correr ese riesgo?

En tan crítico momento el adusto militar había reaccionado de una forma sorprendente, arrebatándole el habano de la boca con el fin de darle una honda calada, lanzar un suspiro de satisfacción y devolvérselo al tiempo que mascullaba:

—¡Tres años resistiendo la tentación para acabar sucumbiendo! —a continuación se volvió al tuareg para inquirir—: ¿Qué posibilidades tiene de liberarlos? Y, por favor, sea sincero.

—Ninguna, pero bastantes más que si anunciamos que Sad al Mani ha muerto.

—Aún no me explico por qué tengo la estúpida manía de exigir sinceridad cuando sé que no me va a gustar la respuesta —refunfuñó el cada vez mas abatido paracaidista—. ¿Qué trabajo le costaba decirme una mentira piadosa?

—«Las mentiras piadosas exigen oídos complacientes...» —le recordó el tuareg—. Hemos llegado a un punto sin retorno y la cuestión es si lo toma o lo deja.

—¡De acuerdo! —se resignó el desmoralizado militar—. Acepto el fracaso de antemano y le concedo tres días, porque al cuarto me lanzaré con toda mi gente sobre El Saleb. Si no consigo salvar a los rehenes, al menos recuperaré sus cadáveres —volvió a arrebatarle el cigarro al piloto, le dio una nueva calada con la intención de apaciguar la ira que le invadía y remachó en un tono inapelable—: Lo que no acepto es que les corten la cabeza y cuelguen las fotos en las redes sociales para que los sádicos y los morbosos las vean. Resumiendo: o todos vivos, o todos muertos.

El tuareg había admitido que, aunque aquella no fuera una solución idónea, al menos ofrecía la satisfacción de cobrarse con sangre culpable la sangre inocente, pero en aquellos momentos ni siquiera esa mínima satisfacción le quedaba, visto que cada vez le dolía más el pecho y escupía más sangre.

Aún faltaban dos horas para la puesta de sol, los surcos que había dejado en la arena delataban su posición y el más inexperto tirador podría abatirle desde la cima de cualquiera de las dunas que le rodeaban.

Llamó en su auxilio a la noche, pero no le escuchó porque ni la noche ni el día habían escuchado nunca a nadie, limitándose a llegar a la hora que tenían que llegar, por lo que, pese a que entre sus planes no figuraba iniciar la marcha hasta que las estrellas le indicaran el camino, decidió que en su actual estado necesitaría mucho tiempo para llegar a El Saleb.

En cuanto comenzó a remitir el calor, se irguió lanzando un sonoro lamento del que al instante se arrepintió, porque no tenía derecho a quejarse, ya que era un tuareg, estaba donde tenía la obligación de estar y, si moría, moriría donde tenían que morir los de su estirpe.

El último tuareg sería aquel cuyos huesos se secaran al sol del desierto cuando estuviera intentado hacer algo en beneficio ajeno; los demás solo eran gente que se ocultaba tras un velo.

Se trataba de dos hombres, dos beduinos, que en la oscuridad no se diferenciaban gran cosa de cualquier otro hombre, fuera beduino o no, excepto por el tono autoritario y casi despectivo de uno de ellos, que sin tan siquiera saludar, lo que a todas luces significaba una grave ofensa, ordenó:

—Recojamos lo que podamos, sobre todo agua, y en marcha.

Obedecieron sin rechistar, puesto que para eso les pagaban, y a los pocos minutos los cinco parecían animales de carga seguidos por otro animal que, a pesar de que le habían cargado como lo que era, no osó protestar, como si comprendiera que si lo hacía le abandonarían a merced de las hienas.

Anduvieron a buen paso durante casi dos horas y al fin descendieron por una suave rampa hasta lo más profundo de un yacimiento cuyo acceso había sido tan perfectamente camuflado que en pleno día nadie hubiera sido capaz de descubrirlo ni aun pasando a menos de diez metros de distancia.

Los que les habían conducido hasta allí les permitieron entrar, abriendo y cerrando una espesa cortina, y solo entonces pudieron comprobar que tenía el techo muy alto, pero era mucho más pequeño que el que habían dejado atrás y se encontraba iluminado con dos únicas lámparas de aceite.

Al fondo se distinguían las figuras de seis aterrorizados prisioneros encadenados al muro y frente a ellos se sentaba un mal encarado jovenzuelo armado con una metralleta que exhibía una canana de granadas de mano. Por la retadora y despectiva forma en que se volvió a mirarles comprendieron que, pese a que el lugar hedía a perros muertos y apenas se podía respirar, se sentía muy a gusto y profundamente orgulloso de sí mismo, así como de la misión que le había sido encomendada.

Tras dejar en el suelo cuanto traían y recibir la orden de volver a la noche siguiente, Omar el Khebir, Yusuf y el mauritano se apresuraron a marcharse por donde habían venido, y quien ahora trotaba en primer lugar era el asno, que al parecer tenía prisa por refugiarse en una profunda galería en la que se sentía mucho más seguro.

Al llegar a la entrada del yacimiento, el mauritano, al que evidentemente no le había agradado en absoluto lo que había visto, pero tampoco mostraba interés por tomar parte en cualquier tipo de conversación, anunció que se iba a dormir, por lo que Omar el Khebir dejó pasar un par de minutos antes de decidirse a preguntar:

—¿Qué opinas…?

—Que los franceses nunca soltarán a Sad al Mani, o sea, que a esos infelices les cortarán la cabeza.

—¿Viste la radio…?

—Teníamos una igual en Trípoli.

—Con ese trasto pueden ponerse en comunicación con cualquier lugar del mundo siempre que hayan instalado una antena en la cima de una duna. Aquí no funcionaría.

Permanecieron largo rato en silencio observando las titilantes luces de un avión comercial que volaba muy alto y, cuando hubo desaparecido, Yusuf sentenció:

—Odio a los fanáticos, pero aún odio más a los secuestradores.

—Pagan bien.

—Pero solamente pagan cuando las cosas no se han torcido, y este asunto lleva camino de torcerse, porque ese jodido mocoso está deseando entrar en el paraíso a base de llevarse por delante a unos cuantos infieles.

—He oído decir que un imán sudanés garantiza cinco huríes vírgenes por cada infiel ajusticiado en nombre de la yihad.

—¿Cinco vírgenes por la vida de un infiel...? —fingió asombrarse el otro—. No sabía que las huríes estuvieran de rebaja.

—Lo malo es que cinco huríes vírgenes solo duran vírgenes cinco días, e incluso menos si te das prisa... —especificó con muy buen criterio e idéntica falta de respeto Omar el Khebir—. Y si son vírgenes es porque son demasiado jóvenes, lo cual es un fastidio, porque no tengo espíritu de pederasta —negó con firmeza, y convencido de sus indiscutibles argumentos, al concluir—: Donde esté una puta romana haciéndote un buen *pompino* que se quiten todas las huríes del paraíso.

—¿Que es un *pompino*?

—Una mamada, pero en italiano elegante.

—Tú sí que aprendiste cosas en Roma... —reconoció con admirable humildad su exlugarteniente—. No soy quién para opinar, porque nunca me he acostado ni con huríes ni con putas romanas, pero sospecho que ese lunático jovenzuelo no piensa lo mismo y no quiero verme mezclado en este lío. Lo que les hicimos a los senaudi se acabará olvidando, porque al fin y al cabo eran nativos, pero participar en la decapitación de media docena de europeos son palabras mayores.

—¿Y qué podemos hacer...? —quiso saber quien comenzaba a tiritar porque el frío arreciaba.

—Dilo tú, que para eso se supone que eres el más listo, pero por mi parte voy a hacer un juramento aunque sabes que no me gusta hacerlos: no levantaré un dedo contra ti ni intentaré robarte hasta que todo esto acabe.

—Es muy de agradecer, y te juro lo mismo.

—¿Entonces…?

—Déjame pensarlo, porque si nos largamos ahora ya no solo nos perseguirán los tuaregs, el ejército o los amigos de los senaudi; también nos perseguirá la yihad, y para esa gente tampoco existen fronteras.

—Está claro que vamos por el mundo haciendo amigos… —señaló con ironía quien de igual modo temblaba, aunque parecía sentirse a gusto como si de ese modo estuviera expulsando todo el calor que le sobraba—. Siempre supuse que al convertirme en mercenario me buscaría enemigos, pero no tantos.

—Alguien dijo que la grandeza de un hombre se medía por la grandeza de sus enemigos, pero supongo que debía referirse a la calidad, no a la cantidad… —sentenció Omar el Khebir—. Últimamente, el único enemigo digno de tal nombre que hemos tenido ha sido aquel astuto y endiablado tirador del *ettebel.*

Se apoyó en el fusil y experimentó un vahído, pero consiguió sobreponerse.

Los primeros metros se le antojaron infernales debido a que cada pierna pretendía actuar de forma independiente, lo que le obligaba a dedicar parte de su mente a intentar avanzar sin dar demasiados tumbos.

Aunque jamás había bebido alcohol se sentía como suponía que deberían sentirse los borrachos, por lo que muy pronto le asaltó la casi invencible necesidad de tumbarse y aceptar de antemano la derrota, tal como la había aceptado en su momento el coronel Courbet.

De acuerdo con su estado físico lo mejor que podía hacer era ocultarse, dejar pasar los días, esperar a que los paracaidistas se lanzaran sobre El Saleb exterminando hasta el último yihadista que se ocultara en los yacimientos y confiar en que le echaran de menos y fueran a buscarle.

Sintió un latigazo en el pecho, volvió a escupir sangre y a punto estuvo de mandarlo todo al infierno, pero le vino a la mente la promesa que había hecho aquella misma mañana y se esforzó por seguir adelante aunque solo consiguiera avanzar unos metros.

—Prométeme que volverás, porque Suilem te va a necesitar. Eres su mejor amigo, y ya tampoco está aquí Babá para consolarle.

—Tú serás siempre su mejor consuelo.

—¡No digas bobadas…! —le recriminó como a un niño—. De poco consuelo sirve la razón del desconsuelo, sobre todo cuando está bajo tierra.

—Sabes que no soporto oírte hablar de ese modo… —protestó él.

—¿Y de qué modo vamos a hablar si mi tiempo se acaba y probablemente esta será la última vez que lo hagamos? —inquirió ella con una amarga sonrisa—. En el fondo de ese arcón encontrarás algún dinero que he conseguido ahorrar a espaldas de Suilem, que se empeñaba en atiborrarme de pastillas que no me servían de nada… —increíblemente, cuanto más cerca estaba de la tumba, más resplandecía la hermosura de aquella mujer excepcional, como si a medida que sus órganos se deterioraban emergiera a su rostro toda la belleza que guardaba en su interior—. Quiero que le obligues a marcharse de Kidal, que se ha convertido en una ciudad maldita por culpa de tanto fanatismo, tanta sangre y tanto odio.

—No creo que acepte, porque me consta que querrá continuar cerca de ti.

—Por eso mismo necesito que le hagas comprender que, si se queda en Kidal, tan solo estará cerca de mis cenizas, pero que mi espíritu se reunirá con el suyo en cualquier lugar que elija, menos aquí… —hizo una corta pausa dándole un súbito y sorprendente giro a su discurso al añadir, de un modo ciertamente picaresco—: A ser posible en París…

Gacel Mugtar abandonó el dormitorio de Ghalia Mendala sabiendo que muy pronto la enfermedad la mataría, pero que pese a ello no había conseguido vencerla, puesto que seguía manteniendo intacta su hermosura, su inteligencia e incluso su macabro sentido del humor.

Y, si una mujer era capaz de demostrar semejante entereza, él no podía ser menos, por lo que les exigió a sus piernas que dejaran de remolonear, hicieran su trabajo y le condujeran cuanto antes hasta El Saleb.

Lo avistó poco antes del alba, dejando atrás once horas de avanzar como un autómata, tan agotado y dolorido que a punto estuvo de derrumbarse tal como en ocasiones les ocurría a los corredores de maratón cuando divisaban la meta.

A la voluntad le divertía jugar de vez en cuando esas malas pasadas, exigiendo mucho para negarlo todo en el último momento.

«Hasta aquí te he traído, pero aquí te abandono.»

Tal vez fuera su forma de demostrar que era la única dueña del destino, porque sin voluntad los seres humanos ni siquiera llegaban a serlo, pero Gacel Mugtar había nacido y se había criado en el mayor de los desiertos y, por tanto, había aprendido a aferrar a esa voluntad por el cuello obligándola a exhalar un postrer aliento que le sirviera para seguir adelante.

Cuando advirtió que lo que tenía bajo los pies era terreno firme, extrajo del saco el visor nocturno y lo movió muy despacio hasta distinguir a lo lejos un pequeño montón de piedras que indicaba que alguien había estado buscando natrón.

A duras penas consiguió llegar hasta allí, comprobó que se trataba de un yacimiento prematuramente desechado por su bajo rendimiento, pero que con tres metros de profundidad y una pequeña galería que evidenciaba la mala calidad del material, constituía un refugio capaz de mantenerle a la sombra.

Descendió, se acurrucó bajo un saliente y permitió que transcurriera el tiempo.

Necesitaba dormir, pero nunca nadie ha sido dueño de su sueño debido a que viene o va a su antojo, esquivo o inoportuno, y en esta ocasión tardó en presentarse, aunque al fin no le quedó otro remedio que hacerlo y fue para quedarse largo tiempo.

Cuando abrió los ojos oscurecía nuevamente, pero lo único que hizo fue enjuagarse la ensangrentada boca, beber un poco y palparse el pecho intentando comprobar si se había roto las costillas.

Aún le costaba un enorme esfuerzo mover la mano izquierda, pero las piernas le respondieron cuando cerró la noche y decidió asomar la cabeza.

Aquel era sin duda uno de los rincones más desolados del planeta, y tan silencioso que el jadear de un lagarto hubiera resonado como el tambor de un granadero.

Salió a respirar, sacó de su bolsa un puñado de dátiles, les quitó los huesos y envolviéndolos en un trapo los apretó hasta convertirlos en pulpa, porque necesitaba alimentarse, pero apenas conseguía masticar.

Permaneció largo rato inmóvil observando las estrellas y meditando sobre cuanto había ocurrido desde que el coronel Courbet aceptara poner en sus manos tantas vidas.

En aquel momento todavía conservaba un resto de esperanza que sin duda se debía a que aún no se había enfrentado a la inmensidad de El Saleb.

Ahora, al tener la amarga sensación de haber sido transportado a un lejano planeta que nada tenía que ver con el suyo, su confianza se derrumbaba al igual que se había derrumbado su fe, porque hacía ya tiempo que no deseaba pertenecer a una religión que acogía en su seno a seres como Sad al Mani, Songó Babangasi o quienes cortaban cabezas en nombre de Alá. Prefería entrar a formar parte de aquellos que proclamaban que los únicos dioses, malvados dioses, eran los hombres que se inventaban dioses bajo cuyo manto ocultar sus crímenes.

Ese día aún no había rezado y decidió que no volvería a inclinarse a adorar a quien permitía que tantas cosas abominables estuvieran ocurriendo sin decidirse a alzar la voz o levantar un dedo.

Le habían obligado a mentir, asesinar y torturar, por lo que se preguntó cuántos hombres de cuantas creencias habían acabado perdiendo la fe al recorrer los tortuosos caminos por los que se habían visto obligados a transitar sin desearlo.

Le habría gustado, como a tantos millones antes que él, encontrar alguna respuesta a tan difíciles preguntas, pero, sin duda, El Saleb era el último lugar donde podría encontrarlas.

Arreciaba el frío, aulló una hiena, y cuando trató de localizarla advirtió que allá, muy lejos, algo se movía, y no eran hienas.

Eran personas que parecían hacer surgido de la nada y muy pronto se perdieron de nuevo rumbo a la nada.

Recogió sus cosas y se encaminó renqueando hacia el punto por el que habían desaparecido.

# 24

El lugar era el mismo, la escena, la misma, y los personajes los mismos, pero el hedor había aumentado hasta límites tan insoportables que el asno se resistió a descender por la rampa.

Intentando contener la respiración, Omar el Khebir y Yusuf comenzaron a descargar cuanto traían, pero de improviso el primero extrajo su revólver, colocó el cañón en la base del cráneo del mal encarado jovenzuelo que se engalanaba el pecho con granadas de mano y de un seco disparo le levantó la tapa de los sesos sin darle tiempo a reaccionar.

A continuación clavó el arma en la espalda de quien solía llevar la voz cantante y apretó el gatillo por tres veces al tiempo que Yusuf degollaba al tercer secuestrador, que en esos momentos se inclinaba para depositar en el suelo una caja de latas de conserva.

Habían actuado con tal rapidez y eficacia que el desprevenido mauritano ni siquiera tuvo oportunidad de darse cuenta de lo que ocurría, optando por quedarse tan quieto como si se hubiera convertido en un candelabro.

—¿De parte de quién estás? —quiso saber Omar el Khebir mirándole fijamente.

—De los vivos.

—Bien hecho, porque tiempo tendrás de estar con los muertos —señaló mientras registraba los cadáveres y le iba entregando todo lo que encontraba—. ¡Toma…! —añadió—. Ahora eres cómplice en el asesinato a traición y sangre fría de tres yihadistas, a los que además has robado cuanto tenían, o sea, que si te agarran te arrancarán la piel a tiras. ¿Sabes hacia dónde queda Mauritania?

—Hacia el oeste.

—En ese caso, coge lo que necesites y lárgate.

El aterrorizado beduino se apresuró a dar las gracias, introdujo en un saco puñados de dátiles, galletas, mijo y queso, se echó al hombro dos *girbas* de agua y lanzó un sonoro escupitajo a cada uno de los ensangrentados cadáveres.

—Nunca me gustaron —fue su sincero comentario antes de perderse en la noche.

—Ese no se ganará la vida como contador de historias, aunque tiene una buena historia que contar —señaló Yusuf mientras pateaba despectivamente el cuerpo del jovenzuelo al tiempo que le increpaba como si pudiera oírle—: Siempre supuse que eras un pretencioso inepto, pero nunca imaginé hasta qué punto. ¿Qué hacemos ahora?

Omar el Khebir indicó a los rehenes, que habían asistido en silencio a la escena y a los que se advertía tan traumatizados por la situación que parecían estar esperando que acabaran con ellos con la misma violencia y frialdad con que habían acabado con sus captores.

—Sacadlos de aquí, porque no entiendo como aún siguen vivos o no se han vuelto locos en semejante infierno.

Se apoderó del manojo de llaves que se encontraban junto a la radio y comenzó a abrir candados indicando a los desconcertados cautivos que se apresuraran a salir pese a que a algunos les costaba un gran esfuerzo moverse, tanto por el hecho de llevar varios días en la misma posición cuanto porque se les había obligado a hacer sus necesidades sin despojarse de la ropa.

Ya en el exterior, Omar el Khebir les concedió un tiempo prudencial con objeto de permitir que respiraran a pleno pulmón, estiraran los músculos, bebieran agua y empezaran a hacerse una idea de lo que estaba sucediendo antes de rogarles que tomaran asiento a su alrededor y le prestaran atención.

—Lo primero que deben saber es que aún no están fuera de peligro, aunque sus posibilidades de salvarse han aumentado, dado que no somos extremistas —advirtió con absoluto desparpajo—. Somos profesionales, y estamos dispuestos a jugarnos la vida para ayudarles a salir de aquí a cambio de unas condiciones que consideramos bastantes razonables.

—¿Qué clase de condiciones? —quiso saber el rehén de más edad.

—¿Quién es usted?

—Fabio di Nuncio, director médico del campamento.

—¿Romano...?

—Napolitano.

—No es lo mismo, pero tendré que conformarme... —admitió Omar el Khebir chasqueando la lengua, con lo que pretendía poner de manifiesto su desencanto—. ¿Sabe manejar una radio?

—Naturalmente.

—Pues ahí abajo hay una. Póngase en contacto con su organización y comuníquele que estamos dispuestos a protegerles a cambio de dos pasaportes de apátridas, refugiados políticos o comoquiera que se llame eso, impunidad por los delitos de los que se nos acusa y permiso de residencia en el país europeo que elijamos.

—No sé si eso puede conseguirse... —replicó el italiano un tanto desconcertado.

—Usted verá cómo se las arregla —le hizo notar Yusuf—. Le va en ello la cabeza. Y la de sus amigos.

—¡Lo intentaré! ¿Qué más?

—Se lo iremos comunicando sobre la marcha.

—¿Dinero...?

—Como ya le he dicho, somos profesionales, no secuestradores —intervino de nuevo Omar el Khebir—. Si nos conceden lo que pedimos, cuidaremos de ustedes, pero en caso contrario, y como no tenemos la obligación de jugarnos la vida por salvarlos, nos limitaremos a dejarles aquí y, en cuanto los yihadistas descubran que algo raro ocurre, porque para eso tienen la radio, vendrán y les cortarán la cabeza.

—¡No, por Dios! —sollozó aterrorizada la única mujer del grupo—. Son unas bestias.

—Tranquila, hija... —le respondió el napolitano, que evidentemente comenzaba a hacerse cargo del nuevo rumbo de la insólita situación—. Tengo amigos en el Gobierno y si es necesario haré que saquen de la cama al mismísimo primer ministro.

—¿No será Berlusconi...? —se alarmó Omar el Khebir.

—No, ya no lo es.

—Menos mal, porque de ese no me fío. Era amigo de Gadafi.

Mientras Fabio di Nuncio regresaba a la cueva con la evidente intención de conectarse con quien pudiera conseguir lo que sus libertadores solicitaban, un molesto Yusuf tomó del brazo a su antiguo jefe obligándole a alejarse unos metros.

—¿A qué ha venido eso de negarte a que nos den dinero? —inquirió—. ¿Tienes una idea de lo que podríamos obtener a cambio de esta gente?

—¡Escúchame bien, mastuerzo, que a veces eres más burro que ese que nos está observando! —Omar el Khebir intentó encontrar las palabras adecuadas para lo que deseaba expresar y al fin pareció haberlo conseguido—: Si nos proporcionan una nueva documentación, tenemos para vivir sin agobios mucho más de lo que imaginábamos... ¿Me explico bien?

—Perfectamente, pero el dinero nunca sobra.

—Sigues siendo un estúpido porque no comprendes que si nos concedieran el perdón pero cobráramos por liberar a los rehenes, podrían acusarnos de secuestro o extorsión y volverían a jodernos.

—En esto tal vez tengas razón... —se disculpó el otro.

—La tengo. Y recuerda que, si odias a los fanáticos y a los secuestradores, nunca debes comportarte como ellos. Puede que seamos unos malnacidos que nos vendemos al mejor postor, pero por eso mismo debemos respetar ciertos principios y, si nos comprometemos a mantener con vida a esos desgraciados, lo haremos cueste lo que cueste.

—De acuerdo, tú mandas, pero si va a haber jaleo deberíamos largarnos de aquí, porque nos tendrían a su merced disparando desde las dunas... —argumentó con muy buen criterio Yusuf—. El otro yacimiento es más amplio, tiene más provisiones, hay muchas armas y nos defenderíamos mejor con tanto espacio abierto alrededor.

—Veo que vuelves a pensar como un profesional —admitió Omar el Khebir golpeándole afectuosamente el brazo—. Y ese es el Yusuf que siempre me ha gustado y que ahora necesito. Llévate a esos, y que el burro cargue con la mujer que apenas se sostiene.

—¡Qué vas a hacer?

—Quedarme con el romano hasta ver si consigue algo.

—Napolitano... —le corrigió el otro.

—¡Lo que coño sea! ¡Lárgate!

No era momento de ponerse a discutir, y minutos más tarde el abatido grupo se ponía en marcha y cualquier observador habría apostado a que no llegaría muy lejos.

Yusuf únicamente les había permitido cargar con odres de agua de los que les obligaba a beber continuamente porque se les advertía deshidratados, corrían riesgo de derrumbarse y ninguno de ellos estaba en condiciones de cargar con otro.

Era como una tropa de semidesnudos fantasmas y, en cuanto desaparecieron en la oscuridad, Omar el Khebir regresó al pestilente habitáculo donde el italiano le gritaba a alguien que se encontraba a miles de kilómetros de distancia.

Por sus aspavientos, sus ruegos, sus insultos y el airado tono de su voz dedujo que no conseguía sacar de la cama ni al primer ni al último ministro, por lo que se concentró en la tarea de despojar al cadáver del odioso muchachuelo de las granadas de mano, introducirlas en una bolsa y estudiar con calma la estructura del destartalado yacimiento del que mucho tiempo atrás alguien había estado extrayendo un natrón de excelente calidad.

Tras un interminable rosario de gritos, llantos y súplicas, el desmoralizado doctor Di Nuncio optó por apagar la radio mientras comentaba:

—He conseguido que me prometan que al mediodía se reunirán con el primer ministro y le pedirán que hable con el presidente francés.

—Dudo que lleguen a molestarle, porque, a no ser que esto funcione, a mediodía estaremos muertos —fue la tranquila respuesta de quien había colocado la bolsa de granadas en una esquina y se dedicaba a echar sobre ella toda la ropa que encontraba.

—¿Qué pretende?

—Que el techo se venga abajo y esos cerdos de la yihad imaginen que su joven y lunático suicida tenía demasiada prisa por ascender al paraíso y decidió inmolarse antes de tiempo... —indicó con un gesto el cadáver del muchacho—. Suele suceder a menudo con este tipo de descerebrados, o sea, que acerque su cuerpo a la entrada, porque, cuantos más pedacitos de él encuentren, mejor.

—¡Qué salvajada...! —se lamentó el otro, pese a lo cual no dudó en obedecer, arrastrando al difunto hasta donde le indicaba Omar el Khebir—. Tenía entendido que los musulmanes sentían un gran respeto por los muertos.

—Y lo sentimos. Pero más respeto sentimos por los vivos...

Resultaba evidente que Omar el Khebir había recuperado su papel de líder capaz de encarar situaciones críticas, dejando de considerarse a sí mismo un mísero fugitivo seguido a todas partes por un borrico exhibicionista. Volvía a ser un auténtico mercenario, tal vez en exceso brutal en ocasiones, pero dispuesto a morir en el transcurso de una misión, aunque no sin haber dejado una clara e inolvidable huella de su paso.

Se había acuclillado sobre el montón de ropa dedicándose a abrir balas esparciendo la pólvora que contenían al tiempo que comentaba con una sonrisa que ponía de manifiesto que estaba disfrutando con su trabajo:

—Más vale que se aleje, porque, aunque nunca he sido experto en demoliciones, esto va a reventar.

—¿Qué hacemos con la radio? —quiso saber el italiano.

—Sin una antena apropiada no sirve de nada —fue la serena respuesta—. Y, por lo que le he oído gritar, ni aun con antena serviría de mucho.

—En eso puede que tenga razón... —admitió el otro—. Los políticos prefieren dedicar una mañana a acudir a un funeral en el que les hagan fotos besando a los familiares de un cooperante que trabajar en su liberación, visto que luego les echan en cara que han pagado un rescate excesivo o se han quedado con la mitad.

—¿Y, si eso es así, por qué demonios aceptó este puto trabajo? —quiso saber quien ya tenía una lámpara de aceite en la mano dispuesto a prenderle fuego a la ropa.

—Porque no se trata de un puto trabajo, ya que no me pagan por hacerlo. Se trata de un puto vicio. Salvar vidas puede llegar a convertirse en una adicción que engancha más que las drogas, y el día que no consigues una dosis te sientes fatal.

Omar el Khebir le observó un tanto confundido, alzó la lámpara con el fin de verle mejor y, al reparar en su larga y enmarañada barba, su blanca melena infestada de piojos, y parte del cuerpo cubierto de llagas y excrementos, acabó por admitir:

—Pues está claro que lleva varios días sin su dosis, porque tiene un aspecto horrible. Espéreme fuera y llévese una manta, porque empieza a hacer frío.

Fabio di Nuncio obedeció, pero, en el momento de pasar por encima del cadáver que él mismo había atravesado en la salida, le enfiló los cuernos en un gesto muy napolitano, al tiempo que comentaba:

—¡Espero que no puedas violar a nadie en el infierno, hijo de puta!

Omar el Khebir fue a decir algo, pero se arrepintió debido a que no era de su incumbencia saber quién podría haber sido la víctima de un degenerado que en vida tenía todo el aspecto de no hacer excesivas distinciones en cuestión de sexo. Lo único que importaba era que se encontraba acuclillado frente a ocho granadas de mano, a una de las cuales le había quitado la anilla sujetando el seguro con una cuerda. En cuanto se propagara el fuego y la cuerda ardiera, la lógica indicaba que todo debería saltar por los aires, pero no estaba seguro de si en verdad ocurriría, por lo que no era momento de preocuparse por cosas que no tenían remedio.

Se irguió, le arrancó el turbante al que solía llevar la voz cantante, le aplicó la llama y, cuando se convirtió en una bola de fuego, lo dejó caer y echó a correr.

A unos doscientos metros le aguardaba el italiano y, aunque el sol aún tardaría en hacer su aparición, una leve claridad lechosa les permitió distinguir cómo del suelo emergía una columna de humo seguida de una llamarada y casi de inmediato se escuchaba una estremecedora explosión.

Una nube de polvo, sangre y restos humanos cubrió los alrededores, y al poco Omar el Khebir recogió un pie ensangrentado alzándolo como quien exhibe un valioso trofeo.

—Esto ayudará, porque los carroñeros indicarán a esos hijos de puta dónde se encuentra el problema... —dijo, y a continuación hizo un gesto en dirección al enorme hueco cubierto de tierra, arena y natrón que había quedado a sus espaldas—. Dudo que se molesten en intentar averiguar cuántos cadáveres han quedado ahí abajo y, si tenemos suerte, se largarán, porque los buitres llaman mucho la atención.

—¿Y si no tenemos suerte?

—Nos perseguirán, tendremos que defendernos a tiros y tenga por seguro que en ese caso acudirán muchísimos más buitres.

Orinó sangre.

Al principio no advirtió que era sangre, pero lo era, lo que unido a la debilidad que experimentaba, y el hecho de estar consumiendo demasiada agua, denotaba que, en efecto, algo se había roto en su interior.

Por primera vez en su vida le invadieron la ira y la impotencia debido a que su cuerpo no le estaba respondiendo cuando más lo necesitaba, y la muerte no parecía partidaria de hacer distinciones por muy joven, fuerte o tuareg que fuera.

Llevaba casi toda la noche dado tumbos, tropezando y volviendo a levantarse en un agotador esfuerzo por aproximarse al punto por el que había visto desaparecer lo que estaba convencido de que eran figuras humanas, pero por mucho que lo intentaba no conseguía encontrar su rastro.

Si se trataba de secuestradores, se habían ocultado muy bien; y, si se trataba de simples beduinos que aprovechaban la noche para viajar por una zona que durante el día resultaba intransitable, se encontrarían ya demasiado lejos.

Su única compañía había quedado reducida a una solitaria hiena que venía siguiéndole casi desde que oscureció.

La maloliente bestia tenía fama de presentir cuándo un animal estaba a punto de morir y, por lo visto, el rastro de sangre que Gacel iba dejando le bastaba para comprender que le convenía mantenerse en silencio sin alertar a quienes pretendieran disputarle tan apetitosa presa.

A las hienas rayadas les encantaban los banquetes familiares, pero los machos de hiena manchada preferían vivir en solitario, aparearse cuando se presentaba la ocasión y continuar su camino sin cargar con la responsabilidad de alimentar crías, porque encontrar algo con que llenar la tripa en un lugar tan inhóspito como El Saleb era ya lo suficientemente duro como para tener que compartirlo.

Al cabo de tres horas, y temiendo que en cuanto amaneciera aquel repugnante perro cojitranco le delatara con su presencia, el tuareg se tumbó cuan largo era, montó en el rifle la mira telescópica de visión nocturna, así como el silenciador, apoyó el cañón sobre la bolsa de comida, porque la mano izquierda continuaba sin obedecerle, y aguardó sin prisas hasta que la bestia se movió permitiéndole distinguir con absoluta nitidez sus cuartos traseros.

En cuanto apretó el gatillo, el animal escapó aullando rumbo a una oscura guarida en donde lamerse las heridas, pasando en un instante de posible comensal a posible plato fuerte, y sin conseguir entender de dónde había surgido tan violento enemigo.

A Gacel le hubiera resultado mucho más sencillo acabar con ella de un tiro en la cabeza, pero abatirla allí mismo hubiera significado que muy pronto todos los carroñeros de la zona hubieran acudido a darse un banquete en lo que constituía una compañía peligrosa y muy desagradable.

Permaneció un largo rato en la misma posición, intentando reunir fuerzas mientras observaba cómo a menos de un metro de distancia una pareja de escorpiones comenzaba a realizar lo que tenía todas las trazas de ser una desaforada danza nupcial, aunque entraba dentro de lo posible que se tratara de una lucha a muerte entre dos machos dispuestos a destrozarse el uno al otro.

Baile nupcial o sangriento combate no duró mucho, puesto que de improviso algo le rozó el turbante y uno de los participantes desapareció como por arte de magia.

Su pareja, o contrincante, lo que quiera que fuese, permaneció unos segundos con el amenazante aguijón erguido, pero pronto pareció comprender que el peligro alado continuaba aleteando sobre su cabeza, por lo que corrió a buscar refugio bajo una piedra.

Incluso allí, tan lejos de todo, la eterna lucha por la

supervivencia continuaba imperando de una forma implacable.

De nuevo le atormentaba la sed y le avergonzaba haber perdido la capacidad de controlar su necesidad de beber, aun sabiendo que de dicho control dependía su vida. Había calculado que necesitaría agua para cuatro días, pero ya apenas le quedaba, porque probablemente la estaba convirtiendo en sangre que escupía, orinaba o se desparramaba sin control por algún rincón de su cuerpo.

Se arrastró hasta encontrar una especie de madriguera que apenas ofrecía protección, pero no se sentía con fuerzas para ir más lejos, por lo que permitió que el agotamiento hiciera su trabajo.

Soñó que moriría al mismo tiempo que Ghalia Mendala y que esta le reñía por no haber cumplido su promesa de consolar a Suilem, lo cual constituía a todas luces una gran estupidez, porque nada ni nadie consolaría nunca a Suilem Baladé.

Al despertar cayó en la cuenta de que durante aquellos últimos tiempos de horror y muerte solo había existido una compensación: ser testigo de hasta qué punto podían amarse dos personas, lo cual le permitía conservar una cierta esperanza en un futuro menos descorazonador. Quizás por eso mismo el caprichoso destino no había consentido que Ghalia Mendala y Suilem Baladé tuvieran hijos que pudieran convertirse en la semilla de una nueva especie humana menos egoísta.

Le entristeció pensar que se iba a morir tras haber perdido la fe, y le vinieron a la mente las historias que había oído contar sobre hombres incrédulos que encontraron a Dios en el último momento.

Su caso era el opuesto, pero lo único que lamentaba era que iba a morir en un sucio agujero del que únicamente le sacarían las alimañas.

Tenía sed, y el día fue el más caluroso que recordaba.

Volvió a sumirse en un profundo sopor y en esta ocasión soñó que la muerte le andaba buscando por la llanura, desconcertada y furiosa por no ser capaz de dar con su escondrijo.

Pasó de largo, la oscuridad le seguía, tal como la oscuridad sigue siempre a la muerte, y tan solo entonces el tuareg emergió como el difunto que escapa de una tumba demasiado estrecha.

Consumió hasta la última gota de agua que le quedaba y se sentó a esperar, sabiendo que, cuando los paracaidistas descubrieran su cadáver, el coronel Courbet comprendería que no había podido hacer más.

Al fin y al cabo ambos habían aceptado el fracaso de antemano.

Y aceptar el fracaso de antemano, cuando de su éxito dependían tantas vidas humanas, era como morirse un poco de antemano.

De improviso, tres hombres y un asno emergieron del suelo a su derecha, cruzaron a menos de cien metros de donde se encontraba y se alejaron a buen paso rumbo al oeste.

En un principio llegó a pensar que seguía teniendo alucinaciones, pero sus siluetas se habían recortado con tanta claridad contra un fondo de estrellas que incluso creyó imaginar que el burro se había detenido un instante con el fin de volverse a mirarle.

No pudo por menos que preguntarse qué demonios hacía un burro en semejante lugar, pero no quiso o no pudo pensar demasiado en ello debido a que la sed le atormentaba, por lo que echó manos a sus últimas fuerzas y se encaminó al punto del que habían emergido con la esperanza de encontrar agua.

Tal como suponía, se trataba de un yacimiento abandonado, pero tuvo la precaución de mantenerse un rato a la escucha antes de decidir que no quedaba nadie en su interior.

Aun así descendió sigilosamente por la burda escalinata de piedra, apuntando siempre a través del visor nocturno, pero, en cuanto avistó un odre que rezumaba agua, la ansiedad venció a la prudencia y bebió hasta casi ahogarse.

Reconfortado y más tranquilo, encendió una linterna para examinar con detenimiento lo que tenía toda la apariencia de ser un enorme zulo de los que solían utilizar los terroristas y los guerrilleros, ya que en él que se amontonaba gran cantidad de armas, agua y provisiones.

Pese a su aislamiento y su insufrible calor, El Saleb debía constituir un punto de apoyo esencial para los yihadistas a la hora de extender sus dominios hacia los países vecinos, teniendo casi a tiro de piedra los campos petrolíferos de Argel, las minas de uranio de Níger o el hierro de Mauritania. Lo único que se interpondría entre ellos y sus objetivos sería un mar de arena escasamente vigilado.

Gacel Mugtar ni tan siquiera tuvo fuerzas para intentar ensayar una sonrisa al comprender que la caprichosa mala estrella que le había guiado durante los últimos tiempos le había llevado a finalizar su viaje en un refugio del extremismo más radical, por lo que tal vez cuando encontraran su cadáver llegarían a imaginar que se trataba de alguien que había elegido morir entre los suyos.

Extraño destino aquel en el que un fanático como el imán Songó Babangasi pasaría a la historia como compasivo hombre santo cuyo mausoleo visitarían los beduinos, mientras que la tumba de un tuareg que se había convertido en ateo figuraría entre las de los yihadistas que tanto aborrecía.

Intentó consolarse argumentando que nunca nadie consiguió ver el color de su propia sepultura estando dentro.

Comió sin apetito una lata de sardinas, que también machacó hasta convertir en papilla, volvió a orinar sangre y salió a vigilar por si a alguno de los secuestradores se le ocurría regresar, visto que no tenía ni la menor idea sobre a dónde habrían ido ni cuál sería la misión que tenían que llevar a cabo.

Seguía confiando ciegamente en su fusil, pero decidió armarse también de un AK-47, que no le serviría de mucho a larga distancia, pero que conseguiría que incluso el extremista más fanático se lo pensara a la hora de aproximarse.

Mientras luchaba por vencer una somnolencia que no era más que la antesala de la muerte, le pareció escuchar lo que se le antojaron ahogadas detonaciones, pero, aunque prestó atención esforzándose por mantener todos sus sentidos alerta, el resto de la noche transcurrió en el más absoluto silencio.

Al comprender que amanecía se introdujo de nuevo en el hueco que permitía la entrada al yacimiento, acomodándose de tal forma que desde un peldaño de la improvisada escalinata podía vigilar la llanura atisbando entre las piedras.

Fue en ese justo momento cuando distinguió a lo lejos una llamarada y al poco resonó un estampido.

Enfocó el visor de su arma en aquella dirección y lo que vio le dejó perplejo: fantasmagóricamente alumbrado por la primerísima claridad del alba un asno avanzaba llevando sobre su lomo a una mujer que solo se mantenía en equilibrio gracias a que un beduino muy alto la sujetaba por el brazo.

Les seguían cuatro hombres que apenas conseguían soportar el ritmo de la marcha y que de tanto en tanto tropezaban para volver a levantarse continuando casi a gatas.

Vistos con tan escasa luz y a tanta distancia se les podría considerar almas en pena que vagaban sin destino concreto.

Tan solo el beduino armado que marchaba junto al burro se mostraba entero y de tanto en tanto se volvía a quienes se quedaban atrás exigiendo que apretaran el paso.

Se agachó aun a sabiendas de que no podían verle, en lo que supuso un gesto casi instintivo cuya auténtica finalidad era intentar asimilar que lo que estaba viendo respondía a la realidad; los rezagados, al igual que la mujer, parecían europeos y su mente se negaba a admitir que tal vez cinco de los rehenes, o lo que quedaba de ellos, que no era mucho, vinieran a su encuentro vigilados por un único secuestrador.

Se sentía tan confuso como cuando rodó por la ladera de la duna sin saber si el cielo estaba arriba o abajo, y cabría imaginar que a partir de aquel día su cerebro no había funcionado con normalidad, por lo que en aquellos momentos se consideraba incapaz de hilvanar las ideas.

Tuvo que volver a atisbar entre las piedras para acabar

aceptando que el indescriptible grupo continuaba aproximándose, se esforzó por encontrar una explicación razonable a semejante situación, pero acabó por decidir que no era momento de pensar, sino de actuar en la medida que le permitieran sus cada vez más escasas fuerzas, por lo que dejó a un lado el rifle, cargó el AK-47 y se mantuvo inmóvil hasta que calculó que el beduino se encontraba a unos diez metros de distancia, momento en que se irguió apuntándole directamente al pecho.

—¡Suelta el arma! —gritó.

El amenazado, que no había tenido la menor oportunidad de reaccionar, obedeció en el acto dejando caer su fusil, aunque al hacerlo no pudo sostener con la otra mano a la mujer, que se precipitó al suelo sollozando:

—¡Oh, Dios, no! Otra vez no...

Los restantes miembros del grupo parecían haberse convertido en atemorizadas estatuas.

Gacel aprovechó su desconcierto para avanzar unos metros al tiempo que ordenaba en árabe:

—Retrocede hasta aquellas piedras.

Luego, ya en un tono menos imperativo, añadió en francés:

— ¡Tranquilícense...! Ahora son libres.

Tras los primeros instantes de perplejidad, uno de los rehenes acertó a balbucear señalando a Yusuf:

—Él ya nos ha liberado...

—¿Cómo ha dicho...? —inquirió el tuareg creyendo haber oído mal.

—Que nos habían secuestrado y él nos ha puesto en libertad.

El cada vez más desconcertado Gacel Mugtar se volvió al mencionado y preguntó:

—¿Perteneces a la yihad?

—¡Dios me libre...! —se horrorizó el otro—. ¿Y tú?

—Tampoco.

—Entonces, ¿a qué viene todo esto?

El tuareg señaló al grupo de rehenes al replicar:

—Los buscaba.

—Pues aquí están.

—Falta uno.

—Llegará más tarde.

—¡Explícate...!

Las explicaciones, en las que intervinieron los rehenes, se prolongaron durante varios confusos minutos, al final de los cuales el tuareg hizo un imperativo gesto al tiempo que pedía silencio:

—¡Basta! Váyanse a descansar y tú aclárame por qué estás metido en esto.

Yusuf aguardó hasta que sus exhaustos acompañantes hubieron descendido al yacimiento y, solo entonces, respondió con absoluta calma:

—Porque soy un mercenario, pero no un secuestrador.

—No sabía que hubiera diferencias.

—Las hay. ¡Y muchas! Y ahora puedes pegarme un tiro y acabar con todo esto, porque tu voz me suena, y creo que eres el maldito tirador que nos viene siguiendo desde Níger.

Gacel, al que le fallaban las piernas y se sentía incapaz de asimilar tal cúmulo de absurdos acontecimientos, tomó asiento al tiempo que le hacía un gesto para que le imitara.

—¿O sea, que formas parte del grupo que masacró a

los senaudi...? —ante el mudo gesto afirmativo, añadió—: ¿Qué ha sido de Omar el Khebir?

—Se quedó atrás con un médico, y supongo que ha sido él quien ha provocado la explosión que acabamos de oír.

Su interlocutor tardó en responder, porque de nuevo había comenzado a vomitar sangre, y, tras limpiarse la boca con el dorso de la mano, comentó, como si el hecho careciera de importancia:

—Creo que me estoy muriendo.

—¿Qué te ha ocurrido?

—Es una larga historia que no creo que tuviera tiempo de acabar —indicó con un giro de la cabeza la entrada del yacimiento y dijo—: Ahora lo que importa son ellos.

—En eso estoy de acuerdo... —reconoció con sorprendente calma Yusuf—. Y, si te sirve de algo, te diré que hemos hecho un trato por el nos comprometemos a protegerlos.

—¿Cuál es el precio?

—El perdón.

—Demasiado alto.

—Seis vidas nunca son un precio demasiado alto, y quiero que tengas en cuenta que si atacamos a los senaudi fue porque se trataba de su vida o la nuestra. Cuando la sed atormenta eres capaz de matar incluso a tu propia madre.

—Eso es muy cierto —admitió el tuareg—. En este maldito desierto el agua lo es todo... —volvió a vomitar sangre, y tras respirar profundamente inquirió—: ¿Qué piensas hacer?

—Volver con el burro a por el médico, que también debe estar destrozado, porque cada minuto cuenta y esos malditos fanáticos pueden aparecer en cualquier momento —hizo una larga pausa y al fin añadió—: Ahí abajo hay un arsenal, tanto Omar como yo somos buenos en este oficio y, como has tenido ocasión de matarme y no lo has hecho, por lo que a mí respecta no tenemos ningún asunto pendiente.

—¿Qué opinará Omar?

—Es un gran profesional y un hombre inteligente...

Se puso en pie, recogió su arma, tomó por el ronzal al burro, que había sido mudo testigo de la conversación, y mientras comenzaba a alejarse comentó:

—Procura no morirte, porque vamos a necesitar a todo el que sepa utilizar un arma y tú has demostrado que sabes hacerlo.

# 25

Los buitres volaban en círculo y le sorprendió que lo hicieran en la distancia y no sobre su cabeza.

Cuando Yusuf y el burro se hubieron perdido de vista, descendió a un yacimiento en el que los rehenes aparecían desparramados por el suelo y solo uno entreabrió los ojos para dirigirle una desvaída mirada y volver a cerrarlos de inmediato.

Bebió, intentó masticar un pedazo de queso y se sentó a observarles sin poder evitar preguntarse qué era lo que les habría empujado a acabar en semejante lugar y en semejantes circunstancias.

La deprimente escena le ayudaba a recuperar parte de su ya casi inexistente fe en los seres humanos, pero no a recuperar su antaño firme fe en Dios.

Si aquellos infelices habían hecho tantos sacrificios por amor a sus semejantes, tenía una cierta explicación que se encontraran allí, pero, si lo habían hecho por amor a su dios, cualquiera que este fuera, resultaba inexplicable que les hubiera abandonado a tan inmunda suerte.

Comprendió que al pensar de ese modo se estaba cerrando las puertas del paraíso, pero tras haber sido testigo de tantas atrocidades le costaba aceptar que pudiese existir ningún tipo de paraíso en parte alguna.

Las fuerzas le iban abandonando tal como el agua solía escapar por las fisuras de una vieja *girba*, y comprendió que ahora no estaba allí su madre para colocar un cuenco y recoger las gotas de vida que goteaban.

Sonrió al pensar en ella y quiso creer que se sentiría más orgullosa que triste cuando le contaran que su hijo había muerto defendiendo a los indefensos.

Si en verdad existía otra vida, él no se sentiría orgulloso por sus supuestas hazañas, sino más bien avergonzado por sus muchos crímenes, incluido el de intento de suicidio, porque empezaba a creer que en el momento de lanzarse desde el avión lo había hecho con la intención de acabar de una manera digna.

En aquel momento sabía que nunca conseguiría salvar a los rehenes y estaba decidido a no continuar asesinando a desconocidos, por lo que morir valientemente hubiera sido sin duda la solución más honrosa.

Cerró los ojos y se sumió en la nada sin sueños ni alucinaciones; solo la nada.

Cuando volvió a abrirlos, todo continuaba igual, excepto por el hecho de que otro hombre de enmarañada melena blanca y larga barba descansaba a su lado.

A duras penas consiguió ponerse en pie y salir al exterior, donde le deslumbró la violenta luz de un sol que le daba directamente en los ojos.

Cuando consiguió habituarse a ella, advirtió que el burro descansaba a la sombra mientras Yusuf espiaba entre las piedras.

—¿Qué ocurre? —inquirió.

El otro se volvió, le examinó de arriba abajo como si en verdad le sorprendiera su presencia y se limitó a comentar:

—Creí que estabas muerto.

—Aún no.

—Ya veo.

—¿Y Omar?

—Se ha ido.

—¿Se ha ido…? —repitió un incrédulo Gacel—. Nunca lo habría imaginado.

—Sus razones tenía… —fue la desconcertante respuesta mientras le pedía con un gesto que ocupara su puesto en la escalinata y atisbara entre las piedras—. Ocho razones para ser más exactos.

El tuareg obedeció y pudo constatar que efectivamente ocho jinetes venían siguiendo unas huellas claramente marcadas en la arena y que conducían sin margen de error hacia la entrada del yacimiento.

Se preguntó por qué razón la muerte no se lo había llevado ya, aunque solo fuera con el fin de evitarle ser testigo de una nueva masacre.

—¿Qué podemos hacer? —musitó.

—Esperar.

—¿Esperar qué?

—A que sean siete.

—No te entiendo… —casi gimió—. ¿A qué te refieres?

—A que siempre es preferible que te busquen siete yihadistas hijos de puta a que te busquen ocho yihadistas hijos de puta, y para eso lo mejor es esperar —alargó el brazo señalando a un jinete al remachar sus palabras con firmeza—: ¿Lo ves…? Ahora solo son siete, porque el del turbante blanco se tambalea y, o mucho me equivoco, o el siguiente será el flaco que cabalga a su derecha.

Al tuareg no le costó comprobar que, tal como el otro apuntaba, el extremista del turbante blanco se inclinaba cada vez más hasta precipitarse al suelo al mismo tiempo que la cabeza de quien tenía a su derecha estallaba en pedazos.

Yusuf sonrió de oreja a oreja.

—Ya solo son seis, y como no espabilen no va a quedar ni uno —colocó afectuosamente una mano en el hombro del tuareg al tiempo que añadía—: Como puedes comprobar, Omar ha resultado un buen alumno gracias a que fuiste un buen maestro.

—¿Tiene mi fusil?

—¿Acaso crees que matar a esa distancia se consigue a pedradas?

—¿Y dónde está?

—Recuerda que es tuareg, y como tuareg deberías saber que cuando uno de vosotros se oculta ni otro tuareg consigue descubrirle… —Yusuf dejó escapar una corta carcajada como si estuviera asistiendo a un fascinante espectáculo, al tiempo que exclamaba—: ¡Ya solo quedan cinco!

En efecto, un tercer secuestrador había caído mientras sus aterrorizados compañeros se volvían hacia uno y otro lado intentando localizar el punto desde el que les abatían con tanta precisión.

—Ahora es mi turno —comentó Yusuf mientras comenzaba a disparar su AK-47—. Vamos a darles duro.

—Están demasiado lejos— le hizo notar Gacel, al que

ya le costaba un gran esfuerzo incluso hablar—. Lo único que conseguirás es desperdiciar balas.

—Tenemos muchas, y elevando el tiro les caerán lo suficientemente cerca como para acabar de aterrorizarlos… —mientras reponía el cargador reparó en el rostro de quien se apoyaba en el muro incapaz de mantenerse en pie, y lanzó un bufido con el que pretendía expresar su disgusto—. Deberías acostarte… —dijo—. Entre Omar y yo nos encargamos de esto.

—Quiero verlo, porque será lo último que vea.

—Eso lo entiendo.

Los rehenes habían acudido al ruido de los disparos y llegaron a tiempo de ser testigos de cómo un camello resultaba alcanzado en el estómago y se encabritaba lanzando al suelo a su jinete, que comenzó a correr desalentado, aunque a los pocos metros un tiro en la espalda le precipitaba de bruces.

—Ya solo quedan cuatro… —comentó Yusuf como si fuera lo más natural del mundo al tiempo que lanzaba una nueva ráfaga—. El maldito hijo de una cabra sarnosa los está cazando a placer.

Los yihadistas debieron pensar lo mismo, porque sin ponerse de acuerdo obligaron a dar media vuelta a sus monturas para alejarse al galope.

—Esos no vuelven… —fue el comentario de quien parecía estar disfrutando como pocas veces en su vida mientras aferraba al tuareg por un brazo y le ayudaba a subir a la llanura acomodándole sobre un montón de arena—. ¡Ven…! —añadió—. Ese maldito agujero no es un buen lugar para morir.

Los rehenes se les unieron felices y aliviados al comprobar que la columna de polvo se alejaba, y al poco pudieron advertir cómo Omar el Khebir surgía de entre unas rocas, se aproximaba a los caídos y le disparaba a bocajarro a uno que al parecer no se le antojaba lo suficientemente muerto.

Luego aferró por las riendas a dos de los camellos que observaban con absoluta indiferencia como uno de sus congéneres agonizaba, y se aproximó sin prisas para ir a detenerse frente al tuareg.

—Esto es tuyo —dijo entregándole el fusil.

—Puedes quedártelo —fue la firme respuesta, que denotaba convencimiento—. Yo ya nunca podré utilizarlo.

—Lástima, porque es un arma extraordinaria… —admitió el otro—. Pero, si me la encuentran encima, me ocasionará problemas, porque a partir de ahora tan solo soy un pobre beduino que intenta escapar de un país demasiado violento…

Le interrumpió un lejano rugir de motores y alzaron la vista para advertir que muy a lo lejos hacía su aparición un avión militar del que a los pocos instantes comenzaban a saltar paracaidistas.

Yusuf observó cómo el horizonte se iba cubriendo de setas blancas y, mientras trepaba a uno de los camellos, no pudo evitar uno de sus incisivos comentarios:

—Los franceses llegan tarde… Como de costumbre.

Omar el Khebir hizo un gesto con la mano ordenando al burro que les siguiera y a continuación se volvió hacia Fabio di Nuncio.

—Recuerde nuestro acuerdo, doctor; declarará bajo juramento que fue testigo de cómo dos brutales mercenarios al servicio de la yihad islámica, Omar el Khebir y Yusuf Kassar, morían y quedaban sepultados en el yacimiento de natrón en donde los mantuvieron secuestrados.

—Le di mi palabra y la cumpliré.

—Eso espero, porque de lo contrario volveré y le cortaré el cuello a su gente —a continuación inclinó respetuosamente la cabeza ante Gacel Mugtar y añadió—: Lamento haberte conocido en estas circunstancias, porque los enemigos capaces de engrandecernos no abundan.

A aquel a quien iban dirigidas las palabras más sinceras que había dicho nunca apenas le quedaron fuerzas para alzar la mano, descubrirse y permitir que le viera la cara.

Con ello demostraba que era un auténtico tuareg que había dado su vida por los débiles y no temía ni a sus peores enemigos.

Los demás solo eran gente que se ocultaba tras un velo.

*Madrid, noviembre de 2013*